D0411198

Christopher Paul Curtis

Elia

Vertaling Annelies Jorna

Nieuw Amsterdam *Uitgevers*

De vertaalster ontving voor deze vertaling een werkbeurs van het Fonds voor de Letteren.

Oorspronkelijke titel *Elijah of Buxton*. Uitgeverij Scholastic Press, New York

Omslagillustratie Irma Braat
Omslagontwerp steef liefting
Vormgeving Willem Geeraerds

NUR 283
ISBN 978 90 468 0552 7
www.nieuwamsterdam.nl/christopherpaulcurtis

Mixed Sources
Productgroep uit goed beheerde bossen en andere gecontroleerde bronnen.
www.fsc.org Cert no. SGS-COC-1940
© 1996 Forest Stewardship Council

Opgedragen aan de eenentwintig ex-slaven die zich als eerste vrije mensen vestigden op *The Elgin Settlement and Buxton Mission* van Raleigh: Eliza, Amelia, Mollie, Sarah, Isaiah Phares, Harriet, Solomon, Jacob King, Talbert King, Peter King, Fanny, Ben Phares, Robin Phares, Stephen Phares, Emeline Phares, en Isaac en Catherine Riley en hun vier kinderen.

En aan dominee William King en zijn liefde voor gerechtigheid.

Slangen en ma

’t Was zondag na de kerk en al m’n klussen waren klaar. Ik zat op het plaatsje voor ons huis te verzinnen wat ik zou gaan doen. Het was het uur van de dag dat de vogels hun gemak ervan willen nemen en de kikkerpadden een keel gaan opzetten met dat kwakerige geluid dat ze zowat de hele nacht volhouen. Ik wist niet of ’t de moeite waard was om nog een uurtje te gaan vissen voor ’t donker werd. Dat vraagstuk werd opgelost toen Cooter over straat aan kwam lopen en naar me zwoei.

‘Avond, Eli.’

‘Avond, Cooter.’

‘Wat doe je?’

‘Ik denk aan Old Flapjack, en aan vissen. Ga je mee?’

‘Nee joh, ik weet iets leukerders dan kijken hoe jij vist. ’t Is heel geheimzinnig.’

Ik dacht er het mijnes van. Ik wil m’n beste vriend niet afvallen, maar Cooter vindt erg veel dingen geheimzinnig die de meeste mensen meteen doorhebben.

‘Wat dan?’ vroeg ik toch maar.

‘Toen ik door m’n ma haar moestuin liep zag ik zulke rare sporen als ik van m’n leven niet heb gezien.’

‘Hoezo, raar? Groot?’

‘Nee, meer een soort lange slingers. Ik erachteraan, maar in het gras hielden ze op.’

Cooter is een kei van ’n spoorzoeker, dus het kon toch best eens geheimzinnig zijn.

‘Kom mee.’

We gingen naar Cooter z’n huis, deden het hek open en liepen achterom naar z’n ma haar moestuin. Cooter had gelijk!

Daar tussen z’n ma haar bedden met bieten, maïs en doperwten zag ik de aller-raarste sporen die je je maar kon voorstellen.

Ik bekeek ze eens goed. Zes dunne, kronkelende strepen die heel lang waren, en twee waren er ’n flink stuk breder dan de rest. Ze begonnen aan de ene kant van Cooter z’n ma haar moestuin, liepen dwars door de groentes en verdwenen in het gras verderop.

Ik ging op mijn handen en knieën zitten, met mijn neus erbovenop, en zei tegen Cooter: ‘Nou heb je me. Zoiets heb ik ook nog nooit gezien. Laten we pa ernaar vragen als-ie zo van het land komt.’

Voor we de kans kregen ’t aan pa te vragen, kwam de predikant aanlopen over de weg langs Cooter z’n huis. Hij lijkt van geen kanten op een gewone predikant, met een kerk en zo, maar hij zegt tegen wie het maar horen wil dat-ie de Zeereerwaarde diaken dr. Zepharia Connerly de Derde is, de geleerdste, slimste man van de wereld. In plaats van die hele zwik namen noemen Cooter en ik hem gewoon de predikant.

Hij leunde op Cooter z'n hek en riep: 'Avond, jongens.'

'Avond, predikant.'

'Warm vandaag. Waarom zijn jullie niet gaan zwemmen?'

'We motten iets geheimzinnigs uitzoeken, predikant,' zei Cooter.

'O ja? En wat dan wel?'

'Het gaat om een soortje dierensporen die we nog nooit hebben gezien,' zei ik.

'Waar zijn ze?'

De predikant deed het hekje open, liep de moestuin in, ging op zijn hurken zitten en bekeek de strepen even aandachtig als ik had gedaan. Hij haalde een zakmes tevoorschijn en wurmde een kluitje zand uit zo'n streep. Hij tuurde er van zo dichtbij naar dat-ie er scheel van keek.

Mijn adem stokte en ik kreeg de kouwe rillingen toen-ie ineens schreeuwde: 'Heer, sta ons bij!'

In een flits sprong de predikant op en keek zo wild om zich heen alsof iemand had geschreeuwd: 'Een wolf!'

Ik en Cooter keken al net zo wild rond. Ja, vind je het gek?

De predikant zei, alsof hij in zichzelf praatte: 'Nee! Nee! Nee! Het moest er ooit van komen, maar ik had gehoopt dat het niet zo vlug zou zijn.'

Ik en Cooter riepen tegelijk: 'Wat? Wat dan? Wat moest er ooit van komen?'

De predikant trok een gezicht alsof z'n beste vriend net was vermoord. 'Ik heb nog zo gewaarschuwd dat die net vrije mensen goed gecontroleerd moesten worden, maar nu hebben ze per ongeluk toch een paar van die vreselijke ondieren meegebracht.'

Ik zag dat de predikant z'n zakmes niet opborg, maar het uitgeklapt in z'n hand hield. Ergerder nog, hij had het mes vast alsof-ie ermee wou gaan steken.

'Wat hebben ze meegebracht, predikant?' vroeg ik.

'*Hoepelslangen!*' Hij zei het op 'n lage, sissende toon waaraan je kon horen dat je die van je leven niet wou tegenkomen, wat het ook mochten wezen!

Cooter z'n ogen schoten van links naar rechts. 'Watte? Wat is een hoepelslang?'

Nou krijg ik van elk soort slang al de bibbers, maar de predikant joeg me helemaal de stuipen op het lijf toen-ie zei: 'Ik zal het jullie wel moeten vertellen, maar het mag niet verdergaan dan ons drieën.'

Met zijn laars veegde hij een heel stuk van de sporen weg in het zand.

'Wat bedoelt u nou toch, predikant!' zei ik.

De predikant legde het uit maar keek me er geen een keer bij aan, want hij had 't veels te druk met de weg en het bos in de gaten te houen. 'Waar ik vandaan kom heb je een akelig addergebroed dat hoepelslang heet. Dat monster is niet alleen sneller dan een renpaard, maar hij kan ook nog eens met één beet een volwassen beer doden!'

Ik keek naar Cooter en hoopte dat ik niet net zo angstig keek als hij.

De predikant vervolgde: 'Het lijkt net een gewone slang, maar er is één groot verschil.'

'Wat dan?'

'Hoepelslangen hebben de gewoonte hun staart in hun bek te nemen en zichzelf te bijten.'

Dat slaat nergens op, dat slaat toch helemaal nergens op! Als het waar was wat de predikant zei, zijn die slangen niet goed bij hun kop.

'Hoe kennen ze bijten als ze hun eigen staart in hun bek hebben?' vroeg ik dus.

'Goeie vraag, Elia. Maar ze hebben hun staart niet in hun bek als ze willen bijten, ze houden hun staart in hun bek als ze achter je aan gaan!'

'Maar...' zei Cooter.

De predikant stak z'n linkerhand op. 'Luister! En, mijn jonge broeders, zet je oren wijd open! Het kan je leven redden. Als ze hun staart in hun bek nemen rollen ze zich op, komen overeind als een wagenwiel en jagen rollend achter hun prooi aan om die te vermorzelen!'

Mijn nekharen begonnen te kriebelen alsof er een eng insect in zat.

De predikant zei: 'Als ze je inhalen en bijten...' hij klapte zijn linkerhand dicht als de bek van een hoepelslang, '... kun je het wel vergeten. Dat overleef je niet.'

'Waarom niet?' vroeg Cooter.

'Omdat, Cooter, het gif pijlsnel in je bloed komt. Binnen een paar uur zwel je op tot je vel zo beurs en rot is als van een overrijpe perzik die op 't heetst van de dag in de zon heeft gelegen!'

'Watte? Zwel je op?' zei Cooter.

De predikant zei: 'Je zwelt zo erg op dat de druk in je lijf na precies zeven en een halve dag zo groot is dat je uit elkaar barst als een oververhitte stoomketel! In een paar tellen spatten je maag, longen en andere ingewanden kilometers ver in het rond!'

Ik kon niet geloven dat mensen die net vrij waren ons zoiets aan zouen doen, al was het dan per ongeluk!

Maar de predikant was nog niet klaar. 'Sterker nog, alles zwelt op behalve je hoofd, zodat je met eigen ogen het hele drama aan moet zien!'

Cooter kwam vlak naast me staan en zei gesmoord: 'Nou predikant, dan ga je tenminste wel vlug dood en hoef je niet heel lang te lijen.'

'Dat mocht je willen, Cooter.' De predikant stak twee vingers op. 'Twee weken! Het duurt nog veertien eindeloos lange dagen na de ontploffing voor je dood bent. En dat is een bitter einde, want je sterft de hongerdood.'

'De hongerdood?' zei Cooter. 'Maar je ken toch nog wel eten, predikant?'

'Nee Cooter, want alles wat je eet valt recht door het gat waar eerst je ingewanden zaten vlak voor je voeten op de grond!'

De predikant tuurde strak naar de plek waar hij de sporen had weggeveegd en zei: 'Die sporen waren vers. 't Is vast een ouderpaar met een hele rits jonkies! God zal ons liefhebben, want dat betekent dat het al te laat is omdat ze al nesten hebben! En aan het geslinger van die sporen zag ik zo dat de hoepelslangen hongerig op jacht zijn!'

De predikant gooide zijn mes neer op de plek waar de sporen waren geweest en legde zijn hand op de dure holster met het mysteriepistool dat-ie altijd droeg. 'Jongens,' fluisterde hij, 'beloof me plechtig één ding. Als zo'n monster me bijt, moet je mijn pistool pakken en me meteen een kogel door mijn hoofd schieten! Zweer het op het leven van jullie moeders. Ik word liever ter plekke doodgeschoten dan zo'n gruwelijke marteldood te moeten sterven! Steek je hand op en zweer om de beurt dat je mijn hoofd van mijn romp zult knallen!'

Achter me klonk een harde knal, en van schrik sprong ik zowat naar de maan! Ik keek om en Cooter was zijn huis in gehold, had de deur achter zich dicht geknald en op slot gedraaid. Hij keek wel uit om wat dan ook te gaan zweren!

Voor ik het wist was ik Cooter z'n tuin al uit en halverwege een pijlsnelle sprint naar huis. Ik was wel zo slim om geen sluippaadjes te nemen en op de weg te blijven, waar ik de jagende hoepelslangen tenminste kon zien aankomen. Ma moet me van mijlenver hebben horen krijsen, want toen ik bijna thuis was rende ze ons voorhek uit.

'Li? Wat is er in godsnaam aan de hand?' riep ze.

Ik spurtte het hek door, sleurde ma het huis in en smeet de deur achter haar dicht. Ik was te uitgeput en overstuur om een woord te kunnen zeggen, en ze bekeek me van top tot teen en draaide me rond om erachter te komen wat er aan de hand was. Na een tel zei ze: 'Li, lieverd, ik ben me doodgeschrokken van je! Wat is er toch, jochie?'

Toen ik weer op adem was vertelde ik haar dat vluchtelingen uit Amerika per ongeluk hoepelslangen naar Buxton hadden gebracht en dat die nu door het bos hoepelden, op jacht naar een prooi om dood te maken.

Ma keek me aan alsof ik achterlijk was. Ze schudde haar hoofd en zei: 'Li, Li, Li. Wat moet ik toch met jou? Hoe vaak moet ik nog zeggen dat een lafaard duizend doden sterft en een dappere jongen er maar één?'

Ik zei niks, maar ik kon dat nou niet bepaald een troost vinden. Als je het mij vraagt is het al erg genoeg als je één keer doodgaat, en maken al die keren daarna niks meer uit.

'Maar, ma,' zei ik, 'ik wil niet dood, en al helemaal niet van 'n hoepelslangenbijt! Knal maar liever meteen m'n hoofd van m'n romp!'

Ma hurkte naast me neer, greep mijn schouders en keek me strak aan. 'Li Freeman, nou moet jij eens goed naar mij luisteren. Niks op de wereld is het waard om zo bang voor te zijn, jongen. Niks.'

'En kikkerpadden dan?' zei ik. 'Waarom ben jij dan zo bang voor kikkerpadden? Dat is toch hetzelfde?'

Ma, die het woord kikkerpadden geeneens kan verdragen, bestierf het zowat als ze er een tegen het lijf liep.

Van 't ene op 't andere moment viel er geen zinnig woord meer te zeggen. Ma stond op, gaf me een klap tegen mijn achterhoofd, deed de deur open en zei: 'Dat is iets héél anders. Iedereen weet dat je van die beesten wratten en nare ziektes krijgt. En geef me geen grote mond, Li Freeman. Ik ben niet zo bang voor kikkerpadden dat ik krijsend als een speenvarken bij klaarlichte dag over straat hol, zoals jij net.'

Ze kwam weer geknield zitten. 'Je wordt te groot om je alles zo aan te trekken, Li. Word eens wat flinker in plaats van aldoor zo over-gevoelig te doen, lieverd.'

Ma had 'n houding alsof ze twijfelde tussen lief voor me zijn en me een pak rammel geven. Ze streek langs m'n wang en zei vriendelijk: 'Ik krijg nog eens wat van die Zepharia! Ik heb je al honderd keer gevraagd om 'm links te laten liggen, Elia. Hij moest zich schamen dat-ie kinderen de stuipen op het lijf jaagt met die verzinsels van hem.'

Ze klonk nog steeds aardig en rustig toen ze zei: 'En jij, zieltje van me, moest eens wat beter over de dingen nadenken. Je mot altijd goed nagaan of je voor de gek wordt gehouen.'

Toen werd ze als bij toverslag weer kwaad, kneep hard in m'n wang en zei: 'Maar dan nog is er geen reden om zo over-gevoelig te doen als net, geen enkele reden.'

Ze porde tegen mijn schouders, want ma haar grootste grief tegen mij is dat ik over-gevoelig ben. Niks op de hele wereld wil ze liever van me dan dat ik ophou met zo potdommes over-gevoelig doen. Dat wil ik zelf ook wel, maar het probleem is dat zij en ik er op heel andere manieren aan werken. Als ik m'n best doe om niet over-gevoelig te zijn snuif ik 't snotterige in m'n neus weer terug als het loskomt en ga ik er niet bij het minste geringste krijsend vandoor, maar ma pakt 't heel anders aan. Meestal wil ze me flinker maken door er eindeloos over door te zaniken. En potdommes-nog-aan-toe, dat gaat 't ene oor in en 't andere uit en je leert er niks van.

Maar het alderergst is 't nog als ma daarna tot daden overgaat om je voor altijd een lesje te leren. De eerste keer dat ze me wou leren niet over-gevoelig te doen had ik het geeneens door, maar de les is me bijgebleven alsof 't gisteren is gebeurd in plaats van veel langer geleden.

Ma en ik liepen toen samen over het erf bij onze moestuin, en ik was nog 'n uk, want ik moest m'n arm hoog boven mijn hoofd uitrekken om haar hand vast te kunnen houen.

Ik weet nog dat ik bleef staan om naar een hoop zand te kijken waar 't krioelde van de piepkleine beestjes. Ik snapte maar niet dat die kriebeltjes uit hun eigen konden bewegen! Ik groef m'n tenen in het zand, zodat ma moest blijven staan en ik beter kon kijken. Dat was zowat de allerstomste vergissing van m'n hele leven.

Ik weet nog dat ik m'n ogen halfdicht kneep om naar ma op te kijken, en ik zag haar d'r zonnehoed afdoen en haar voorhoofd afvegen voor ze gehurkt naast me kwam zitten en zei: 'Li, dat is nou een mierenhoop, lieverd.'

Ik stak mijn hand uit om een mier te pakken. Dat was nog voor ik had geleerd dat insecten kunstjes kennen waarmee ze je wel afleren om aan ze te komen. Maar voor ik er een kon pakken, greep ma m'n hand. 'Niet doen, Li, dat zijn de ijverigste werkers die God geschapen heeft, en dat jij groter bent dan zij betekent niet dat je met ze mag rommelen.' En toen zei ze: 'Ooo, Li, kijk daaro! Is dat niet mooi?'

Ze liet mijn hand los, deed een graai in het gras en hield ineens 't akeligste beest van de hele wereld vast! Hij kronkelde en spartelde zo woest dat het niet normaal was. En helemaal nergens aan dat lijf zaten armen of benen! Hij zag eruit als iets wat zo uit je engste nachtmerrie was weggelopen. Maar 't allerergst was nog dat ma die griezel vasthield, en tot dat moment was ma haar hand de veiligste plek op aarde geweest om me aan vast te klampen als er iets mis was.

Ma rekent die dag als de eerste keer dat ik krijsend vluchtte, maar vind je 't gek?

Zowat alles wat ik vanaf die dag over slangen heb geleerd bewijst dat krijsen en vluchten niet over-gevoelig is, maar juist erg verstandig.

Nog geen week of twee later waren Cooter en ik bij de rivier toen hij uitriep: 'Zo hé...!' – en hij greep een kikkerpad zo groot als een bakblik!

Ik had 't nog steeds te kwaad door hoe ma me had laten merken dat ik over-gevoelig was, en kwam op slag op het idee om uit te proberen hoe over-gevoelig zijzelf zou doen als ze een kikkerpad zo bol als dit bakbeest zag.

Zoals dat gaat met goeie ideeën, hadden we niet meteen een plan klaar. Van het een kwam het ander, en op 't laatst wisten Cooter en ik hoe we de kikkerpad, ma en haar naaimand allemaal tegelijk bij mekaar konden brengen. Op zondagsschool zegt meester Travis altijd dat de Heer van grapjes houdt, en er bestond toch geen mooiere grap dan ma haar hand in de naaimand te zien steken om daar een verrassing te vinden?

Ik wikkelde de kikkerpad na het avondeten in de trui die ma aan het breien was, stopte de hele handel in de mand en holde naar de overkant van de straat om me daar in de greppel met Cooter te verstoppen.

Net als anders kwamen ma en pa even later buiten om er hun gemak van te nemen in de schommelstoelen op de plaats. Ze lachten en kletsten en ma zette haar mand op schoot.

Ze pakte haar breibril, deed de mand weer dicht en zei iets onverstaanbaars tegen pa. Even leek 't of ze haar arm weer in de mand wou doen, maar op het laatste nippertje bedacht ze zich en sloeg ze naar pa z'n arm. Ze zette de mand zelfs weer op de grond en potdommes-nog-aan-toe, het leek of zij en pa de hele tijd niks anders zouen doen dan kletsen en lachen! Ik werd er zowat gek van!

Eindelijk zette ma dan toch de mand op schoot en deed ze een greep. Ze had meteen wel door dat er iets mis was, want de trui woog minstens drie kilo meer met de kikkerpad erin dan de laatste keer dat ze had gebreid.

Zo'n beetje van opzij keek ze naar pa, maar ondertussen pakte ze wel de kikkerpad uit en liet hem meteen met een klap op haar schoot vallen. Ze zat heel even als verstijfd op de schommelstoel en sprong toen met een ruk overeind. Klosjes, naalden, knopen, kikkerpad en onaffe trui vlogen net zo wild in het rond als je ingewanden na een hoepelslangenbijt! Ma haar breibril schoot op haar voorhoofd, en wild op en neer springend sloeg ze naar haar rok alsof-ie in brand stond! En al die tijd gilde ze niet en gaf geeneens een kik.

Ik had nog nooit van m'n leven zoiets grappigs gezien!

Ik en Cooter lagen zowat dood te gaan in de greppel, want we moesten zo'n vreselijke lachbui inhouen dat 't niet lang meer kon duren of we barstten nog uit mekaar!

Ma hoorde ons half stikken en keek onze kant uit. Ze trok 'n gezicht of ze iets wou zeggen, maar haar mond ging aldoor open en dicht zonder geluid. Toen de woorden niet wouen komen, liep ze rillend als een rietje het huis in.

Pa riep naar mij en Cooter: 'Blijf waar je bent.'

Hij zette ma haar stoel overeind, raapte de handwerkspullen bij mekaar en deed ze terug in de mand. Hij pakte de kikkerpad op en droeg hem de weg over naar mij en Cooter.

Hij zette de kikkerpad neer, schudde z'n hoofd en zei: 'Tja, Elia. Voor jou, mij en Cooter mag 't dan een reuzengrap zijn, maar ma en de kikkerpad zagen dat vast anders.'

Cooter en ik probeerden ondertussen ons gezicht in de plooi te houen, maar de tranen rolden ons over de wangen.

'Op een wrat of wat na zal jij niet veel aan de kikkerpad overhouen. Maar voor ma...' hij floot laag en lang, '... is 't andere koek. En je ligt hier nu wel te stikken van de pret om hoe je ma en de kikkerpad hebt laten schrikken, maar je ken ons beter een hoop moeite besparen door nu meteen in het bos een mooie tak te gaan zoeken, zo een waar ma je graag mee zal afranselen. Want dat komt er geheid van, de eerste de beste keer dat jij en ma in een en dezelfde kamer zijn. Cooter,' zei pa, 'je boft vandaag, jongen. Je krijgt twee voorstellingen voor de prijs van één. Als je dacht dat je net 'n grappig nummer had gezien, mot jij eens opletten hoe Li straks staat te dansen en schreeuwen als z'n ma zijn achterste met die tak bewerkt.'

Pa glimlachte en liep weg.

Cooter en ik moesten bijna een kilometer rennen voor we dachten dat we ver genoeg uit de buurt waren om onze lachbui z'n gang te laten gaan. En z'n gang gaan deed-ie. Ik had nog nooit van m'n leven zo verschrikkelijk gelachen! We kwamen niet meer bij toen we eraan terugdachten hoe ma keek bij het openslaan van die trui!

We konden geen van tweeën een zin afmaken.

'Zag je hoe...' begon ik en dan stikte ik er alweer in.

'En... en... en toen ze...' hakkelde Cooter en dan ging hij aan het gras klauwen en op de grond beuken.

En ik: 'Die sprong van ma...' en de lach snoerde mijn keel dicht.

Toen Cooter en ik eindelijk uitgelachen waren en op weg gingen naar huis, werd alles anders. Ik zag het ineens zo donker in als wanneer donkere wolken samenklonteren en voor de vollemaan schuiven. Cooter liep te fluiten en na te lachen en potdommes-nog-aan-toe, ineens kreeg ik door hoe gemeen het avontuur dreigde af te lopen. Hij had net zoveel lol gehad als ik, maar het einde van 't liedje was dat alleen ik ervoor kon opdraaien. Ik begon op een mooie spijtbetuiging te broeden, zo een die overstroomde van oprechtheid, voor als ik ma straks zag.

Toen ik thuiskwam, zei ma geen woord! Ze voelde zich vast opgelaten en wist niet hoe ze me kon straffen zonder 't woord kikkerpad te moeten zeggen, zodat ze het er maar bij liet zitten.

Ik moet zeggen dat ik machtig trots was op ma omdat ze de kikkerpaddengrap zo goed opnam. Gek, net als je denkt dat je je ouders niet nog meer kan bewonderen dan je al doet, gebeurt er iets waardoor je merkt dat je het mis had.

Twee dagen later kwam ik thuis nadat ik meneer Leroy had geholpen op het land van vrouw Holton. Ma en pa zaten buiten. Ma breide weer aan de trui en pa zat een stuk hout te snijden. Zo te zien had ma gebakken, want de koektrommel stond tussen ze in.

'Hoe is 't met meneer Leroy, jongen?' vroeg ze.

'Goed, ma.'

'Ben je vrouw Holton m'n groeten gaan doen?'

'Ja, ma, en je krijgt de groeten terug.'

'Vrouw Brown is geweest en vroeg of je morgen gaat vissen.'

'Ja, ma, meteen als ik klaar ben in de stal.'

'Ze heb gebakken, en ze wou best ruilen voor twee flinke baarzen.'

Niet ma had gebakken, maar vrouw Brown! Dat maakte de baksels in de trommel nog veel aanlokkelijker!

'Wat heb ze gebakken, ma?'

Ma reikte naar de koektrommel en pakte hem op.

'Je weet hoe vrouw Brown is, Li,' zei ze. 'Ze probeert alsmaar iets nieuws. 't Was suikerkoek en nog iets, wat was het nou...' Ma hield op met breien en keek over haar brillenglazen naar pa. 'Spencer, ik word oud geloof ik. Ik ken er met de beste wil van de wereld niet opkomen wat ze nog meer noemde. Jij?'

Pa hield op met snijen, keek haar aan en zei: 'Neu schat, al sla je me dood.'

Ma gaf een klap op de armleuning van haar schommelstoel. 'Ach, dat was 't! Ze had walnootkoek en suikerbiskwie en iets nieuws, wat ze kabelkoek wil noemen. Je boft dat er nog is. Ik most pa met geweld tegenhouen om die niet tot de laatste kruimel op te eten.'

Ze hield pa de trommel schuin voor en hij pakte een koek met walnoten, helemaal bestrooid met suiker!

Pa nam een hap en zei: 'Net zo lekker als jouwes, Sarah.' Hij knipoogde naar me.

Ma hield de trommel in mijn richting, maar ik wou nog niet m'n hand erin steken of ze trok hem al terug en zei: 'Li toch, je weet wel beter. Je hebt hard gewerkt met meneer Leroy. Eerst opfrissen, jongen.'

'Goed, ma.'

Ik holde om het huis naar de plaats achter om zo snel ik kon m'n handen te wassen. Toen ik aan de voorkant terugkwam, hield ma me de koektrommel weer voor en ik stopte mijn hand erin.

Ma had gelijk, het voelde alsof pa zowat 't hele blik had leeggegeten. Maar tastend over de bodem voelde ik zo'n kabelkoek – en vrouw Brown moest ze wel kortgeleden gebracht hebben, want de enige die er nog was voelde warm aan!

Ik pakte de koek uit de trommel.

Mijn hart hield op met kloppen, mijn bloed bevroor, en de tijd stond stil!

Mijn vingers zaten om de nek van de akeligst uitziende slang van heel West-Canada!

''n Slang!' krijste ik en voor ik het wist stormde ik de weg al over, het bos in. Ik moest wel zekers drie kilometer gerend hebben toen ik niet meer kon. Ik bleef staan, leunde tegen een boom en wachtte tot ik weer adem kreeg. Iets maakte dat ik naar m'n hand keek.

''n Slang!' krijste ik voor de tweede keer. Alleen was ik nu zo slim om de nek van de slang los te laten en 't beest op de grond te gooien.

Ik had nooit gedacht dat ik nog genoeg fut had om te rennen, maar je kunt kennelijk niet doodangstig zijn en je tegelijk moe voelen.

Ik kwam op ons huis af stormen en zag dat ma en pa hun gezichten nat waren van de tranen. Pa hing slap over de leuning van z'n schommelstoel, alsof-ie een toeval had gehad.

Ik was blind geweest van angstigheid en van vertrouwen in m'n ouders, want pas op dat ogenblik snapte ik dat die slang nooit uit z'n eigen in de trommel had kunnen kruipen, maar dat-ie erbij was geholpen. Het was een dreun van jewelste voor me toen ik doorkreeg dat ma de hele boel in werking had gezet om me een lesje te leren!

Eindelijk vond ik m'n stem terug, en ik zei: 'Ma! Hoe kon je?'

Ze kwamen niet meer bij!

Pa snakte naar adem. 'Tja, Li, dat is nou iemand met gelijke munt betalen.'

Het is al erg genoeg dat de mensen die je moeten grootbrengen zich uitsloven om je voor niks angstig te maken, maar ergerder nog was dat ze er zo'n lol om hadden. En trouwens, eerlijk is eerlijk: je ma laten schrikken met iets onnozels als een kikkerpad vraagt om een pak slaag, niet om een vracht doodsangst.

'Waarom doen jullie zoiets?' Ik moest zo vreselijk janken dat de woorden in m'n keel bleven steken. 'Ma, je zegt zelf altijd dat ik wel kaats maar nooit de bal verwacht, en als je dat weet doe je zoiets toch niet? En je weet best dat ik slangen haat!'

'Hm, zowat even erg als ik kikkerpadden.'

'Maar, ma! Kikkerpadden zijn stom! Slangen zijn gevaarlijk! 't Was toch geen kikker die Adam en Eva een appel gaf, 't was een slang! En er bestaan geeneens hoepelkikkers, of wel dan? Nee dus! Want kikkerpadden doen ons niks! Maar slangen maken ons dood!'

Pa sloeg zo hard in zijn zij dat 't een wonder mag heten dat-ie z'n ribben niet brak. Van hem kon je die lompigheid verwachten, maar van ma was 't gewoonweg schokkend!

'Ma! Jij wou me toch leren niet meer over-gevoelig te zijn! En kijk nou dan, ik sta te trillen als een gek!'

Ik merkte dat ik me de moeite kon besparen. Als mensen dood konden gaan van het lachen, was ik nu wees geweest.

't Is vast niet mooi om zo over je eigen ma en pa te denken, maar ik was dodelijk teleurgesteld in hun gedrag. Voor ik die avond naar bed ging pakte ik zelfs een stok om m'n kussen om te draaien. Ik was zo verschrikkelijk uit m'n doen dat ik eerst zeker wou weten of ma haar lesjes soms nog verder had doorgezet.

Ik en Frederick Douglass

Zowat 't enige goeie aan ma haar les met de koektrommelslang, was dat er niemand in de buurt was om het te zien, ook Cooter niet. Anders had de hele kolonie binnen de kortste keren geweten wat er was gebeurd. Cooter en ik mogen dan makkers zijn en hij zou me nooit expres voor schut zetten, maar ik wist ook wel dat mijn rare vlucht voor 'n slang zo'n mooi verhaal was dat je het zelfs je beste vriend niet kwalijk kon nemen als-ie het per ongeluk doorvertelde. Vooral niet als je beste vriend Cooter heet.

Dan was de hele belevenis weer een van die dingen geworden die voor eeuwig aan mijn naam bleven kleven. En potdommes, wat mensen je blijkbaar 't liefst voor eeuwig nadragen is nooit iets moois maar altijd iets stoms. 't Is niks voor mij om zomaar te klagen, maar er klééft toevallig al een gebeurtenis aan m'n naam die zo belabberd is dat het vals zou zijn als er nog een bijkwam.

Die belabberde gebeurtenis heeft me een litteken opgeleverd dat ik tot het bittere eind bij me draag.

Je zou denken dat grote mensen op z'n minst in snikken uitbarsten als ze me zagen, maar niks hoor. Zelfs ma en pa doen alsof er niks aan me te zien is en ze zich er heus niet voor schamen dat iedereen weet dat zij me moeten grootbrengen, maar dat maken ze mij niet wijs.

Het gebeurde toen ik nog een baby was en dus kan 't eigenslijks mijn schuld niet zijn. Op een dag stond de allerberoemdste, allerslimste man die ooit uit de slavernij is ontsnapt op een hoog podium dat speciaal voor hem in onze school was gezet en hij tilde me voor de ogen van een hele mensenmenigte boven z'n hoofd. Pa praat erover alsof die man me wel tien meter hoog in de lucht hield. Hij stond een lange toespraak af te steken toen het ongeluk gebeurde, en steeds als-ie iets belangrijks zei schudde-ie me daar hoog boven zijn hoofd heen en weer.

Ik was nog geeneens één jaar toen de meneren Frederick Douglass en John Brown naar Buxton kwamen. Pa zei dat alle mensen van de kolonie opgetogen waren om hun komst en zich als opgewonden gekken uitsloofden om Buxton op te poetsen, zo'n beetje als wanneer je het vuil van je zondagse schoenen poetst omdat je weet dat meester Travis ze gaat inspecteren.

Ze werkten zich kapot om het nieuwe schoolgebouw af te krijgen zodat er genoeg ruimte was voor de bijeenkomst. Ze zorgden dat elk houten hek voor ieder huis een verse lik witte verf kreeg. Er werden grote schalen eten klaargemaakt en er was zelfs een speciale lapjesdeken geknutseld van aan mekaar genaaide bloemen om over muilezel Old Flapjack z'n rug te hangen, zodat-ie voorop kon lopen in de optocht.

Het volk van Buxton maakte al die drukte om te vieren dat er drie beroemdheden bij die grote bijeenkomst waren. De eerste beroemdheid was meneer Frederick Douglass, die net als zowat iedereen bij ons in Buxton vroeger een slaaf is geweest, en van hem wordt nu gezegd dat-ie zo mooi kan praten dat-ie de bijen nog kan overhalen om niet naar de bloemen te vliegen. De tweede beroemdheid was meneer John Brown, van wie de mensen zeggen dat er geen tweede blanke op twee benen rondloopt die een beter mens is dan hij, behalve dan misschien dominee King, de man die Buxton heeft gesticht. En de derde beroemdheid was ik, en dat zeg ik niet om op te scheppen, maar omdat 't toevallig wél zo is dat ik de eerste baby was die werd geboren in de vrijheid van de Elginkolonie bij Raleigh in West-Canada, die wij dus Buxton noemen.

Vrouw Guest, de beste handwerkster van de kolonie, had zich nog uitgesloofd om nieuwe kleertjes voor me te breien – en ma bewaart die nog steeds in een raar ruikend kistje van cederhout. Ik en ma zijn het helemaal niet eens over die kleertjes, want in mijn ogen lijken ze machtig veel op een jurkje en een mutsje voor een meisje. Toen ik groot genoeg was om te snappen waar ze me in rond hadden geparadeerd, schaamde ik me net zo erg voor die kleertjes als voor het ongeluk tussen mij en de eerste beroemdheid.

Pa zei dat de feestelijkheid op rolletjes liep, tot de optocht op school was aangekomen en zowat alle toesprakerij voorbij was. Dat was het moment waarop meneer Douglass mij overnam van ma, op het hoge podium klom en me hoog boven z'n hoofd in de lucht hield.

Ma zegt dat ze meteen haar hart vasthield omdat meneer Douglass geestdriftig gaat doen als-ie op dreef is, en hij begon mij blij op en neer te schudden en rond te zwieren toen-ie zei dat je aan mij goed kon zien dat 'Buxton het varkentje had gewassen en dat er hoop was voor de toekomst'.

Ik vroeg wat dat betekende en ma zei dat zij 't ook niet wist. Het is me 'n compleet raadsel waarom er hoop voor je is als je een gewassen big wordt genoemd, maar meneer Douglass vond het blijkbaar heel geslaagd, de mensen juichten en hij zwiepte me zo vaak omhoog dat er ongelukken van kwamen.

Ma zegt dat ik ook toen al een over-gevoelig kind was en hoe meer-ie me omhoog gooide, hoe ongeruster ze werd. Ze zei dat ik het uitkraaide van de pret tot het van 't ene moment op 't andere ineens een ramp werd. Ik kotste alles wat ik had gegeten uit over meneer Douglass z'n baard en z'n colbert.

Van ma weet ik dat mensen die vroeger slaven waren niks liever doen dan verhalen aandikken. Ze zegt dat praten zowat het enige was wat ze als slaaf konden doen, zonder dat blanken commandeerden hoe of waar ze het moesten doen, dus als ze even de kans krijgen maken ze een verhaal graag nog wat mooier. Ma zegt dat ze 't prachtig vinden om een zomerdag nog heter te maken dan-ie was en de regentijd en de droogte altijd veel langer te laten duren dan in het echt, en ze vinden het vooral prachtig om je te vertellen dat hun betovergrootpapa of -grootmama koning of koningin van Afrika was.

Omdat 't me niet altijd meezit, maakten de bewoners van Buxton geen glorieverhaal van waar ik zelf het trotserigst op ben, m'n keigoeie stenenkeilen, maar kozen ze liever voor 'n fiks aangedikte versie van wat er tussen mij en meneer Frederick Douglass voorviel.

Zo beweren ze dat ik wel een heel half uur meneer Douglass onder had gespuugd voor ma me weggriste en me uit het raam van de school hield. Ze zeggen dat de beroemdheid zowat verdronk in mijn braaksel. Sommige mensen zweren dat ik zo veel overgaf dat de tafels en stoelen gingen dobberen en het schoolgebouw uit dreven. Volgens meneer Polite gaf ik zo veel over dat er nog vijf jaar daarna geen hert of konijn meer doodging in het bos. Hij zei dat de beren en wolven al die tijd genoeg hadden aan mijn braaksel, omdat het wel zo makkelijk voor ze was om dat op te eten in plaats van jacht te maken op een prooi die er niks voor voelde om opgevroten te worden.

En dat slaat nergens op. Dat slaat helemaal nergens op.

Om te beginnen wordt er altijd gezegd dat meneer Frederick Douglass zo'n knappe bol is. Ze beweren dat-ie Grieks praat als een Griek en Latijns als een Latijnsiër, en als je zo knap bent blijf je echt geen heel half uur doodleuk met een baby boven je hoofd staan als die baby aan een stuk door overgeeft. Nogal wiedes dat-ie eventjes stomverbaasd was, want wie verwacht er nou te worden ondergekotst door een jongensbaby met een jurkje aan en een meisjesmutsje op? Maar als meneer Douglass half zo slim is als de mensen beweren, had-ie genoeg verstand gehad om me zelf uit het raam te houen. Als het waar was dat ik een heel half uur had overgegeven, was 't volgens mij de eerste vijf minuten op meneer Douglass geweest en de laatste twintig minuten uit dat raam.

Dat van die beren en wolven slaat ook nergens op, want als die drie keer per dag naar de kolonie waren gekomen om mijn overgeefsels op te eten, zou het hier een bar onveilige boel zijn geweest, maar intussen stuurden al die grote mensen gewoon hun kinderen naar buiten om daar te doen wat ze doen moesten.

Vroeger, toen ik vijf of zes was, zei ma op een keer dat ik een emmer moest pakken om in het bos achter ons huis bosbessen voor haar te gaan plukken.

Dat zal ook wel weer een reden zijn dat ma vindt dat ik over-gevoelig ben. Ik weet nog dat ik heel angstig en trillerig werd toen ze dat zei.

'Helemaal allenig?' vroeg ik.

'Het is vlakbij, Li,' zei ze. 'En ik let heus wel op.'

'Maar, ma! Daar zijn allemaal beren en wolven! Wat moet ik doen als ik in het bos ben en ze komen hun eten halen?'

Ze lachte. 'Li, doe niet zo mal. Lang voor jij er was waren hier al geen wilde dieren meer,' zei ze.

'Maar, ma,' drong ik aan, 'waarom zegt iedereen dan dat alle hongerige beren en wolven naar de kolonie komen om wat ik met meneer Douglass heb gedaan?'

Lachend zei ze dat het praatjes van grote mensen waren, van die lariekool waarbij je nooit zeker weet wat je ervan denken moet. 'Jochie,' zei ze, 'jij bent er nu eenmaal zo een die zich de kleinste kleinigheid aantrekt. Je neemt in je leven nog veel te veel hooi op je vork als je niet leert dat je mensen nooit klakkeloos mot geloven, ook niet als het grote mensen zijn.'

Het ene ogenblik zegt ma, die echt niet op haar achterhoofd is gevallen, dat ik respect moet hebben voor alles wat grote mensen zeggen en het volgende ogenblik zegt ze dat ik niet alles moet geloven van wat diezelfde grote mensen zeggen! Als jij daar niet van achter je oren gaat krabben, ben je knapper dan ik!

Vissenkoppen en keilen

Vrijdagavond na m'n huiswerk ging ik snel naar de stal om m'n klussen te doen. Ik moest harder werken dan anders om eerder klaar te zijn, want een heleboel mensen rekenden erop dat ik ze vis kwam brengen.

Meneer Segee stond te schoffelen in z'n moestuin naast de schuur.

'Middag, meneer Segee.'

'Hé, hallo Li. Ik weet altijd dat je eraan komt, want zowat een kwartier voor je er bent wordt Old Flapjack onrustig.'

'Ik snap niet waarom mensen zeggen dat paarden en muilezels dom zijn, meneer. Neem Old Flap nou. Hij moet wel de slimste muilezel uit de geschiedenis zijn.'

Meneer Segee snoof alsof-ie dacht dat ik m'n verstand had verloren.

'Nou, mooi dat je er bent, knaap. Begin maar vlug, de beesten wachten op je.'

Ik deel m'n werk in de stal in tweeën in: de werkhelft en de pret-helft. De werkhelft bestaat uit de dingen die je alleen doet omdat het moet. Die doe ik eerst: de stallen uitmesten, mest scheppen en naar de mesthoop kruien, en de dieren eten en water geven. Daar ben ik aardig wat tijd aan kwijt.

De rest van m'n werk, de prethelft, verdeel ik ook weer in tweeën: eerst paarden poetsen en hun hoeven verzorgen, en dan komt 't leukste – zorgen dat ze zich lekker voelen door de dikke bromvliegen bij ze weg te houen.

Ik doe 't niet alleen voor hún plezier, want zelf heb ik er ook lol van. Zo kom ik aan de vliegen die ik als aas gebruik. Ik vond dat het percies paste bij het motto van Buxton: 'De een helpt de ander om er met z'n allen beter van te worden.' Zorgen voor mekaar is onze manier van doen in de kolonie. We verwachten niks terug, maar als we zien dat we een ander een handje kunnen helpen, springen we bij. Daar komt alleen maar goeds uit voort.

Ik pakte mijn vliegenmep, trok een melkkrukje naast Old Flap-jack en wachtte af. Het duurde niet lang of er zoemde een vette bromvlieg om zijn achterhoef.

Krak!

'Krijg 't heen en weer!'

Het is niks voor mij om zo stom te zijn een beetje hardop te gaan vloeken en schelden, maar soms floepen er woorden uit je mond voor je er erg in hebt dat ze niet netjes zijn. Nu kwam het eruit omdat ik me ergerde. Ik mep per slot niet naar vliegen om ze te dood te maken, maar soms ken ik m'n eigen kracht niet.

Ik joeg al zo veel jaren op bromvliegen dat ik aan het geluid van de mepper als het raak was kon horen of ik de vlieg nog voor

’t vissen kon gebruiken of niet. En *krak* was een klank die niks goeds beloofde.

Ik keek onder Old Flapjack, en ja hoor. De vlieg lag in het stof en niks aan hem bewoog nog, behalve dan de groene derrie die uit z’n vermorzelde achterste stulpte.

Ik pakte hem aan z’n vleugeltjes op, blies het stof weg en liet hem in de zak met dooien vallen.

Twee andere vliegen landden op Old Flapjack z’n flank en gaven me de kans m’n stommiteit goed te maken. Ik bedoel de stommiteit van te hard slaan, niet die van het vloeken. Meester Travis houdt ons aldoor voor dat vloeken een stommiteit is die achteraf niet meer is goed te maken.

Ik hield de twee vliegen op Old Flapjack scherp in de gaten. Als er twee zo dicht bij mekaar neerkomen, merken ze mekaar binnen de kortste keren op en zien daarna niks anders meer. Het is net of ze mekaar betoveren en in de ban houen, en eerlijk gezegd is twee vliegen in één klap veel makkelijker dan er een tegelijk vangen.

De twee vliegen zagen mekaar zowat op hetzelfde ogenblik en verstarden helemaal, alsof ze wouen kijken wie van de twee het sterkst was.

Daar hadden ze net niks aan, want geen van tweeën was zo sterk als mijn mepper en die kon ze veel meer kwaad doen dan een andere vlieg!

Pah-wop!

Muziek in m’n oren! Zo klonk ’t als ik niet hard genoeg had gemept om de vliegen hun botjes te breken of zo, maar wel hard genoeg om ze suffig te maken. Vliegen was er dan niet meer bij voor ze, maar ze leefden nog wel.

Weer keek ik onder de muilezel, waar de vliegen nog met zoemende vleugeltjes rondjes draaien op de grond en stofwolkjes deden opwaaien.

Ik griste ze op en deed ze in de zak met levenden, bij de anderen die ik als aas voor grote vissen ging gebruiken.

De predikant vertelt iedereen die het horen wil dat de grootste, gemeenste bromvliegen van de hele wereld uitgerekend hier in Buxton leven. Hij vertelt 't vooral aan net vrije slaven die net zijn aangekomen, omdat-ie niks liever doet dan ze bijbrengen hoe geweldig hijzelf en ieder ander in Buxton is – maar eerlijk gezegd, hijzelf het meest.

Op een keer kwamen er zeven bevrijde slaven in de kolonie aan en de predikant was er als de kippen bij om ze welkom te heten. Dat was nog voordat de ouderlingen ontdekten wat hij uitspookte en er vlug een einde aan maakten.

Hij zei tegen die zeven net vrije mensen dat ze zware tijden tegemoet gingen.

'De winters!' schreeuwde hij ze toe. 'Je ergste nachtmerrie stelt niets voor in vergelijking met de strenge winters hier! In de winter van '53 vroor het zo hard dat de vlammen van de kaarsen nog bevroren! Zelfs de zon zat op z'n plek midden aan de hemel vastgevroren! Die ontdooide en daalde pas weer in de zomer van '54! Zeven maanden lang alleen maar zonlicht. Daardoor zijn de bromvliegen hier zo onnatuurlijk groot en gemeen geworden, want in plaats van één gewoon groeiseizoen kregen ze er twee achter elkaar.'

De predikant zwaaide graag en veel met zijn armen en praatte vol vuur om indruk te maken op die nieuwkomers. 'Ik was die zomer de akkers aan het ploegen met mijn muilezel...' zei hij, wat al een teken was dat-ie de waarheid machtig veel geweld aan ging doen, want geen sterveling hier kan zich herinneren dat-ie de predikant ooit met de teugels van een muilezel of een ander werktuig in handen heeft gezien, '... toen er boven m'n hoofd opeens twee bromvliegen rondzoemden. Vraagt die ene vlieg aan de andere: "Wat vind je, zullen we die muilezel meteen opvreten of hem eerst naar het bos sleuren en daar soldaat maken?" Zegt die andere vlieg: "Laten we het hier maar doen. Als we hem meenemen naar het bos pakken de volwassen vliegen hem af."'

Ik heb nog nooit iets gemerkt van zulke reuzenbromvliegen in de buurt, maar het kan best waar zijn, want de predikant is een machtig slimme man. Ik weet alleen dat de vissen in Old Flapjack z'n meer nergens zo gretig in bijten als in een bromvlieg.

Toen ik vliegen genoeg had en in de stal had rondgekeken of ik niks vergeten was, ging ik weer naar buiten en zocht meneer Segee.

''t Is allemaal gedaan, meneer.'

'Li, als jij zegt dat 't allemaal gedaan is, hoef ik niet te gaan kijken. Geen kind hier zorgt zo goed voor die stal als jij. Wanneer kom je weer?'

'Maandag, meneer.'

'Akkoord. Tot maandag.'

'Ja, meneer. Mag ik een ritje op Old Flapjack maken?'

Zo ging het elke vrijdag, en hij zei nooit nee, maar ma en pa zeggen altijd dat het beleefd en netjes is om het te vragen en niet zomaar je gang te gaan.

'Nou, effe denken, knaap, mag jij met die ouwe muilezel op

stap?' Meneer Segee leunde op z'n hark en tuurde naar de wolken aan de hemel. Toen zei hij: 'Ik geloof dat de paardenkoers van vanavond is afgelast, Elia. Toen de paarden er lucht van kregen dat Old Flap ook meedeed trokken ze zich snel terug, zelfs Jingle Boy en Conqueror. Die dachten vanzelf dat ze die muilezel toch nooit konden kloppen. Dus als je 't mij vraagt ken je hem zonder mankeren meenemen.'

Meneer Segee is nog maar een jaar geleden uit Mississippi gekomen, en ma zegt dat we hem daarom maar niet kwalijk moeten nemen dat-ie zulke grapjes maakt, zodat ik maar zo'n beetje lach als-ie leuk denkt te zijn.

Ik merkte wel dat Old Flapjack stond te trappelen, maar als je niet wist waarop je moest letten zou je het vast niet zien. Zijn manier van staan-te-trappelen lijkt machtig veel op zijn manier van geen-hoef-willen-verzetten.

Ik had hem nog niet de stal uit geleid of hij ging de weg op die door het drukste deel van de kolonie loopt. Ik hoefde helemaal geen haast te maken om hem te grijpen, want ik wist precies waar-ie heen ging. Als-ie de stal uit was ging-ie een stukje de weg af tot-ie ineens dwars door de bossen de kortste weg nam naar het meer waar hij me zowat een jaar terug voor het eerst heen had gebracht.

Ik had tijd zat om het gereedschap en de kruiwagen op te ruimen en daarna mijn visspullen te verzamelen: de vliegenzakken, keilstenen, het visnet en de lijnen waar ik m'n vangst aan hang.

Daarna nam ik de kortste weg door de velden en haalde Old Flap in toen hij net langs juffrouw Carolina haar huis kwam. Ik sprong op z'n rug en liet me naar ons geheime meer dragen.

De meeste mensen denken er anders over, maar als ik m'n zin

kreeg reed ik nooit op een paard en altijd op een muilezel. Als je op een paard rijdt klutst-ie je binnenste veel te erg door mekaar, en hij is ook erg hoog als je je houvast verliest en valt.

Een muilezel brengt onder het lopen helemaal niks aan het klutsen, die houdt van een lekker sloom tochtje. 't Is meer zacht schommelen, zoals bij een baby in een wiegje. Als je op een muilezel niet meteen in slaap valt, krijg je de kans om over van alles en nog wat na te denken. Op een paard krijg je nooit kans om te denken, want je zit aan een stuk door te hopen dat je niet valt en onder z'n hoeven vermorzeld wordt. Val je van een muilezel, dan ben je al dicht bij de grond en heb je nog tijd zat om bij z'n hoeven weg te rollen. Old Flap is zo langzaam dat je na een val nog ruim een dutje kunt doen voor je moet gaan zorgen dat-ie je niet vertrappelt.

Flap ging van de weg af en liep het bos in toen we net de grens van de kolonie over waren en bij het huis van de predikant kwamen. Zo te zien was de predikant niet thuis. Niet dat ik dan bij hem langs wou gaan, maar de laatste tijd, sinds-ie heeft gemerkt dat Jezus me een bijzondere gave heeft geschonken, mag ik vaak met hem mee om te kijken hoe hij schietoefeningen doet met zijn mysteriepistool.

't Was nog geen maand geleden dat de predikant me had beslopen toen ik op de Atlas Clearing steentjes keilde. Hij kwam achter een boom vandaan en vroeg: 'Zag ik nou echt wat ik dacht te zien of bedriegen mijn ogen me?'

Het klonk zo stomverbaasd dat ik op de open plek in het bos rondkeek in de verwachting dat er ergens iets geks aan de hand was.

'Wat zag u dan?'

'Ik zag jou, Elia,' zei de predikant. 'Ik zag wat je deed en ik heb het bange vermoeden dat het toverij is.'

Het was me 'n compleet raadsel wat-ie bedoelde. Ik wist wel zeker dat ik niks gedaan had wat een ander voor toverij kon aanzien.

'Ik zou echt nooit aan toverij doen, predikant. Ik was steentjes aan het keilen,' zei ik.

'Dat bedoel ik,' zei hij. 'Ik heb nog nooit een sterveling zo zien gooien als jij. En Elia, het moet me van het hart dat het me zorgen baart. Ik moet dit aan een grondig onderzoek onderwerpen om er zeker van te zijn dat het geen werk van de duivel is. Je weet toch dat linkshandigheid op zich al een bewijs is dat je in Satans macht bent, hè?'

'Nee, predikant!' zei ik.

'Onthou het dan maar goed,' zei hij. 'Ga mee, ik wil verderop in het bos met mijn pistool oefenen. En neem een paar van die stenen van je mee.'

Ik had tegen ma gezegd dat ik niet verder zou gaan dan de Atlas Clearing, maar ik mocht vast wel met de predikant mee als-ie er zelf bij was. Ik liet me trouwens door geen tien paarden tegenhouen als meegaan betekende dat ik hem met zijn mysteriepistool kon zien schieten!

Ik kende de bossen goed, want ik dwaalde er vaak rond, vooral 's avonds, maar de predikant ging me voor in een richting waar ik nooit kwam. Dat was nou net de richting die Cooter en mij verboden was, naar een gebied waar een aantal blanken woonde dat niks van ons moest hebben. Pa had tegen ons gezegd dat het daar ook nog krioelde van de zwarte beren, vleermuizen en – 't allerergste nog – duizenden ratelslangen!

Ik was maar wat blij dat de predikant zijn wapen had, want ik wist wel dat het 'n fluitje van een cent voor me was om een ratelslang dood te gooien, maar ik was er niet zo zeker van dat ik er een zwarte beer mee kon afschrikken.

Ik en de predikant moesten wel een half uur gelopen hebben, maar percies weet ik het niet, want de tijd werkt anders als je niet weet waar je heen gaat. Maar bij elke stap die we deden was ik ergerder teleurgesteld in dat onbekende terrein.

Pa had me er zo ernstig voor gewaarschuwd dat ik vanzelf het idee had gekregen van een bos waar zo veel beren uit de bomen bengelden dat ze het zonlicht afschermden, zodat het er aardedonker was! Ook dacht ik dat er zo veel sissende, kronkelende ratelslangen waren dat hun herrie oorverdovend moest wezen. Maar we liepen al een hele tijd en er was nog overal zon en ik had geen rateltje gehoord. We hadden geeneens een vleermuis gezien.

Eindelijk kwamen we bij een andere open plek, waar de predikant zei: 'Ik ga je hier wat testjes afnemen, Elia, en ik hoop dat ze bewijzen dat je inderdaad niet aan toverij doet, want anders is het mijn dure plicht ervoor te zorgen dat het alom bekend wordt.'

Ik wist niet percies wat hij bedoelde, maar dat het niet veel goeds was wist ik wel.

Hij zei: 'Twintig passen verderop zet ik deze houtblokken neer om te kijken hoeveel je er kunt raken.'

Daar dacht ik diep over na. Er was geen kunst aan om twintig passen verderop een doel te raken, maar ik twijfelde of ik niet beter expres een paar blokken kon missen om de predikant geen bewijs van toverij te geven.

Aan de andere kant was de predikant veel te slim om zomaar

voor de gek te kunnen houen. Hij had me vaak verteld dat-ie meer was vergeten dan ik ooit zou leren, en al klonk dat dan wel alsof er iets niet helemaal klopte, het was vast beter voor me als ik voor menens gooide en me niet inhield.

De predikant liep twintig passen bij me vandaan en zette vijf stukken hout klaar, op zo'n meter afstand van mekaar.

Hij kwam weer terug en zei: 'Ik tel tot vijf en intussen laat jij zien hoeveel je er in die tijd kunt raken.'

Ik nam twee stenen in mijn rechterhand en drie in mijn linker.

De predikant trok één wenkbrauw op, alsof-ie niet wist hoe hij 't had, en zei: 'Klaar voor de start, af! Eén...'

Ik gooide links, rechts, links, rechts, links.

De predikant was nog geeneens bij vier toen ik alle vijf de blokken in het rond had laten vliegen.

Hij keek naar me met een gezicht waarop ik kon lezen dat-ie nu zeker wist dat ik aan het toveren was.

Zonder een woord te zeggen liep hij de twintig passen terug en zette nu tien stukken hout neer.

Hij kwam weer bij me, haalde zijn mysteriepistool uit de sjieke holster en zei: 'Als ik "af" zeg, mik jij op de vijf rechts en schiet ik op de vijf links.'

Ik stond klaar met m'n stenen.

'Af!'

Door de harde knal van dat pistool pal naast me raakte ik even van slag en miste ik het eerste blok, maar meteen daarna keilde ik de andere om. Toen ze lagen, had de predikant nog maar drie blokken stukgeschoten en richtte hij op nummer vier.

Hij hield op met schieten en keek me aan alsof-ie voor een raadsel stond. Toen zei hij: 'Dit is een veelzijdig probleem. Enerzijds kan het toverij zijn.' Hij stak zijn rechterhand uit alsof hij verwachtte dat er iets in zou vallen. 'Anderzijds...' en hij stak z'n linkerhand uit, '... zouden we wel eens getuige kunnen zijn van een gave van Jezus zelve!'

Hij vouwde zijn handen alsof-ie ging bidden. 'Ik ben er nog niet uit of het van de toverij of van de Heer komt, maar hoe het ook zit, onnatuurlijk blijft het dat een jongen zo ontzettend goed raak kan gooien.'

Een paar dagen later liet de predikant mij en ieder ander weten dat hem geopenbaard was dat mijn keilkunst een gave was die Jezus zelf me had geschonken!

Hij bazuinde overal rond dat mijn arm zo vast en mijn oog zo vlijmscherp was dat ik de stippen van een lieveheersbeestje er nog af kon schieten zonder het diertje pijn te doen, als ik al op het idee zou komen om zoiets te doen.

Hij zei dat het met een steen die ik gooide zo'n beetje net zo ging als met een kogel die afgevuurd werd met 'n oud voorladergeweer. Het was niet de snelste manier om het doel te raken, maar als het raak was had je de poppen aan het dansen.

Ik geloofde de predikant op z'n woord met die gave van de Heer, maar soms zat 't me toch niet helemaal lekker. Eigenslijks had ik nog aan onze meester van de zondagsschool willen vragen of het soms heiligschennis was om zo te denken, maar ik dacht bij mezelf dat stenenkeilen me altijd even makkelijk af zou moeten gaan als het echt een gave van Jezus was, en dat was helemaal niet zo. Het was een gave waar ik aldoor op moest blijven oefenen, omdat-ie anders verdween.

Ma en pa waren ook niet bijster onder de indruk van wat de predikant allemaal zei. Toen ik pa vertelde wat er de predikant was opengebaard, vroeg hij: 'Gek dat Jezus steeds aan 't zelfde soort lui iets openbaart, hè? En is 't niet nog gekker dat die lui van 't slag zijn dat een loopje neemt met de Bijbel?'

Ik moet ingedommeld zijn, want ik schrok toen Old Flapjack z'n pas inhield en ik de prikstruiken aan m'n hoge schoenen voelde trekken. Hij zocht zijn weg door de bramen en daardoor wist ik dat we in de buurt van ons geheime meer waren.

In die bramenstruiken verdeed Old Flap de tijd die ik nodig had om te vissen.

Ik sprong van zijn rug en liep naar het water. Ik ging regelrecht naar de overkant van het meer en legde m'n twee vliegenzakken, draagtas en visnet neer en trok mijn schoenen en al mijn kleren uit.

Ik deel dit meer in twee stukken in. Eerst is er het visstuk, aan de kant waar ik aankwam, bij de wilgenkatjes en plompenbladen. Dan is er het zwemstuk, aan de kant waar ik heen was gelopen.

Ik sprong in het water en liet het zweet van 't stalwerk en de rit op Flap van mijn lijf spoelen. Ik weet niet hoe lang ik in het water bleef, maar na een poosje zag ik rimpelingen en golfjes mijn kant op drijven en wist ik dat de vissen aan het eten waren.

Ik deed mijn kleren weer aan, maar niet mijn schoenen en kousen, pakte mijn tas, de twee vliegenzakken en het visnet en liep terug naar het visstuk van het meer, niet ver van waar Old Flapjack nog steeds bramen stond te smakken; ik kon hem horen snuiven en kauwen en zich flink te goed doen.

Vlak voor het punt waar de wilgenkatjes te dicht werden, was er een prachtplek om te steenvissen.

Ik maakte de zak met dooien open en haalde er een stuk of vier vliegen uit waar aardig wat sap uit gelekt was en ik gooide ze midden tussen de wilgenkatjes. Dat deed ik om de kleine vissen te lokken, die dan op de vliegen af schoten en ze onder water probeerden te trekken, waar ze zo'n drukte bij maakten dat de grote vissen nieuwsgierig werden naar de oorzaak van al die onrust.

Ik ging opzij tot de lichtval percies goed was om de schubben van de kleine vissen te kunnen zien glinsteren. Ik stak mijn hand in mijn draagtas en koos twee mooie stenen uit, een voor mijn rechter- en een voor mijn linkerhand.

Daarna stak ik mijn hand in de zak met levenden en koos ik twee vliegen met genoeg pit. Ik gooide ze in de visplek en een van de twee had nog de strijdlust om zo'n beetje te gaan fladderen, maar lang hield-ie 't niet vol voor-ie in het water terug plonsde. De vliegen waren geen nattigheid gewend en begonnen zoemend en spetterend over het wateroppervlak te zigzaggen.

Er is iets aan de bewegingen van die suffige dazen over het water dat kleine vissen verjaagt en grote vissen vreselijk opwindt! Als ik 't allemaal goed deed, konden de grote vissen het gewoon niet laten om de wilgenkatjes uit te komen scheuren en naar de vliegen te happen.

Ik zag de kleine vissen bij een van de vliegen wegzwemmen en ineens schoot er een goudachtig-zilverige flits uit de plompenbladen tevoorschijn. Ik weet niet goed hoe ik 't zeggen moet, maar eigenslijks voelde ik de flits meer dan dat ik hem zag.

Ik gooide met links.

De steen, de vis en de vlieg kwamen allemaal tegelijk op hetzelfde plekje bij mekaar.

't Is niks voor mij om op te scheppen, maar het was een perfecte worp. Daar mag ik best voor uitkomen, want er moeten twee dingen gebeuren om een worp perfect te maken. Om te beginnen moet je zo mikken dat de vis op slag bewusteloos is en op het water blijft drijven, en op de tweede plaats moet de steen van de vis terugketsen en ver genoeg neerkomen om geen plons te geven die de andere grote vissen verjaagt.

Nadat de steen een dreun aan de vis had verkocht maakte hij vier sprongen over het water en gleed zo stil als een eend die op witvis jaagt de diepte in.

Ik gooide mijn visnet uit en haalde de vis binnen.

Het was een flinke baars. Ik snoerde hem vast en deed hem in het water terug.

Ik weet niet hoe het komt, maar het net maakt de vissen helemaal niet angstig en ik kan het er steeds weer in gooien zonder ze te verjagen. Er moet wel een steekje los zijn aan de hersens van vissen.

Als ik een vis was geweest had ik 't heel anders bekeken. Als ik een van m'n vissenvriendjes achter een vlieg zag aanjakkeren en ineens roerloos op het water zag drijven met 'n grote bult op zijn kop, had ik vast geen trek meer gehad. En al had ik nog wel trek gehad, dan toch echt niet in de volgende bromvlieg die gek deed in het water. Ik zou m'n hersens gebruiken en van één plus één twee maken en voor m'n avondeten iets gaan uitzoeken op de bodem van het meer.

Afijn, als je niks liever doet dan hap-slik een bromvlieg wegwerken, is het misschien maar beter ook dat je hersens je in de steek laten.

Ik gooide nog vier grote vissen bewusteloos en miste er twee toen Old Flapjack ineens stopte met bramen schransen en hard snoof. Ik bleef roerloos zitten en keek zijn kant op. Ik kende die ouwe ezel goed genoeg om te weten dat-ie iets had gezien. Sommige mensen hebben een waakhond, ik heb een waakezel.

Meteen begon-ie weer hoorbaar bramen te vreten, maar ik voelde dat er iets niet in de haak was. Ik wist dat-ie iemand had gezien en dat-ie die iemand kende.

Ik tuurde scherp naar de braamstruiken en bomen maar zag helemaal niks.

Ik bleef nog een tijd wachten en ging toen maar weer steenvissen. Ik miste er drie van de volgende vijf omdat m'n kop nog bezig was met de vraag waarom Flap dat geluid had gemaakt. Als je steenvist moet je je kop erbij houen, anders wordt 't niks.

Ik probeerde niet meer te piekeren, maar van de volgende vijf stenen waren er weer twee mis.

Daarna wouen de vissen niet meer bijten. Ik had zeven flinke baarzen gevangen en drie grote snoekbaarzen. Ik rekende 't in mijn hoofd uit: vier voor mij en ma en pa, twee voor meneer Leroy, twee voor meneer Segee, en twee hoopte ik te kunnen ruilen met vrouw Brown, want ik wist dat ze vandaag taart bakte. De som kwam uit op tien.

Ik liet de rest van de dode vliegen in het water vallen en legde de levende vliegen op een kei. Als die nog ooit bij hun positieven kwamen, was het wel zo eerlijk dat hun leven niet verwoest was en ze nog een kans kregen om weg te vliegen.

Toen bedacht ik wat een lelijke mormels het zijn, en wat ze eten. Ik veegde ze in één keer allemaal het water in.

Ik stopte al m'n keilstenen in mijn draagtas, begon mijn schoenen aan te trekken en hoorde ineens van ergens achter me een mannenstem bassen: 'Zoiets verbluffends heb ik van mijn leven nog niet gezien!'

Ik draaide me met een ruk om en greep intussen een steen, om de onbekende overvaller ermee te kunnen bekogelen.

Mijn linkerarm schoot naar achteren, en de man stak zijn handen in de lucht en riep: 'Nee! Ik ben het!'

't Was de predikant.

Ik kon weer ademhalen. 'Ik wou u geen kwaad doen, predikant. Ik schrok alleen,' zei ik.

De predikant kwam de struiken uit. 'Hoeveel vissen heb je gevangen met je stenen, Elia?'

Ik trok het snoer vissen uit het water en liet het hem zien.

'Lieve Jezus nog aan toe!' zei hij. 'Zit me die knaap hier zonder hengel en haak te vissen! Gooit ze zomaar met een steentje dood! Zo zie je maar, Elia. Je hebt echt een bijzondere gave van de Heer gekregen! Dat doet me denken aan Marcus, hoofdstuk 6, vers 33-44, waar Jezus vijfduizend mensen voedde met vijf broden en twee vissen. Maar jij verandert niet twee vissen in voedsel voor duizenden, Elia, jij verandert stenen in vissen! Het mag dan indrukwekkender en praktischer zijn om water in wijn te veranderen, maar wat jij doet is ook geen kleinigheid.'

De predikant legde zijn hand op mijn hoofd en zei: 'Ik heb diep nagedacht hoe we goed gebruik moeten maken van die gave van jou, Elia, en ik denk dat we er iets mee kunnen doen waar we de hele kolonie mee helpen. Je wilt de kolonie toch helpen, nietwaar?'

Het was raar om de predikant zo te horen praten. Hij woonde niet echt in de kolonie; hij en een paar andere ontsnapte mensen woonden net even buiten ons gebied omdat ze zich niet aan alle regels van de kolonie wouen houen.

'Ja, tuurlijk, maar hoe...' zei ik.

De predikant zei: 'Het is tijdverspilling om je daar druk om te maken. Ik wilde alleen weten of je hulpvaardig was, en nu ik weet dat je de goede jonge christen bent waar ik je voor aanzag, komen we er samen wel uit.'

Ik zei: 'Ja, maar ik...'

De predikant stak zijn hand op en zei: 'Zal ik je wat zeggen, Elia? De Heer heeft me geopenbaard dat ik meer respect voor jou moet hebben nu hij je deze gave heeft geschonken. Ik mag je niet langer behandelen als een kind, maar als de man die je in feite bent.'

Pa zegt dat je, als iemand zo tegen je gaat slijmen, op je hoede moet zijn voor wat-ie nog meer gaat zeggen. Pa zegt dat geslijm net zoiets is als geratel van een ratelslang: een waarschuwing dat er gif gaat volgen.

De predikant zei: 'En nu dacht ik zo bij mezelf, nu jij zo goed als volwassen bent, wil je misschien wel met me mee om te kijken of je net zo'n scherp schuttersoog hebt met mijn pistool als met jouw stenen? Ik ben niet vergeten wat ik je een tijdje terug heb beloofd.'

De predikant sloeg zijn jasje open en liet me zijn sjieke pistool zien.

Elke gedachte aan ratelslangwoorden, slijm en venijn vloog op slag mijn hoofd uit!

Maar toch wist ik nog hoe het de vorige keer was gegaan: toen het mijn beurt werd om te schieten, zei de predikant ineens dat zijn kogels op waren.

'U neemt me niet in de maling, hè?' zei ik. 'Mag ik deze keer echt schieten?'

Hij keek alsof ik hem beledigd had.

'Elia,' zei hij, 'ik praat met je als mannen onder elkaar, en jij twijfelt aan me?'

'Nee, predikant, ik dacht alleen...' zei ik.

'Mooi zo! Dan gaan we naar die open plek om op doel te oefenen,' zei de predikant.

'Fijn!' zei ik.

Maar ik had het nog niet gezegd of ik begon over van alles en nog wat te tobben, zoals wat er zou gebeuren als Old Flap niet verder wou, en wat ma en pa zouen zeggen als ze wisten dat ik met de predikant zijn mysteriepistool schoot, en wat moest ik tegen ma zeggen als ik zo laat thuiskwam? En er waren mensen die erop rekenden dat ik ze vis kwam brengen.

Ik zei tegen hem: 'Predikant, ik kan nu eigenslijks niet, want ik moet naar huis. Ma wil vis hebben voor het avondeten en het wordt al laat.'

De predikant zei: 'Heel juist, Elia. Je hebt gelijk, en dat bewijst maar weer eens mijn punt dat je eerder een man bent dan een kind. Je toont verantwoordelijkheidsgevoel. We kunnen best een andere keer met mijn pistool schieten. Ga vlug die vissen naar je ma brengen.' De predikant bleef even stil en zei toen: 'Dat is wel erg veel vis voor drie mensen. Zeg, eten jullie als gezin echt alle tien die vissen op?'

'Nee, ik geef meestal ook wat aan meneer Segee en meneer Leroy.'

'Wis en waarachtig een christelijke daad!' zei de predikant. 'Zeg Elia, heb je wel eens van "tienden afstaan" gehoord?'

'Ja. Meester Travis heeft ons erover verteld op zondagsschool. Het betekent dat je een tiende van je bezit en je werken aan de Heer geeft.'

'Aan de Heer *door middel van* zijn dienaar hier op aarde,' zei de predikant. 'Wat is volgens jou een tiende van die vis? Drie, vier?'

De predikant mocht dan vinden dat-ie de allerslimste man van Buxton en omstreken was, maar mij leek het dat-ie allemachtig slecht was in breuken.

'Nee, meneer, een tiende van tien vissen is één vis,' legde ik hem uit.

De predikant zei: 'Dat klopt bij een tiende van het aantal, maar ik dacht meer aan een tiende van de leeftijden. Laat me die twee snoeren eens even vasthouen.'

Ik gaf hem de vissen.

'Jij kan goed rekenen, hè?' zei hij.

'Gaat nogal, als het geen wiskunde wordt,' zei ik.

De predikant wees de vissen stuk voor stuk aan, riep cijfers en zei dat ik ze bij mekaar moest optellen.

'Deze is een jaar of veertien, die is twaalf, deze is net achttien geworden, die is...'

Ik kon er met m'n verstand niet bij! Sommige vissen moest-ie in hun bek kijken om de leeftijd te weten en van andere wist-ie het door ze alleen maar te wegen, maar van de ene vis na de andere wist-ie hoe oud-ie was! Op 't eind had ik honderdtweeëntwintig jaren geteld!

'En wat is een tiende van honderdtweeëntwintig, Eli?'

Ik verschoof uit m'n blote hoofd het decimale punt en zei: 'Een tiende van honderdtweeëntwintig jaar is twaalf-en-twee tiende jaar, predikant.'

De predikant trok de twee grootste baarzen en de grootste snoekbaars van de lijn en zei: 'Die snoekbaars is tien, en deze baarzen zijn elk een jaar oud. Hoeveel is dat?'

'Tien plus een plus een is twaalf jaar.'

'En wat houden we dan over?'

Ik deed er een slag naar. 'Zowat ruim twee maanden, predikant.'

Hij trok de daarna grootste baars van het snoer en zei: 'Eerst vond ik dat we deze terug moesten gooien omdat hij pas anderhalve maand oud is, maar dat ligt zo dicht bij twee maanden dat het de som rondmaakt. Ik hou hem maar.'

Ik wou niet onbeleefd doen, maar ik kon het niet laten om m'n wenkbrauwen op te trekken. Ik was met tien vissen begonnen en nu had ik er nog zes, en al ben ik dan geen rekenwonder, het leek me dat er potdommes veel smoesjesalgebra en foefjesmeetkunde bij kwam kijken om tien percent van tien uit te laten komen op vier.

De predikant hing de vier vissen aan een snoer en zei: 'Ik moest zuster Carolina maar eens vragen of ze de laatste tijd nog vis heeft gegeten. Misschien wil ze ze wel bakken.'

En weg was-ie.

En weg waren ook vier van m'n vissen, en al sla je me dood, maar volgens mij is vier toch echt geen een tiende van tien!

Ontvoerders en slavendrijvers!

Ik laadde mijn visspullen op Old Flap, gooide het snoer met vis over z'n achterwerk en ging op zijn rug op weg naar de stal.

't Duurde niet lang of het slome schommelen van de muilezel maakte me aan 't twijfelen of ik zou gaan slapen of nadenken. Nadenken won, want ik was nog machtig kwaad omdat ik maar zes vissen over had. Ik kon niet percies narekenen hoe de predikant het geflikt had, maar er zat een heel vies luchtje aan dat gedoe met die tienden. En dat deed me denken dat de predikant wel meer dingen uithaalde die niet klopten.

Toen hij niet wist dat ik luisterde, had ik pa een keer horen zeggen dat de predikant 'een beunhaas van de Heer' was. Ik kon niet vragen wat het betekende zonder dat pa wist dat ik geluistervinkt had bij een gesprek tussen grote mensen, maar ik had zo ook wel door dat het niet veel goeds betekende.

Een heleboel andere dingen die de predikant had gedaan schoten me te binnen. Zoals die nieuwe belofte dat ik met zijn mysteriepistool mocht schieten. We zouen dat al twee keer eerder doen en ik had het ding nog met geen vinger aangeraakt. De eerste keer waren zijn kogels op toen het mijn beurt was, en de tweede keer duwde hij me in plaats van dat zilveren pistool een oud roestig schietijzer in handen. Toen ik er twee schoten mee had gelost werd het zo gloeiend heet dat ik mijn hand brandde en het op de grond liet vallen.

Daar had ik alleen aan overgehouen dat ik meer dan ooit met 't mysteriepistool wou schieten.

Er gingen wilde geruchten rond over waar dat wapen vandaan kwam, maar dat was nou net het énige onderwerp waar de predikant niet lang en breed over wou vertellen. Toen-ie het ten slotte toch tegen meneer Polite zei was ik zo teleurgesteld als wat, want in plaats van de interessante sterke verhalen waar-ie anders mee kwam, wist de predikant niks beters te verzinnen dan een smoes die het onnozelste kind nog had kunnen bedenken. Hij had het ding in het bos gevonden. Ik was zo diep teleurgesteld omdat de predikant echt met iets beters had kunnen komen als-ie even z'n hersens had gebruikt.

Zowat drie jaar terug was het pistool voor 't eerst in z'n handen gezien. Ik was een jaar of acht. Ik weet het nog zo goed omdat het te maken had met de laatste keer dat er vanuit Amerika slavenjagers naar Buxton kwamen.

We waren met Latijns bezig toen meneer Brown op de voordeur van school kwam bonzen en juf Guest naar buiten riep. Ik kreeg een angstig gevoel bij haar terugkomst, want al deed ze nog zo haar best om kalm te praten en niemand van streek te maken, aan haar ogen en de manier waarop ze onder het praten haar handen wrong kon ik merken dat er iets verschrikkelijk mis was.

'Kinderen,' zei ze, 'we gaan vandaag vroeg uit. Zorg allemaal dat je je huiswerk hebt genoteerd en je boeken hebt opgeborgen. Rodney Wills, Emma, Buster en Zachary, ga rustig bij de deur in de rij staan. Kicknosway, James, Alice, Alistair en Bonita, jullie gaan onmiddellijk regelrecht naar huis.'

Zowat iedereen behalve ik was aan het ginnegappen en dollen en vond 't leuk, maar ik wist dat grote mensen school alleen vroeg lieten uitgaan als er iets machtig ergs was gebeurd of stond te gebeuren. En waarom stuurde juf Guest de blanke en indiaanse kinderen meteen naar huis?

Ik wierp een blik uit het raam in westelijke richting en zag dat de hemel blauw en zonnig was. Er was dus geen slecht weer op komst. Dan ging het om iets ergerders, iets wat met mensen te maken had.

Weer werd er geklopt. Meneer Brown keek naar binnen en vroeg: 'Klaar?'

'Ja,' zei juf Guest, en tegen ons: 'Jullie worden in groepjes van vier thuisgebracht. Wie het verst van school wonen, gaan het eerst. Jullie ouders zijn van het land geroepen en wachten thuis op jullie. Zij leggen wel uit wat er is. Ik beantwoord geen vragen en duld geen lawaai. Ga tegen de muur van de jongenskleedkamer zitten en kom niet bij de ramen. Verroer je niet tot ik zeg dat het mag. Er is niks om je zorgen over te maken.'

Nu werden zelfs kinderen die het buskruit niet hadden uitgevonden zenuwachtig. Je gaat je pas echt goed zorgen maken als je juf zegt dat er niks is om je zorgen over te maken, en we wisten allemaal dat zowat níks ter wereld grote mensen vroeg kon laten ophouen met op 't land te werken.

Juf Guest deed de deur open en kleine Rodney, Emma, Buster en Zachary gingen achter haar en meneer Brown aan. Juf stak haar hoofd weer om de deur van de kleedkamer en zei: 'Buiten hoor ik ook alles. Er wordt hier niet gepraat en rondgelopen.'

Ze had de deur nog niet achter zich dichtgedaan of Sidney Prince fluisterde: 'Wat zou er zijn? Het is maar een rare boel.'

Cooter fluisterde terug: 'Weet ik veel, maar je boft dat Emma Collins al weg is, anders had ze vast en zekers tegen juf gezegd dat je zit te praten.'

'Dat doe je zelf anders ook, Cooter,' zei Sidney.

'Dat telt niet, want ik wou alleen...' zei Cooter.

Philip Wise onderbrak hem. 'Hou je kop, jullie. Ik weet allang wat er is.'

Iedereen behalve ik vroeg: 'Wat dan?'

Philip wees naar mij en zei: ''t Is om hem.'

Ik voelde dat ik rood aanliep. Ik en Philip Wise zaten mekaar altijd om alles dwars.

Hij zei: 'Frederick Douglass is in Chatham en heb tegen de grote mensen gezegd dat-ie niet naar Buxton komt als ze Elia en alle andere baby's niet opsluiten. Hij zei dat-ie al misselijk werd bij 't idee dat-ie weer wordt ondergekotst.'

Zowat iedereen moest lachen, maar Cooter zei: 'Philip Wise, je bent niet goed snik. Iedereen weet dat je stikjaloers bent omdat Eli als eerstes als vrije baby in Buxton is geboren en jij pas als derdes. Zelfs Emma Collins was je voor!'

Philip wou iets terugzeggen maar de deur ging weer open.

Juf Guest riep Philip, Cooter, Sidney en grote Rodney en ze vertrokken. Ik was bij het laatste groepje dat ging. We stonden nog niet buiten of ik wist dat ik goeie redenen had voor angstigheid. Meneer Brown en meneer Leroy stonden allebei met een dubbelloopsgeweer aan een andere kant van de school rond te spieden alsof ze elk ogenblik konden schieten!

Alsof het zien van geweren al niet akelig genoeg was, was wat ik hoorde nog veel akeliger. In de kolonie was het zo stil als 't op andere dagen alleen een paar minuten voor donker is. Je hoorde geen houthakken in het bos of geroep tegen paarden en muilezels om ze aan te sporen en ook geen geluiden vanaf de weg. Je hoorde die zware machine van vijftien pk niet die de korenmolen laat draaien en ook geen zaagfabriek die erop los bonkte. Je kon zelfs meneer Leroy z'n bijl niet horen!

Het enige geluid kwam van vogels, en 't was wel heel gek dat je van vogelgezang de zenuwen kon krijgen, maar als je alleen vogels hoorde zingen en alles verder doodstil bleef leek het of er spoken of duivels aan 't zingen waren.

Pa en buurman Highgate stonden klaar met een geweer in de aanslag en zeien dat we in de rij moesten lopen.

Ik had gelijk door wat er aan de hand was. Er kon maar één reden zijn waarom ze de blanke kinderen en indianenkinderen wél zonder bewaking naar huis lieten gaan. 'Pa, er zijn slavenjagers in de buurt, hè? Is iedereen daarom gewapend?' vroeg ik.

'Rustig maar, jongen. Het is gewoon voorzorg. Tot nu toe hebben we nog niks met zekerheid gezien,' zei pa.

Hij vertelde dat een van de blanke vrienden van de kolonie te paard uit Chatham was komen stormen om te waarschuwen dat twee Amerikaanse schurken met pistolen, handboeien en kettingen naar de kortste weg naar Buxton hadden gevraagd.

We hielden allemaal de weilanden en de bosrand in de gaten, uit angst dat de Amerikaanse slavenjagers schietend zouen opduiken in een poging mensen terug te sleuren naar de slavernij.

Niet ver van huis kwam de predikant op ons af rennen met een lang, scherp mes dat-ie van een zeis had gehaald. Hij zei tegen pa: 'Ik hoor dat ze met z'n tweeën zijn. Ik ga in zuidelijke richting zoeken.'

'Wacht even, Zeph,' zei pa. 'Als ze in Chatham zijn geweest, zouen ze uit het noorden moeten komen. Trouwens, ik zou er maar niet in m'n eentje zonder geweer op af gaan. Er moet iemand met een vuurwapen met je mee.'

'Als ik in hun schoenen stond, zou ik een omtrekkende beweging maken en vanaf het zuiden komen,' zei de predikant. 'Zoeken jullie maar in noordelijke richting. Er kan me niks gebeuren. Ik ken mijn bossen op m'n duimpje en laat me daar niet overrompelen.'

En hij holde weg in zuidelijke richting.

Al die spanning en sensatie liep met een sisser af. Het enige erge wat ervan kwam was dat we twee keer zoveel Latijnse werkwoorden moesten leren toen we weer op school kwamen.

De predikant liet zich een dag of wat daarna niet meer zien en sommige mensen zaten wel over hem in, maar omdat iedereen wist dat-ie vaker dagenlang spoorloos bleef werd er niet veel drukte van gemaakt.

Twee nachten later sloop ik op mijn tenen mijn kamer uit en keek om de hoek van de woonkamer om te zien of ma en pa nog op waren. Er brandden geen kaarsen of lampen en ik ging een kijkje nemen bij de trap. Boven was het ook donker. Ik liep een paar treden op en hoorde pa snurken; die sliepen dus.

Ik trok mijn nachthemd uit, schoot in de kleren, kroop uit mijn raam en liet me op de grond vallen. Ik wachtte een tel of alles stil bleef en zette het toen op een rennen door de moestuin naar de bomen.

Ik was nog geen tien meter in het bos toen mijn hart ineens stilstond en mijn bloed bevroor! Iets hoogs en wits en schimmigs kwam als een reuzenspook langzaam aanlopen tussen de bomen.

In m'n hoofd ging het tekeer alsof ik er helemaal over-gevoelig van ging worden, maar 't duurde niet lang of ik kreeg door dat het maar een paard was, een vreemd paard. En 't duurde nog korter of ik was al als de bliksem naar huis gehold en door mijn raam naar binnen gesprongen.

Ik schoot weer in mijn nachthemd en holde de trap op naar de kamer van pa en ma. 'Pa!' riep ik.

Omdat iedereen nog de zenuwen had van de slavenjagers die nog in de buurt konden zijn en de predikant die al in geen dagen was gezien, waren ma en pa in een flits hun bed uit!

'Ik kon niet slapen, keek uit het raam en zag een paard uit het bos komen!' zei ik tegen hun.

'Blanken?' vroeg pa.

'Nee, pa, er was geen ruiter bij.'

'Is 't er een van ons?' vroeg pa. 'Heb iemand soms z'n staldeur niet afgesloten?'

'Nee, pa,' zei ik. ''t Was een grote witte hengst met een zadel, heel anders dan die van ons.'

Pa trok snel een broek aan, rende de trap af, greep een fakkel en zijn geweer en stormde op blote voeten naar buiten.

Ik als een speer achter hem aan, want hij had niet gezegd dat 't niet mocht.

Pa stak de fakkel aan en we gingen het paard zoeken. Pa vond de hoefafdrukken en een eindje verderop zagen we hem aan de kant van de weg staan.

Het paard had zichzelf voor het huis van Highgate geparkeerd. Hij had zijn hoofd over het houten hekje gebogen en stond hele bossen bloemen weg te kauwen, waarbij hij zowat alle suzanna's met-de-mooie-ogen van vrouw Highgate opgroef.

Pa gaf mij het geweer en de fakkel en liep langzaam op het paard af. Hij klopte het dier op de hals en zei: 'Rustig maar, jongen. Rustig.'

Het paard rolde wel met zijn ogen maar liet pa begaan, en pa pakte de teugels en trok hem bij de bloementuin weg.

Ik wees naar zijn bil. 'Pa, kijk! Hij is gewond!'

Over de hele rechterflank van het paard zat één grote korst opgedroogd bloed.

Pa bekeek het paard van alle kanten. Hij trok zelfs het zadel los en zei toen: 'Nee, er is wel veel bloed gevloeid, maar het is niet van hem.'

Pa gaf mij de teugels, ging toen naar Highgate z'n deur en bonkte hard.

Een schuifraam vloog omhoog en meneer Highgate stak zijn geweer naar buiten.

'Wie daar?'

'Ik ben het, Theo. Kom naar buiten, er staat een paard op je erf waar geen ruiter bij is. Misschien zwerft er een vreemdeling rond.'

Pa en meneer Highgate maakten iedereen wakker, en er werd

wijd en zijd gezocht maar niks en niemand gevonden.

De volgende ochtend bracht meneer Highgate, die z'n hand had verwond bij de zaagmolen en toch niet kon werken, het paard naar de sheriff in Chatham zodat niemand kon beweren dat we hem gestolen hadden. Hier in de buurt wonen blanken die altijd het volk van de kolonie de schuld geven als er iets fout gaat, en wij zitten niet om moeilijkheden te springen.

Drie dagen later kwam de predikant weer opdagen, met de sjieke holster en het mysteriepistool. Na een poos zei hij tegen meneer Polite dat-ie ze zomaar in het bos bij de rivier had gevonden. Hij zei dat-ie in Chatham was gaan vragen of iemand het pistool soms kwijt was, maar dat was niet zo, en hij vond dat-ie 't als eerlijke vinder zelf mocht houen.

De mensen slikten dat verhaal van de predikant niet voor zoete koek. Ze zeien dat je misschien nog toevallig het pistool van een blanke kon vinden als het van zijn zadel of uit zijn jasje of holster was gestuiterd, maar je maakte hun niet wijs dat je er ook nog een holster bij vond. Ze zeien dat je een blanke zo'n beetje alleen van z'n wapen met holster kon scheiden als je ze afpakte wanneer-ie in zijn doodskist lag.

Ma had gelijk toen ze zei dat mensen die eerst slaven waren niks liever doen dan praten, want kort daarna werden de wilde praatjes over hoe dat paard in Buxton was gekomen nog meer aangedikt. Er werd rondverteld dat de predikant die twee blanke slavenjagers had beslopen met het mes van de zeis, waarmee hij ze de strot had afgesneden, om ze daarna in mootjes te hakken en die mootjes in Lake Erie te gooien.

Er werd beweerd dat een blanke tweeling uit Amerika op twee

witte hengsten door Chatham had gereden, met aan hun middel twee poepsjieke pistolen van zilver met een kolf van parelmoer, percies zoals de predikant er volgens eigen zeggen een had gevonden. Toen, zeien de mensen, had de predikant de tweede witte hengst naar Toronto gereden en had-ie hem en de tweede holster met pistool daar op de markt verkocht.

'tLeek mij niks anders dan roddels en verzinsels die uit heel dikke duimen werden gezogen.

Als je het mij vraagt heeft de predikant die mannen nooit geen twee wapens afgepakt, want dan zou-ie toch niet zeggen dat-ie maar één pistool had gevonden?

Dat slaat nergens op, dat slaat echt helemaal nergens op. Ik hou niet van rekenen, maar reken maar uit: als-ie het al zo mooi vond om te pronken met dat ene gevonden pistool, had-ie het dúbbel zo mooi gevonden om te pronken met twéé pistolen! En iedereen wist dat het zowat onmogelijk was voor de predikant om zo'n spannend verhaal stil te houen.

Vis uitdelen

Tegen de tijd dat ik en Old Flap weer bij de stal kwamen, had meneer Segee de boel al op slot gedaan en was-ie naar huis gegaan. Dat kwam goed uit. Ik had hem twee van de doodgegooide vissen willen geven als dank voor het rijen op Old Flap, maar nu de predikant me zowat de helft van mijn vangst had afgesjoemeld, had ik niks meer voor meneer Segee.

Ik zette Old Flap weer op stal, sloot de deur af en ging op weg naar huis.

Mensen die klaar waren met werken en al hadden opgeruimd en gegeten, zwoeien of riepen van voor hun huis naar me.

Meneer Walker schreeuwde: 'Avond, Eli. Wat een zware vracht voor een jonge jongen. Straks breekt er iets in je lijf dat je later nog hard nodig zal hebben. Zou je die last niet wat lichter maken door twee of drie vissen bij mij achter te laten?'

'Avond, meneer,' antwoordde ik. 'Het is niks te zwaar voor me, hoor. U vergeet zekers hoe sterk ik ben. Weet u nog hoe goed ik u heb geholpen met stenen sjouwen en dat u toen nog zei dat u geen andere jongen van mijn leeftijd kende die zo veel kracht had?'

Hij zei: 'Nou en of ik dat nog weet, Eli, nou en of. Maar ik mag toch wel proberen om een lekker gebakken visje te bemachtigen voor de vrijdagavond, of niet soms?'

'Jawel hoor, maar ik heb meneer Leroy er al twee beloofd en ik wil die ene grote baars met iemand ruilen voor iets anders.'

'Denk de volgende keer ook eens aan mij, jongen,' zei hij.

'Zal ik doen, meneer.'

Een stukje verderop zeien de eerste juffrouw Duncan en de tweede juffrouw Duncan tegelijk: 'Avond, Elia, zo te zien is het je goed gegaan!'

'Ja, juffrouwen!'

Weer een stukje dichter bij huis stond vrouw Brown uit haar schommelstoel op, woof met haar zakdoek naar me en riep: 'Joehoe! Li Freeman! Joehoe! Jou mot ik net hebben!'

'Avond, vrouw Brown,' zei ik.

'Ik heb drie kersentaarten gebakken, Li, en meneer Brown zegt dat-ie machtig veel trek heeft in baars. Denk je dat een taart een baars waard is?'

'Ja, mevrouw!' zei ik. 'Ik wou u er eigenslijks twee geven, maar toen moesten er tienden af en werd ik gebeunhaasd.'

'Een is ook goed, hoor. Ik eet zelf nooit vis als 't geen meerval is.'

Meerval zat er niet in met steenvissen. Meervallen gebruiken vast hun hersens, want volgens mij zijn ze met karpers de enige vissen die stenen en bromvliegen bij mekaar kunnen optellen en weten dat de uitkomst linke soep is. Die kwamen nog voor geen goud van de bodem van het meer.

Ik liep vrouw Brown haar plaats op. Ze had altijd zwarte kleren aan en was niet vaak in zo'n goeie bui als vandaag. Haar enige kindje, een jongetje van twee, was twee jaar terug ellendig doodgegaan aan de koorts en daarna had vrouw Brown last van zenuwaanvallen gekregen.

Als je 's avonds laat de bossen in sloop terwijl je in je bed hoorde te liggen, kon je je 't hart uit je lijf schrikken als je haar ineens tegen een boom zag leunen, waar ze neuriënd en met haar armen om d'r eigen heen zachtjes heen en weer stond te wiegen.

Maar er is echt niks griezelijkers dan tussen de bomen in het maanlicht lopen en haar ineens tegenkomen, op haar hurken op de grond, waar ze zand wegveegt van een plek die er geen spat anders uitzag dan elk ander stukje grond in het bos. Maar dat bepaalde plekje zei tegen vrouw Brown dat ze het met haar blote handen moest schoonvegen. En ze veegde en veegde tot er niks anders overbleef dan harde grond.

Andere keren, zoals nu, zou je nooit zeggen dat ze ergens last van had. Op eeuwig en altijd die zwarte kleren van haar na leek ze net zo goed bij haar hoofd als ik. Ze had tegen ma gezegd dat ze pas weer kleurige kleren wou dragen als de Heer haar met een ander kind had gezegend, maar onze vroedvrouw hier in Buxton en de dokter ginder in Chatham zeien allebei dat het er niet meer inzat.

Sommige mensen zeggen dat vrouw Brown van lotje is getikt, maar behalve dat ze me 's avonds in het bos de stuipen op 't lijf jaagt is ze altijd aardig voor me. En iedereen weet dat niemand in de kolonie zo goed kan bakken als zij!

Ik zeg dat niet om ma haar kookkunst af te vallen. Ma kan best lekker vis bakken en haar groentes zijn niet écht vies, maar taarten bakken kan ze voor geen cent. Pa zou helemaal door het dolle zijn als ik met een taart van vrouw Brown aankwam. Hij liet ma nooit merken hoe blij hij werd van die taarten, maar als hij dacht dat ze hem niet kon horen en zien, gaf hij me een berenknuffel, zwierde hij me de kamer rond en maakte hij een vreugdesprong!

Vrouw Brown hield haar voordeur voor me open en zei: 'Kom binnen en kies de taart uit die je het lekkerst lijkt, Li.'

'Dank u wel,' zei ik en ik trok mijn schoenen uit en liet ze op de plaats achter bij al mijn visspullen.

Haar huis hield de taartgeuren binnen, en zodra je binnen was moest je je neusgaten zo wijd open sperren als ze gaan wouen, je hoofd in je nek leggen, je ogen dicht doen en je helemaal volzuigen met die lucht!

Ik stond stil en haalde nog twee keer heel diep adem. Ik heb allang geleerd dat je maar twee of drie keer geuren die echt heel lekker zijn tot in je tenen kunt ruiken voor je neus weigert ze nog langer op te merken. Ik durfde me niet te verroeren, want dan kon ik voluit van de geur genieten voor m'n neus zich ging herinneren dat ik met dode vissen aan de sjouw was geweest.

Na de vierde keer diep inademen rook ik de vis weer even sterk als de taart, dus deed ik m'n ogen weer open en ademde weer gewoon.

Vrouw Brown keek me lachend aan.

Ik lachte terug. 'Ze ruiken heerlijk, mevrouw.'

'Ik wil niet onbescheiden zijn, maar je weet zelf ook wel dat ze nog lekkerder smaken dan ruiken, Li. Kom mee naar de keuken en kies er een uit.'

We liepen door haar woonkamer. Het was een van de grondregels van de kolonie dat alle huizen er vanbuiten zo'n beetje hetzelfde uit moesten zien. Ze moesten aan de voorkant altijd een plaatsje met afdak, een houten spijlenhek en een bloementuin hebben en percies tien stappen van de weg af staan. Pas als je de huizen binnen ging, zag je hoe anders de mensen ze hadden ingericht.

Bij de Browns stond er zowat niks in hun woonkamer. Wij hadden een tafel met tafelkleed en een bloemenvaas en stoelen, maar zij hadden alleen een lege blauwe babywieg in een hoek, met een slaphangend oud wit laken erover. Wij hadden een grote schouw met een schoorsteenmantel van baksteen uit de eigen steenfabriek van de kolonie, maar zij hadden nog een haard met ombouw van klei en keien. Pa had meneer Leroy betaald om een plankenvloer van essenhout te leggen, maar bij hun was de vloer nog van ruw vurenhout. Hun huis had maar één woonlaag en het onze had er twee. Ze waren nog maar een paar jaar geleden uit Amerika gekomen en moesten de touwtjes nog aan mekaar zien te knopen.

De Browns aten in de keuken, waar dus ook hun eettafel stond. Ma had me verteld dat veel ex-slaven de gewoonte niet konden opgeven om in de ruimte waar ze kookten te eten, zodat veel mensen in de kolonie hun woonkamer voor andere dingen gebruikten dan om er te eten.

Vrouw Brown had de taarten op een tafel bij het achterraam gezet om af te laten koelen.

Omdat ik maar één baars voor haar had, koos ik de kleinste taart en liet de vis van het snoer in een grote schaal vallen.

Ze zei: 'Heel lief van je, Li. Wat zal meneer Brown opkijken als hij thuiskomt en baars te eten krijgt!'

Ik nam de taart mee. Het bakblik was nog warm! Ik zei: 'Dank u wel, mevrouw. Mijn pa zal straks ook opkijken!'

Ik ging de achterplaats van de Browns op, haalde de schubben van de baars en maakte hem schoon. Ik liet de ingewanden in de schaal liggen voor haar tuin.

Ik ging de keuken weer in. 'Ik breng morgen het blik terug, mevrouw.'

'Er is geen haast bij. Voor halverwege volgende week bak ik toch niet meer, dus neem de tijd. Doe je ma de groeten van me.'

'Zal ik doen.'

Ik pakte mijn vijf vissen, mijn visspullen en mijn taart op en ging weer op weg naar huis.

Onder het lopen begon ik uit te rekenen hoe ik die laatste vijf vissen kon uitdelen. Drie ervan waren genoeg voor mij en ma en pa als ik niet veel at, zodat meneer Leroy nog altijd de twee kon krijgen die ik hem had beloofd.

Thuis maakte ik alle vijf de vissen schoon en ma bakte ze. Na ons eten zou ik meneer Leroy zijn portie gaan brengen. Hij kluste altijd overal bij en was altijd de laatste die ophield met werken. Hij at nooit eerder dan pas laat op de avond.

Er was geen kunst aan om meneer Leroy te vinden. Het enige wat je hoefde te doen was luisteren waar het geluid van zijn bijl vandaan kwam.

Rond deze tijd van de dag, als het schemerdonker wordt, is het geluid van meneer Leroy zijn bijl zo regelmatig en natuurlijk dat het volgens pa bij het landschap hoort en het je pas opvalt als je er echt op let, of als het plotsklaps ophoudt.

Zo hoor je ook eigenslijks nooit het gekwaak van de kikkerpadden bij de rivier tot ze opeens stil zijn. Dán zeg je bij jezelf: 'Wat maakten die kikkers een herrie vandaag, waarom viel me dat niet eerder op?'

Nadat ik had afgewassen ging ik naar de plaats om tegen ma en pa te zeggen dat ik meneer Leroy zijn vis ging brengen.

Ma's handen bleven bezig. Breiend keek ze over haar bril en zei: 'Blijf niet te lang weg, Li. Als je door het werken met meneer Leroy 's ochtends je bed niet uit komt en je klussen niet kunt doen, is het wel duidelijk wat je mot laten schieten, hè?'

'Ja, ma.'

Pa is anders dan ma, hij kan niet hout snijen en praten tegelijk. Hij wil niet snijen en ook nog iets anders doen omdat-ie een keer zowat z'n pink eraf heeft gehakt toen-ie zat te vertellen hoe hard-ie in Kentucky had moeten werken. Die pink kan nog steeds niet alles doen wat pa ermee wil maar zit er nog wel. Meneer Leroy heeft een vinger die niks meer is dan een stompje.

'Werk je morgen ook met hem?' vroeg pa.

'Ja, pa.'

'Mooi. Zondag ga ik vrouw Holton helpen om de laatste stronken die er nog staan weg te halen. Daar heb ik jou en Cooter bij nodig.'

'Ja, pa.'

Ma legde een doek over het bord vis dat ze voor meneer Leroy had gebakken, en ik pakte het op en liep de weg af. Na een stukje lopen kon ik hem duidelijk ergens richting het zuiden horen hakken. Hij was bij vrouw Holton bezig. Ma noemt haar een ziel die 't niet getroffen heeft. Haar man werd ziek en weer gevangengenomen toen ze op de vlucht waren, maar zij en haar twee dochtertjes wisten weg te komen.

Ze kwam naar Buxton met goudstukken in haar jurk genaaid en kocht twintig hectare land aan de zuidgrens van de kolonie. Iedereen wist ervan en had het over haar, omdat bekend was geworden dat zij de enige van de driehonderd gezinnen hier was die nooit niks had hoeven te lenen om haar land te kopen. Ze betaalde de hele boel handje contantje!

De mensen raden erop los hoeveel geld vrouw Holton wel heeft. Ze loopt er niet mee te koop of zo, maar iedereen zegt dat iemand die zonder lening twintig hectare grond kan kopen wel net zo rijk moet zijn als een slaveneigenaar!

Als je hier in de kolonie land koopt, mag je nog zoveel goud hebben, maar je moet je aan de regels houen en een ervan is dat jij er zorg voor draagt dat je hele terrein ontgonnen wordt en er een afwateringssloot langs al je grond en de weg komt.

De meisjes Holton waren veel te klein om bomen te kunnen hakken, en in deze tijd van het jaar hadden de mensen het van zonsopgang tot -ondergang zo druk dat niemand tijd of energie overhad om met het hele dorp bij haar een hakfeest te houen, zodat ze meneer Leroy betaalde om haar land kaal te hakken en de greppel te graven. Hij zocht altijd bijverdiensten omdat-ie veel geld wou sparen om zijn vrouw, dochter en zoon vrij te kopen uit Amerika. Hij en vrouw Holton hadden dus machtig veel aan mekaar.

Meneer Leroy was blij dat-ie zich niet meer aan de blanke boeren tussen hier en Chatham hoefde te verhuren nu vrouw Holton en haar kinderen in Buxton waren komen wonen, en zij was blij omdat ze iemand had die het zware werk aan en rond haar huis kon doen tot haar man opnieuw zou ontsnappen.

Meneer Leroy had dat huis van haar zo'n beetje eigenhandig gebouwd, en omdat-ie de beste timmerman van de hele kolonie was had ze hem bijbetaald om overal aan de buitenkant van haar huis deftige pilaren, deurposten, figuurtjes en tierelantijnen te maken. Ze had een tekening voor hem gemaakt van iets wat ze zich herinnerde of zelf bedacht had, en hij had het binnen de kortste keren van hout nagemaakt.

Door al dat werk van meneer Leroy zeien de mensen dat vrouw Holton dit jaar de wedstrijd om 'Het Mooiste Huis van Buxton' ging winnen. Dat zat buurvrouw Highgate, die aan de andere kant van ons woonde, helemaal niet lekker, want zij had de afgelopen vijf jaar aldoor gewonnen en ze stond niet te juichen dat iemand anders nu kans maakte op haar prijs.

Ik kwam bij vrouw Holton haar huis en klopte aan om gedag te zeggen.

'Avond, Eli.'

'Avond, vrouw Holton.'

'Ga je oren maar achterna. Hij is ergens achter.'

'Goed, mevrouw. Ik moest de groeten van ma doen.'

'Doe je ma en pa de groeten terug.'

'Doe ik.'

Er klonk een soort muziek wanneer meneer Leroy bomen kapte. Op zowat anderhalve kilometer afstand leek het of er maar één persoon muziek maakte en hoorde je alleen een vast, regelmatig *krak!* dat je tegemoet golfde alsof het kwam aanwaaien op de wind. Dat was de bijl die in de boom beet.

Als je dichterbij kwam, leek het of er twee mensen muziek speelden en hoorde je meneer Leroy een geluid maken dat als

TSJUH! klonk. Dat was de lucht die uit zijn longen werd geperst als hij de bijl krachtig in de boom sloeg.

Als je dan zo dichtbij was dat je het zweet van zijn voorhoofd zag spatten, klonk het alsof iemand anders inviel met een soortje *hoeng*! 't Was niemand anders dan hijzelf als hij diep de lucht naar binnen zoog om opnieuw uit te halen.

Als je er zowat met je neus bovenop stond en angstig werd dat je geraakt werd door de bijl of de houtsplinters die hij liet rondvliegen, kwam er een *ka*! bij, want zo klonk de bijl als-ie hem weer uit de boom trok.

Hoe harder en langer meneer Leroy werkte, hoe regelmatiger en muzikaler de geluiden klonken. Dus bij het begin klonk het als *krak*! TSJUH, *hoeng*, *ka*, *krak*! TSJUH, *hoeng*, *krak*! TSJUH *hoeng ka*.

Maar als hij goed en wel op dreef was, kwamen zijn bijlslagen zo snel achter mekaar dat het klonk als: *krak*!TSJUH*hoengkakrak*!-TSJUH*hoengkakrak*!TSJUH*hoengka*... Dan ging hij van muzikaal over op machinaal, en volgens de predikant werkte meneer Leroy dan ook als een machine. Hij zei dat-ie meneer Leroy z'n hart in zijn borstkas had horen kloppen en dat het niet klonk alsof hij van vlees en bloed was, maar dat het daarbinnen bonkte en hamerde alsof hij van je reinste ijzer was!

Meneer Leroy zag me, deed nog een keer *krak*!TSJUH*hoeng* en liet de bijl toen even in de boom steken.

Hij nam de tijd om weer op adem te komen en zei: 'Avond, Eli.'

'Avond, meneer.'

'Is het zo laat alweer?'

'Ja.'

'Ik heb geeneens gemerkt dat de zon gezakt is.'

Meneer Leroy haalde een lap uit de zak van zijn overal en veegde het zweet van zijn voorhoofd. Dat had-ie net zo goed kunnen laten, want hij had de lap nog niet van zijn gezicht of het zweet stroomde alweer. Hij wreef z'n linker elleboog en z'n arm en zei: 'Gelukt met vissen?'

'Ja, meneer.'

'Aardig dat je aan me gedacht heb, jongen.'

Hij ging op een boomstronk zitten en ik zat op een stronk ernaast. Hij nam een slok uit de kruik water die hij op 't werk altijd bij 'm heeft en haalde de doek van het bord vis dat ma voor hem had gebakken. Ma had ook okra, aardappels, paardenbloemgroente en een groot stuk van vrouw Brown haar kersentaart op het bord gedaan.

'Vergeet niet je ma te bedanken, Elia!' zei meneer Leroy. 'Het is erg aardig van jullie allebei.'

Het was de moeite waard om dat hele stuk te lopen om meneer Leroy eten te brengen, want er was niks gekkers of grappigers dan hem vis te zien eten. Hij vond dat je geen kruimel mocht verspillen, dus kauwde hij alles op wat eraan zat! Vinnen en graten deden hem niks. Mooi dat-ie ook nog de schubben en ingewanden erbij had fijngekauwd als ik die eraan had laten zitten.

De graten knapten en kraakten in zijn mond als droge graankorrels in een molen.

'Meneer Leroy, verslikt u zich nooit in 'n graat?' vroeg ik.

'Je ken je toch niet verslikken als je goed kauwt?' zei hij.

'Ik weet niet, hoor. Ik haal altijd elk graatje uit m'n vis, want als ik er een oversla blijft-ie geheid dwars in mijn keel steken. Je zou er zowat nooit meer vis van eten.'

Meneer Leroy zei smakkend: ''t Is met vis net als met al het andere in 't leven, Elia. Als je rottigheid verwacht, trek je vanzelf rottigheid aan. Je mot nooit bang zijn, maar aldoor verwachten dat 't wel goed komt. Als ik bang ben dat ik in een graat stik, stik ik geheid elke keer dat ik vis eet. En dat ben ik toevallig net niet van plan.'

De visgraten knapten in zijn mond als droge takjes.

Meneer Leroy at de groente en de taart die ma had meegegeven schoon op en gaf me het bord terug.

'En bedank je ma en pa van me, Elia. Zeg tegen je ma dat ik het heel mooi vind dat ze aan me denkt. En nu aan de slag, want we hebben nog meer te doen.'

Meester Travis pakt ons een prachtles af

Het is te oneerlijk om waar te zijn, maar vanaf dit schooljaar doet meester Travis niet alleen de zondagsschool maar is-ie ook nog onze meester op de gewone school. En dat betekent dat die man je op je nek zit alsof-ie een teek is die je niet kunt afschudden, of je nou hoog of laag springt. Het grootste probleem is dat-ie je op de gewone school voor niet al te snugger kan uitmaken en je geen schijn van kans hebt om op zondag met een schone lei te beginnen.

Toen we doordeweeks juf Guest nog hadden en op zondagsschool mevrouw Needham kon je met 'n beetje geluk een van de twee nog wijsmaken dat je bij je verstand was, maar met meester Travis als hoofd van allebei de scholen ben je domweg 't haasje.

En nog veel oneerlijker is 't dat-ie gewone lessen en zondagsschoollessen door mekaar mengt, waardoor het een overgaat in het ander en je niet meer weet waar je aan toe bent. Dat hoort gewoon niet zo, want als het wel zo hoorde hadden ze naast de gewone school geen zondagsschool van de kerk bedacht.

Je hoort me niet zeggen dat ik geen respect heb voor leraren en lessen, maar ik heb al lang genoeg les van meester Travis om te weten dat je van leren in een klaslokaal niks wijzer wordt. Ik bedoel niet dat-ie je niet kan dwingen er net zo lang iets in te stampen tot je het een tijdje onthoudt, want dat kan-ie best. Maar ik heb er niks aan om van alles erin te stampen tot ik blauw zie, want 't blijft alleen hangen als ik het zelf heb meegemaakt.

Daar is geen beter bewijs voor dan de les die meester Travis ons de laatste tijd aldoor opdringt, niet alleen in de klas maar ook op zondagsschool. Het begon ermee dat Cooter Bixby hem zonder 't te willen of zelf te weten op de kast joeg.

Ik kwam 's maandags op school en Cooter zat me op te wachten voor de bel ging. Hij zat te schuiven en te draaien op de treden voor school alsof-ie op hete kolen zat. Hij was ergens helemaal uitgelaten en blij van.

'Morgen, Cooter,' zei ik.

'Morgen, Eli!'

Hij sprong van de treden en trok me naar de zijkant van de school zodat niemand ons kon horen.

'Mot je horen! Ik heb meester zaterdag bij de zagerij gezien!' zei Cooter.

'O ja?'

'En hij deed nog gekker als anders!'

'O ja?'

'Ja, en hij stond maar tegen me aan te kletsen en zich op te winden om niks. En toen-ie eindelijk wegging heb ik me eens goed op mijn kop gekrabd om wat die man eigenslijks zo hoog zat.'

‘En wat was dat dan wel?’

‘Eerst kon ik er geen wijs uit worden, maar zonet zag ik hem naar het bord benen alsof-ie door de duivel bezeten was! Toen wist ik het eindelijk!’

‘Cooter, zeg op. Wat was het?’

‘Hij deed zo raar om wat-ie ons vandaag op school wil leren!’

‘Wát dan?’

‘Elia, je gelooft nooit wat meester ons wil gaan leren!’

Nou ging ik me dus mooi niet opwinden over geen een van meester Travis z’n lessen. Je hoort me niet zeggen dat ik slimmer ben dan Cooter, maar wel merk ik alles sneller op en heb ik dingen eerder door dan hij, en meester liet nergens aan merken dat-ie een les had bedacht die het waard was om je over op te winden.

Maar als er iemand was die nog meer ’n hekel had aan school dan ik was het Cooter Bixty wel, en als hij zo over z’n toeren raakte was het misschien toch de moeite waard!

‘Wat gaat-ie ons dan leren?’ vroeg ik.

Cooter keek over zijn schouders en toen over de mijnes en fluisterde: ‘Kijk dan zelf door het raam wat er op ’t bord staat! Dat geloof je nooit!’

Ik ging op mijn tenen staan en loerde naar binnen. Meester schreef zowat nooit op het bord tot we een tijdje hadden zitten leren en de meesten slaperig en suf werden, maar vandaag had hij dwars over het hele bord geschreven, met zulke koeienletters dat je ze nog vanaf Lake Erie door dikke mist heen had kunnen lezen: VAN FAMILIARITEIT KOMEN VRIJPOSTIGE KINDEREN.

Je zag zo dat het meester Travis menens was met die les, want er stonden drie dikke strepen onder de woorden en zo te zien had-ie zo hard met het krijtje gedrukt dat het gebroken was en-ie weer helemaal opnieuw kon gaan strepen! Je snapte meteen dat meester toen-ie bij het bord klaar was, had staan hijgen en snuiven, met ogen die vuurspuwden!

Potdommes, Cooter kon best gelijk hebben!

Ik had er weinig fiducie in dat-ie het zou weten, maar ik vroeg toch: 'Wat betekent dat dan?'

'Weet je 't ook niet?' zei Cooter. 'Ik hoopte dat jij 't kon uitleggen. Maar meester roept altijd dat we voor ons eigen motten denken, en dat heb ik gedaan. Ik heb van de twee woorden die ik niet ken twee woorden gemaakt die ik wel ken en alles aan mekaar geplakt.'

'En wat kwam eruit?'

'Nou, ik zeg al, dat tweede en vierde woord ken ik niet, dat zal wel deftigdoenerij wezen. Maar we weten toch allebei wat de rest betekent?'

Blijkbaar keek ik of ik het niet wist.

Cooter zei: 'Eli! Je werkt in de stal, je weet toch wel...' Weer keek hij over onze schouders, boog zich toen dicht naar me toe en fluisterde in m'n oor: '... je weet toch dat er van alles gebeuren mot voor er kinderen komen?'

Alsof je in een stal moest werken om dat te weten!

'Ja!' zei ik.

Cooter zei: 'En kijk dat tweede woord dan: familiariteit. Daar zit toch zekers familie in, of niet dan?'

'Jawel.'

Cooter zei: 'Nou dan. Als er kinderen komen, heb je 'n familie. En nou gaat 't ook nog om vrije kinderen... Dus dan mot 't toch om het maken van baby's in Buxton gaan?'

'Misschien.'

'En dus?'

Ik schudde mijn hoofd.

Cooter fluisterde: 'Kom op, Eli, tel 't bij mekaar op en je hebt vadertje en moedertje spelen! Hij gaat ons waarachtig leren hoe je kinderen maakt!'

'Nee!'

'Wat zou het anders betekenen?'

Cooter zag dat ik er niet zo zeker van was en zei: 'M'n pa zegt dat meester Travis uit New York komt en nooit slaaf is geweest. En om die twee dingen mot je uitkijken met hem. Pa zegt dat hij en andere grote mensen goed in de gaten motten houen wat meester ons allemaal leert.'

'En wat dan nog?'

'Snap je dat dan niet, Eli? Er komen de laatste tijd nooit meer grote mensen in de klas kijken en meester denkt dat de kust nu veilig is om ons dingen te leren die pa "stadse fratsen uit het noorden" noemt.'

Eerst klonk het raar, maar als je het tot je liet doordringen zonder er echt over na te denken leek het alsof Cooter het goed bij mekaar had gedacht!

Cooter zag dat ik erin begon te geloven en zei: 'En als het maken van kinderen geen les is die niet bij stadse fratsen uit het noorden hoort, weet ik het niet meer.'

'Krijg 't heen en weer!' zei ik per ongeluk.

Ik weet dat het zowat vloeken is, maar vergeleken bij wat we gingen leren stelde een vloek niet zoveel voor.

Cooter zei: 'Hij had nooit open en bloot op het bord motten

schrijven wat we gaan doen. Straks gaat die potdommese Emma Collins of een van die andere tutten van meiden nog aan de grote klok hangen wat we leren! Stel dat de grote mensen er dan een eind aan maken voor het echt spannend en vies kan worden?'

Toen de bel ging had Cooter me zo opgehitst dat ik er ook uitzag alsof ik op hete kolen zat!

We wisten alle twee dat er iets machtigs ging gebeuren, want meester begroette ons niet met wat-ie 's ochtends anders altijd zei: 'Goedemorgen, leergierige, ijverige studenten die aan een betere toekomst werken! Hebben jullie er zin in vandaag, zin om je te ontwikkelen?' In plaats daarvan zat-ie achter z'n tafel en klemde-ie zijn aanwijsstok vast. Hij had zijn ogen dicht en was zo gloeiend kwaad dat het een wonder was dat er geen rook uit zijn oren dampte!

Ik snapte wel waarom! Hij had natuurlijk bedacht dat-ie, als-ie geleerd had hoe we kinderen moesten maken, achteraf te grazen werd genomen door onze ouders die hem ingesmeerd met pek en veren de kolonie uit zouen jakkeren!

Ik had er vaak over horen praten, maar zelf had ik 't nog nooit gezien. Maar één ding wist ik zeker: als ik meester later nog eens terugzag moest ik m'n excuses aanbieden omdat ik had rondverteld dat-ie saai was. Dan moest ik m'n potdommese woorden inslikken, want er was niks ter wereld waarvoor je zo graag naar school wou als leren over kinderen maken, en daarna met eigen ogen zien hoe de meester die je dat geleerd had met hete pek wordt overgegoten en op een boerenkar de kolonie uit gejaagd!

We gingen allemaal aan onze tafeltjes zitten wachten. Zelfs de kinderen die niet wisten waar de les over zou gaan, voelden dat er iets aan de hand was en keken elkaar gespannen en ongerust aan.

Meester Travis stond op en ik en Cooter ploften zowat van spanning!

Meester Travis liet de aanwijsstok met zo'n dreun op z'n tafel neerkomen dat het nog een wonder was dat-ie de tafel niet dwars doormidden sloeg!

Alle anderen schrokken zich een ongeluk. Ze klemden zich vast aan de zijkant van hun tafel en keken zo bang als een paard dat een driekoppige slang ziet. Je hoorde alleen nog meester Travis z'n zware gehijg en de echo van de klap van de stok, maar verder was de klas zo stil als een dooie muis!

Alleen Cooter en ik zaten te grijnzen, want we wisten allebei dat dit het begin was van de mooiste dag van ons hele schoolleven!

Ik keek naar Cooter en hij keek net zo opgetogen als ik.

Meester deed zijn ogen open en zag die brede grijns van Cooter – en al word ik vijftig, ik hoop nooit meer een groot mens zo witheet van woede te zien worden als meester Travis op dat moment! Het was een aanblik die ik de rest van m'n leven als een litteken met me mee zal dragen, net als het ongeluk tussen mij en meneer Frederick Douglass.

Het avontuur ging met zo'n vaart van start dat ik niet meer percies weet hoe het begon, maar opeens jankte meester Travis als een wolf, nam een reuzensprong door de klas en stortte zich op Cooter Bixby als een uil op een rat! Het gebeurde zo bliksemsnel dat Cooter geeneens kans had de grijns van z'n gezicht te krijgen voor meester hem aan z'n oor van zijn stoel rukte en naar voren sleurde!

Van schrik kon ik geen vin verroeren, al had ik het gewild. Niet iedereen in de klas zat zo versteend te wezen als ik, want meester begon Cooter z'n oor nog niet te martelen of er trokken er een paar een sprint naar de deur. En gelijk hadden ze, want niks ter wereld is zo griezelijk om te zien als een zondagsschoolmeester die van de duivel bezeten is en de levenssappen uit kinderoren perst. Je levenssappen eruit persen is natuurlijk altijd 't eerste wat de duivel doet als-ie de strijd om je ziel aangaat!

Voor iemand de deur kon halen, schreeuwde meester: 'Onmiddellijk zitten, allemaal!'

Iedereen bleef stokstijf staan en begon toen aan de terugtocht, behalve Johnny Wells die krijste alsof-ie behekst was en met één noodsprong 't raam uit was! Het laatste wat ik van hem zag waren de stofwolkjes die achter hem opstoven toen-ie over het plein naar de weg rende.

Toen iedereen weer zat klemde meester Travis nog steeds Cooter z'n oor vast en brulde hij harder dan bij zo'n fatsoenlijke man paste: 'Onze mensen zijn nog altijd slaaf en worden behandeld als beesten!'

Cooter had geeneens door dat meester Travis gek was geworden! Hij bleef maar grijnzen en knikken. Dat snapte ik ook wel weer. Cooter is niet de slimste die er bijloopt en hij dacht vast dat leren hoe je baby's moest maken best een half losgerukt oor waard was!

Ik zei al, je hoort me niet zeggen dat ik slimmer ben dan Cooter, maar ik denk wel beter en perciezer over de dingen na, en ik had allang door dat meester geen les ging geven tot-ie met Cooter Bixby klaar was en geen spaan van hem had heel gelaten!

't Is niet dat ik over-gevoelig ben, maar intussen zat ik er net zo bij als de anderen. Ik klemde me aan m'n tafel vast, haalde hortend en stotend adem en keek strak naar meester Travis. Ik vroeg me af of het nog lang ging duren voor-ie weer bij zinnen kwam. En als-ie niet meer bij zinnen kwam, had ik geen idee wie z'n ziel-ie hierna te grazen wou nemen!

'Als beesten worden ze behandeld!' tierde meester Travis. 'Een klein aantal van ons kent de zoete smaak van de vrijheid, maar er zijn nog ongelukkigen genoeg, er zijn er nog heel, heel veel...' en elke keer dat-ie 'heel, heel veel' zei draaide hij Cooter z'n oor om!

'... heel...'

Cooter z'n oor zat zo strak gekreukeld dat-ie op één been moest dansen om te proberen tegendruk te geven. Maar hij bleef grijnzen!

'... heel veel...'

Ik had het niet meer. Joh, als meester Travis zo aan Cooter z'n oor bleef draaien, zou dat ding nadat-ie eindelijk had losgelaten nog een weeklang doldraaien aan Cooter z'n hoofd om uit de kreukels te komen!

Het maakte me niks meer uit of ik er de aandacht mee trok of niet, want Cooter is m'n maat en ik wist dat-ie voor mij hetzelfde zou doen. Ik haalde diep adem om moed te scheppen, stak m'n hand op en riep: 'Meester, meneer Travis, neem me niet kwalijk dat ik hardop praat in de klas, maar als ik Cooter niet waarschuw dat-ie moet ophouden met lachen heeft-ie straks finaal geen oor meer!'

Cooter hoorde me met zijn andere oor en kreeg eindelijk door dat-ie gevaar liep. Nu hield-ie op met grijnzen en begon te brullen. Maar meester Travis had nog een paar heel veels in voorraad.

'... heel, heel veel van ons waarderen niet waar wij vandaan zijn gekomen!'

'Ik wel! Ik wel!' brulde Cooter.

'O, jij wel?' zei meester Travis.

Cooter krijste: 'Ja, meester, u weet niet half hoe ik het waardeer!'

Meester Travis zei: 'En waarom, als ik vragen mag, was er dan niets van die waardering te merken toen ik je zaterdag bij de zagerij zag?'

Je zag zo dat Cooter daar geen antwoord op had, maar kennelijk gaan je hersens helder werken van een mishandeld oor. Cooter zei: 'Ik heb er spijt van, meester! Ik weet wel niet waarvan, maar ik heb er allerverschrikkelijkst spijt van!'

Meester Travis kneep iets minder hard in zijn oor en zei: 'Lees voor wat er op het bord staat, jongeheer Bixby.'

Cooter keek geeneens, maar riep meteen: 'Dat er vrije kinderen worden gemaakt, meester.'

Hij moest wel zien hoe verbaasd meester keek, en daarom dacht-ie vast dat-ie het nog een graadje mooier moest maken. Hij zei: 'En wat er ook gebeurt, meester, ik zal nooit een keer tegen niemand zeggen dat we dat van u leren. Maar u hoeft maar naar de meiden daar te kijken om te weten dat Emma Collins gaat klikken!'

Meester Travis draaide zijn oor maar weer eens om. Hij zei tegen Emma: 'Juffrouw Collins, lees voor wat ik op het bord heb geschreven!'

Van schrik vloog Emma op alsof ze gestoken was. 'Er staat "van familiariteit komen vrijpostige kinderen", meester,' las ze voor. En toen begon ze te janken.

Cooter en ik keken daar wel van op. Niet van dat Emma ging janken, want die meid snottert al als je haar vraagt hoeveel twee plus twee is. We waren stomverbaasd dat Emma Collins, die zo nuffig en over-gevoelig is, het lef had om die woorden hardop te zeggen waar iedereen bij was!

'Ga maar weer zitten, juffrouw Collins. Jongeheer Bixby, begrijp je wat dat betekent?'

Cooter dacht er even over na en zei toen: 'Nou, meester, eerst dacht ik van wel. Maar nu denk ik dat Elia het fout heeft uitgelegd!'

Ik wist niet hoe ik het had! Had ik me daar uitgesloofd om Cooter z'n oor te redden, gooide-ie me bij de eerste de beste kans die-ie kreeg voor de leeuwen!

Meester Travis zei: 'Het is wel duidelijk dat je geen flauw idee hebt. Het betekent dat wanneer een kind, jij bijvoorbeeld...' en meneer Travis draaide zijn oor weer een slag om, '... zich te veel op zijn gemak voelt bij iemand die ouder is, die je meerdere is, je leraar...'

Cooter zette het maar weer eens op een brullen.

'... dat zo'n kind die persoon niet het respect toont dat hij verdient!'

Nu begreep Cooter het. 'Wat dee ik dan, meester? Ik dee helemaal niks!'

Meester Travis zei: 'Juist, jongeheer Bixby. Je deed helemaal niets. Je kwam mij tegen bij de zagerij, maar je nam niet je pet af toen je naar me toeliep en me aansprak, je wachtte niet tot ik uitgepraat was met meneer Polite, je sprak me niet aan zoals het hoort...'

'Maar, meester, ik was verbaasd en blij dat ik u zag!' onderbrak

Cooter. 'Ik zei alleen maar: "Hé, meester!"'

Meester Travis raakte opnieuw buiten zinnen en begon Cooter z'n oor weer om te draaien.

'Juist! Hé? Hé? Hé!'

Nu was 'hé' het woord waarbij meester Travis steeds Cooter z'n oor een kwartslag draaide.

'Hé? Voor zover ik weet, jongeman, roep je "hé" tegen kwajongens, niet tegen je leraar! Ik werd er hoe langer hoe bozer om. Jij hebt het geluk dat je vrij bent van de ketenen van de slavernij, je krijgt een prachtige kans om je te ontwikkelen, en toch verkies je het om je tegenover mij te gedragen op een manier die ik alleen zou verwachten van een arme, ongeletterde stakker die zijn leven als slaaf moet slijten!'

Zowat op datzelfde ogenblik vloog de deur open en kwam meneer Chase binnen stampen, met in zijn ene hand een bijl en met zijn andere hand een krijsende, schoppende Johnny Wells achter zich aan sleurend.

Johnny krijste: 'Genade, meneer, ik wil de klas niet meer in! Hij heb Cooter Bixby al vermoord!'

Meneer Chase keek de klas rond, zag meester Travis, legde zijn bijl neer en zei tegen Johnny Wells: 'Waag 't niet nog eris om me voor zulke flauwekul van het land te halen, knaap, want dan geef ik je ongenadig op je falie en breng je naar je pa die je er nog eens van langs geeft! Waar zijn die zogenaamde spoken van je? Waar leggen die dooien dan?'

Meneer Chase nam zijn pet af, keek naar de oordraaiende meester en de dansende Cooter en zei: 'Neem me niet kwalijk dat ik zo binnen kom vallen, meester. Ga maar verder met de les.'

Daarna werd het er niet beter op. We leerden helemaal niks over baby's maken en meester deelde strafregels en flinke tikken uit om het ons in te peperen. Ik kreeg drie klappen en moest vijfentwintig keer *van familiariteit komen vrijpostige kinderen* schrijven omdat ik in de klas had gepraat en Cooter een onzinnige uitleg had gegeven. Johnny Wells kreeg vijf klappen en moest vijftig strafregels schrijven omdat-ie was weggelopen en over meester had geklaagd. Cooter kreeg tien klappen en moest honderdvijftig strafregels schrijven omdat-ie volgens meester Travis 'een schandalig gebrek aan respect voor zijn meerderen' had.

Het alleroneerlijkst was nog dat ik Cooter wel moest helpen omdat-ie m'n beste vriend was, zodat ik naast mijn eigen potdommese strafregels er ook nog eens vijftig voor hem kon schrijven.

Ik wist best dat meester Travis al die strafregels en klappen uitdeelde omdat-ie dacht dat we de familiariteitsles dan nooit meer zouen vergeten. Maar iets wat je op school leert, blijft er gewoon lang niet zo goed in zitten als wanneer je het zelf meemaakt.

Ik zeg niet dat die les me niet m'n levenlang bij zal blijven. Dat heeft alleen niks met meester Travis te maken, want 't was pas een paar dagen later dat die les me op zo'n manier werd bijgebracht dat ik 't voor eens en altijd begreep.

Meneer Leroy leert me een lesje

Zo zijn er wolken en zo zijn ze weer weg, maar twee avonden daarna wouen de wolken niet weg en maakten ze de maan helemaal zwart. Het is gevaarlijk om in het stikkedonker met een bijl te hakken en meneer Leroy vond dat we die dag vroeg moesten stoppen. Dat doen we anders nooit. Meestal is-ie 's avonds lang nadat ik in m'n bed lig te slapen nog aan het werk, maar die avond vertrokken we samen van vrouw Holton haar land.

Ik werk nog niet de helft zo hard als meneer Leroy, maar dat maakt geen verschil, want afgepeigerd was ik toch. Met altijd school, huiswerk en klussen in heel de kolonie, en dan ook nog eens de laatste weken zowat steeds tot na donker met hem werken, kan ik wel bekennen dat ik die avond sloom was en m'n hoofd er niet goed bij had. En dat zeg ik niet als smoesje voor wat er gebeurde, maar omdat het de zuivere waarheid is.

Meestal zeggen meneer Leroy en ik niet veel onder het werk, niet alleen omdat het moeilijk praten is met iemand die als een machine met een zware bijl op bomen inhakt, maar ook omdat-ie altijd al een man van weinig woorden is. Ik had zo'n idee dat samen naar huis lopen een buitenkans was om veel praterij in te halen die er eerder niet van gekomen was.

Op zowat alle andere avonden moet ik in m'n eentje naar huis, en het is niks voor mij om te klagen, maar soms denk ik wel eens dat ik lekkerder zou lopen als er iemand was om met me mee te gaan.

't Is echt niet dat ik over-gevoelig ben, maar als je op een stikdonkere avond naar huis moet lopen schrik je je soms een ongeluk en word je angstig van geluiden in de berm of uit de bossen en dan ren je de hele verdere weg schreeuwend naar huis.

Iedereen met gezond verstand kan bedenken dat er een beer of slang of wolf vanuit hun gewone gebied deze kant uit was gedwaald, en omdat ik aan de ene kant echt heel moe was van al het werk en aan de andere kant echt heel blij dat ik gezelschap had, kreeg ik eigenslijks geen kans om m'n kop er goed bij te houen toen de maan die avond was afgedekt en meneer Leroy en ik samen naar huis liepen.

Omdat-ie geen prater was, dacht ik dat-ie veel ervaring moest hebben als luisteraar, en ik kletste hem aan een stuk door de oren van z'n hoofd. Het was al twee dagen geleden, maar ik was nog machtig uit m'n doen door meester Travis, die zowat Cooter z'n oor had afgerukt en ons niks over baby's maken had geleerd. Nadat ik een tijd had doorgerateld over vissen, wilde dieren in het bos, ma haar kriebeltruien en de eerste prijzen die Champion en Jingle Boy hadden gewonnen bij de koers, begon ik dus aan de gebeurtenissen die me al die strafregels hadden opgeleverd.

De eerste kilometer of zo onder het lopen gromde en knikte meneer Leroy soms, alsof-ie nog wel zo'n beetje naar me luisterde. Maar toen ik aan meester Travis toe kwam, hadden we al zeker tweeënhalve kilometer achter de rug en gaf meneer Leroy geen teken meer van een beetje belangstelling voor wat ik te zeggen had. Hij sjouwde verder met een gezicht alsof-ie net zo lief wou dat ik m'n mond hield. Maar ik zei al, er kwamen zo veel dingen bij mekaar dat ik wou praten zonder dat 't me veel uitmaakte wie het was waar ik tegenaan kletste.

Ik zei: 'En meester werd witheet en vraag me niet hoe, maar in een oogwenk was-ie met een reuzensprong de klas door, hij vlóóg denk ik, want om bij Cooter Bixby te komen moest hij over drie rijen kinderen heen en geen een tafel verschoof of viel om, en geen een kind had een schram of blauwe plekken van meester z'n schoenen...'

Ik merkte wel dat meneer Leroy geen zin had in mijn verhaal. Hij zei niet dat ik stil moest zijn, maar hij zette er flink de pas in, alsof hij niet vlug genoeg thuis kon zijn. Ik liet de kans om mijn hart te luchten niet glippen en hield hem half hollend, half lopend bij.

'Dus meester had Cooter z'n oor zo strak opgedraaid dat het eerder een vinger leek dan een oor,' zei ik, 'en het was zowat het griezelijkste dat je ooit van je leven had gezien...'

En toen kwam het: ik zei de woorden die maakten dat de les over familiariteit en kinderen altijd in m'n hoofd blijft zitten, zolang ik leef, al word ik vijftig. Ik zei: 'En ikke en alle andere nikk...'

Ik wist wel beter. Ma en pa pikten 't van niemand en nooit niet als dat woord in hun bijzijn werd gezegd. Ze vinden het een teken van haat als een blanke het zegt en een teken van lompheid en domheid als onze eigen mensen het zeggen, zodat er geen enkel excuus voor is.

Ik wist wel beter.

Ik dacht geeneens dat meneer Leroy echt geluisterd had. Ik kreeg geeneens kans het hele woord te zeggen. Ik zag het nooit van z'n lang-zal-ze-leven aankomen.

Het was een gevoel alsof de maan aan een soortje kabel had gehangen, die ineens afbrak waardoor de maan in vrije val door de wolken naar de aarde donderde om boven op m'n hoofd uit mekaar te barsten!

Eerst zag ik alleen een lichtflits. Dat zal het moment zijn geweest dat meneer Leroy me met z'n vlakke hand een oplawaai op m'n mond verkocht. Toen voelde het alsof het leven uit me vloog. Dat zal het moment zijn geweest dat ik tegen de grond sloeg. Toen voelde het alsof ik onder de maan verpletterd werd. Dat zal ikzelf zijn geweest op het moment dat ik met mijn hoofd tegen de grond knalde.

Ik was vast niet lang buiten westen, maar toen ik bijkwam wou ik dat ik veel langer bewusteloos was gebleven, want meneer Leroy torende boven me uit met opgeheven vuist om me weer een dreun te geven.

Die eindeloos durende stilte van hem onder het lopen maakte hij met vuur goed. Hij stortte al net zo'n waterval aan woorden over me uit als ik onder het lopen bij hem.

Hij schreeuwde: 'Ben je helemáál gek geworden?'

Ik wou 'nee, meneer' zeggen, maar ik bedacht dat het meer zo'n soort vraag was waar mensen helemaal geen antwoord op willen hebben. Ik had trouwens toch niks kunnen zeggen, want m'n tong had het veel te druk met door m'n mond draaien om te voelen of er ook een tand los was geraakt door meneer Leroy z'n oplawaai.

'Waar denk je dat ze me voor uitscholden toen ze dit deden?' tierde hij. Hij trok z'n hemd open en toonde het brandmerk op z'n huid, met in het midden de letter T. Het litteken glom op zijn vel en was goed te zien, al was er geen spat maanlicht.

'Waar denk je dat ze me voor uitscholden?'

Meneer Leroy schreeuwde alsof hij zelf gek was geworden.

'Waar denk je dat ze m'n meidje voor uitmaakten toen ze verkocht werd? Wat voor soort lekkertje ze d'r noemden toen ze op het koopblok stond?'

Meneer Leroy stond wild te spugen, met een gezicht als een waanzinnige. Ik was maar wat blij dat-ie zijn bijl niet meer vast had gehad toen-ie me die eerste optater gaf.

'Meneer, het spijt me...' begon ik.

'Waar denk je dat ze m'n vrouw voor uitmaakten toen ze aan een andere man werd gegeven als z'n eigendom? Nou?'

'Het spijt me echt, meneer...'

'Hoe haal je 't in je kop om andere schoolkinderen en je eigen net zo uit te schelden als de blanken waar ik vandaan kom ons uitscholden? Ben je dan helemaal van god los? Motten we net zo worden als hullie? Wil je al die haat soms levend houen?'

Ik zag dat meneer Leroy écht gek geworden was! Hij dacht zeker dat ik een blanke was die dat woord had gezegd.

Ik smeekte: 'Toe nou, meneer! Ik ben geen blanke! Hou nou op met slaan!'

Hij hief zijn linkerhand en ik kneep mijn ogen dicht en probeerde me zo diep mogelijk in het zand weg te drukken.

'Geen blanke?' herhaalde hij. 'Dacht je dat ik 't alleen over blanken had? Kijk hier eens naar. Kijk!'

Ik deed mijn ogen open en zag dat-ie me helemaal niet meer wou slaan. Hij liet me zien waar er een pink aan zijn hand had moeten zitten. Hij wees naar het stompje dat daar van over was.

'Wie heb volgens jou die vinger eraf gehakt? Nou?' zei hij.

Ik wist niet of ik antwoord moest geven of mijn mond houen en hem zijn zegje laten doen. Ik haalde mijn schouders op.

Hij zei: 'Een slaaf, die heb dat gedaan. En waarvoor denk je datie me aldoor uitschold toen we vochten en-ie op me inhakte? Nou?'

'Ik weet het wel, meneer, maar ik wil het niet meer zeggen,' zei ik.

'Dacht je soms dat 't iets anders betekent als het van jouw zwarte lippen komt?' zei hij. 'Dacht je soms dat 't dan niet net zo hatelijk en vernederend is als wanneer hun het zeggen? Snap je dan niet dat het veel ergerder is als jij het zegt?'

'Ik zei 't alleen omdat zo veel kinderen het zeggen, meneer.'

'Wat zou dat? Van jullie vrije kinderen kan ik 't nog wel begrijpen, want jullie weten niet beter. Jullie zijn er niet je hele leven voor uitgemaakt. Maar wie slaaf is geweest, of een ma en pa heb die als slaven moesten leven en je goed grootbrengen, zoals de jouwes, die zegt 't alleen als-ie ons zo ziet. Die laat blijken dat-ie hun gif heb geslikt. En 't tot de laatste druppel heb geslikt.'

Slaan was er niet meer bij: ik kon merken dat meneer Leroy kalm werd. Hij wreef over zijn linkerarm en stak daarna zijn hand uit om me overeind te helpen.

Ik stond nog niet of ik veegde vlug de tranen weg die uit m'n ogen wouen stromen. 't Is echt niet dat ik over-gevoelig ben, maar van niks ter wereld ga je zo makkelijk janken als van een dreun van iemand van wie je 't niet verwacht.

Meneer Leroy zei: 'Ik had je er beter niet van langs kennen geven, Li, maar spijt heb ik er ook niet van. Als mijn zoon Zekial een ander zo uitschold, zou ik God op m'n blote knieën smeken dat-ie ook een pak slaag kreeg. Jullie jonkies motten goed begrijpen dat het alleen uit haat wordt gezegd. Het is niks meer of minder dan een woord waarmee slavendrijvers ons kleinhielden, en als God rechtvaardig is, wat ik wel zekers weet, dan neemt de laatste slavendrijver 't op een goeie dag mee in z'n graf. Die taal hoort niet bij de dingen die we mee mogen nemen naar Canada. Knoop dat in je oren, als je nog langer met me samen wil werken.'

Ik knoopte 't in mijn oren. Ik zei: 'Het spijt me echt, meneer. Ik zal het nooit meer zeggen.'

'Onthou even heel goed, Elia, dat ik een man ben en jij niet,' zei hij. 'Onthou voor nu en nog eens dat we goed met mekaar kennen opschieten maar geen schoolmakkers zijn. Ik geef om je alsof je m'n eigen zoon bent, maar jij mot altijd respect voor me hebben. Als je dat woord zegt heb je geen respect voor mij, niet voor je ouders en niet voor je eigen. Dan heb je geen respect voor iedereen die dat scheldwoord in z'n gezicht kreeg gespuugd en intussen als een beest werd behandeld.'

Met zijn pet klopte meneer Leroy de achterkant van mijn hemd en broek af en hij stak zijn hand uit om de mijnes te schudden. Toen zei hij: 'Elia, laten we verders maar niet kwaad op mekaar zijn. Het is mooi van je dat je je fout toegeeft.'

Ik schudde zijn hand en zei: 'Nee, meneer, ik ben niet kwaad.'

Vaak is het wel zo verstandig als een groot mens je iets vraagt om het antwoord te geven dat-ie horen wil, maar zo lag het nu niet voor mij.

Ik zei dat ik niet kwaad kon blijven omdat ik het meende.

Pa heeft me ingeprent dat mensen die slaaf zijn geweest iets bij zich dragen dat je met het blote oog niet kunt zien. Hij zegt dat ex-slaven voorgoed iets in zich hebben dat te maken heeft met kanten van het leven die vrijgeboren mensen nooit kennen kunnen, en dat het gruwelijke kanten zijn.

Hij zegt dat ik daarom op m'n woorden moet passen als ik met vrijgekomen mensen praat. Ze hebben geleden onder andermans daden die wel littekens en eigenaardigheden bij ze moesten achterlaten. Soms zeg ik iets dat volgens mij doodgewoon is, maar bij hun werkt het als een rooie lap op een stier. Dus was het waar wat ik tegen meneer Leroy zei, dat ik niet kwaad was en dat ik dat woord nooit meer zou zeggen.

'Mooi, knaap,' zei hij. 'Want je mot goed begrijpen wat ik zeggen wil, al kom ik niet altijd even best uit m'n woorden.'

'Ik begrijp u wel, meneer. U bedoelt dat er van familiariteit vrijpostige kinderen komen.'

Meneer Leroy pakte zijn bijl op, zwaaide hem over zijn linkerschouder en legde zijn rechterhand op mijn hoofd. Die hand van meneer Leroy op mijn hoofd vergeet ik nooit meer, en ook niet wat-ie tegen me zei. Die avond dat er geen maan was en meneer Leroy en ik samen naar huis liepen, blijft me altijd bij.

De spannendste avond van m'n leven

Een dag later stond ik na school mest te scheppen in de stal toen Old Flap snoof. Ik keek op en zag de predikant in de deuropening staan.

'Avond, Elia.'

'Avond, predikant.'

'Weet je nog dat ik je vroeg of je bereid was om de kolonie te helpen?'

'Jawel.'

'Denk je er nog steeds zo over?'

'Waarover?'

'Over het helpen van de kolonie.'

'Jawel, predikant, maar wat...'

De predikant vouwde een vel papier open en gaf het me.

BINNENKORT IN CHATHAM
slechts drie avonden

Ridder Charles M.Vaughn en zijn wereldberoemde circus van wonderen in West-Canada op doorreis van Chicago, Illinois naar Buffalo, New York en verder oostwaarts. Ridder Charles heeft het genoegen de burgers van Chatham, Buxton en omstreken uit te nodigen getuige te zijn van wonderen waarover u tot nu toe slechts kon lezen in de beste kranten van ons land. Hoor de Calliope!!! Proef de Zoete Lekkernijen!!! Aanschouw Unieke, Buitengewone Grillen der Natuur!!! Maak kennis met de Grootste Hypnotiseur van de wereld!!! Zeldzame, gepatenteerde medicijnen verkrijgbaar. Win prachtige prijzen!!! Alle rassen en standen welkom. Alleen op woensdag, donderdag en vrijdag!!!!

Cooter had me al over dat circus verteld, maar hij was zo stom geweest om zijn ma te vragen of hij erheen mocht. Ze vroeg of-ie wel goed bij z'n hoofd was en zei dat ze ervoor zou zorgen dat-ie niet stiekem toch ging door hem woensdag, donderdag en vrijdag aan het voeteneinde van haar bed te laten slapen.

'We mogen er niet heen van onze ouders,' deelde ik de predikant mee. 'Ze zeggen dat er gegokt wordt en dat er allemaal gruwelijke dingen gebeuren.'

'En hoe denk je er zelf over?' vroeg hij. 'Ik heb een manier bedacht om jouw bijzondere gave van Jezus zelve te gebruiken om de kolonie aan geld te helpen, maar als je de kolonie niet helpen wilt...'

'Maar ma en pa vinden het nooit goed dat ik ga.'

'Elia, ik weet zeker dat je wel vaker dingen doet waarvan je ouders zouden schrikken. Ze weten vast niet hoe vaak jij en Cooter 's avonds laat door de bossen dwalen, wel? Dit is net zoiets. Kom morgenavond naar me toe, dan gaan we samen naar het circus. Als ik erbij ben, kan je niks gebeuren. Maar als je inmiddels bent gaan vinden dat je de kolonie niet moet helpen, begrijp ik dat ook wel weer. Helpen is makkelijker gezegd dan gedaan, en je belofte houden is al helemaal moeilijk.'

Ik had de predikant wel door, ik had wel door dat-ie me met die grotemensenpraat in een hoek wou drijven. Maar ik zie het zo: je kan je per ongeluk in een hoek laten drijven, of je kan het niet erg vinden dat je in een hoek wordt gedreven. En eerlijk gezegd vond ik het niet zo erg in deze hoek. Bestond er iets spannenders dan een circus zien met rare mensen die een gril van de natuur waren en meemaken dat iemand gehypnotiseerd werd? En op de koop toe had de predikant ook nog bedacht dat ik daarmee de kolonie kon helpen. Er bestond toch niks mooiers?

'Maar ik heb geen geld voor een kaartje.'

'Elia, je hebt geen geld nodig als ik erbij ben. Trouwens, als je erop staat me terug te betalen kun je altijd nog je tienden verdubbelen als je gaat vissen.'

Ik deed het eigenslijks niet eens voor m'n eigen, maar om de hele kolonie te helpen. En dus zei ik: 'Wanneer gaan we, predikant?'

'Zo ken ik je weer! We gaan morgenavond. Neem een hele zak keilstenen mee.'

Dat klonk als muziek in m'n oren, en geen haar op m'n hoofd die eraan dacht om dat circus mis te lopen!

Vrijdagavond kwamen de predikant en ik eerst bij een open plek zo'n beetje opzij van het middelpunt van alle lawaai en opwinding. Op die open plek stond een tent met boven de ingang een pas geschilderd bord:

Zie Madame Sabbar
de Koninklijke leeuwenjaagster uit Zweden!
Zij heeft 541 Zweedse mottenleeuwen gedood
met slechts haar katapult!!!!

Een blanke man met wandelstok en strohoed stond op een kist de mensen toe te schreeuwen dat ze een dubbeltje moesten betalen om die jagersvrouw te zien. Hij schreeuwde: 'Laat u verbijsteren door de dodelijke precisie van madame Sabbars katapult! Komt dat zien, komt dat zien! U zult er versteld van staan wat de madam allemaal kan met een doodgewoon steentje. U krijgt er nooit genoeg van. Vrienden en buren zullen u niet geloven als u over de kracht van madame Sabbars simpele wapen vertelt! Vergaap u aan het verbluffende dametje dat eigenhandig vijfhonderd-en-eenenveertig Zweedse mottenleeuwen heeft gedood, de gevaarlijkste monsters van heel Europa!'

Een blanke boer schreeuwde terug: 'Klets niet! Er zijn geen leeuwen in Zweden!'

De blanke wees met zijn wandelstok naar de boer en zei: 'Juist, meneer! Dat alleen bewijst al hoe vaardig madame Sabbar is, want zij heeft die leeuwen vakkundig uitgeroeid! En treuzel niet. Onze op een na laatste voorstelling begint over twee minuten. Wie wil voor de spotprijs van één miezerig dubbeltje die wonderbaarlijke vrouw zien?'

Ik kon het niet geloven: de predikant trok me mee naar de rij wachtenden om die vrouw te zien! Ik begon meteen van top tot teen te trillen. Ik had nog nooit iemand gezien die een leeuw had gedood! Ik had zelfs nog nooit iemand gezien die een leeuw had gezien!

Toen we vooraan in de rij kwamen, legde de predikant twee Amerikaanse dubbeltjes neer en gingen we de tent in. We zaten op een rij bankjes pal voor het podium. Aan een kant van het podium stonden vijf schietschijven. Naast de schijven stond een groot bord waarop een dicht, donkergroen bos was geschilderd.

Je zag zo dat het geen bos in onze buurt was want er hingen apen in de bomen. In het bord waren zes gaten zo groot als etensborden gesneden, waardoor het leek of elke boom een groot kwastgat had. Onder elk gat waren met zwierige krullen de cijfers een tot en met zes uitgeschreven. Op de hele bovenrand van het bord stonden tien brandende kaarsen, met steeds dezelfde tussenruimte, en onder de kaarsen was er aan de bovenkant weer een soort laken gespannen. Op het laken stond: DE WILDERNIS VAN ZWEDEN!!!

We zaten nog geen minuut te wachten of de blanke met wandelstok en strohoed kwam het podium op en tapte moppen waar niemand om moest lachen. Hij merkte dat-ie niks anders dan boegeroep terugkreeg van het publiek en stelde ons vlug voor aan de katapultdame, die er zo woest uitzag dat je op slag geloofde dat ze echt vijfhonderd leeuwen had gedood!

‘Dames en heren, jongens en meisjes, helpt u me madame Sabbar welkom te heten met een warm applaus, waarna zij misschien zo welwillend is ons haar behendigheid met de dodelijke katapulten te tonen.’

De man wees naar een tafel met drie mooie katapulten erop. Daarnaast lagen bergjes spullen en ik dacht dat de vrouw daarop zou gaan schieten. Er waren druiven, rare stenen met gaten erin, heel mooie knikkers, en keitjes die net te licht leken om goeie viskeilstenen te zijn.

Het publiek klapte zwakjes en madame Sabbar pakte een katapult en een knikker. Ze mikte op het eerste doel en vuurde een knikker af. Die kwam midden in de roos, knalde door een stuk papier of zo en liet een klok luiden. Ze deed hetzelfde met de volgende vier doelen, en steeds luidde er een klok.

De mensen vonden het niet veel bijzonders, zeker niet bijzonder genoeg om een heel Amerikaans dubbeltje te kosten! Hier en daar klapte nog wel iemand, maar je hoorde vooral gemopper en boos gesis.

‘Grandioos! Grandioos!’ zei de man. ‘Maar dit is pas het begin, dames en heren. Madame bereidt zich nu voor op een veel moeilijker prestatie. Het is algemeen bekend dat de Zweedse mottenleeuw op kaarslicht afkomt, en wanneer dat Scandinavische roofdier zich met woest gebrul aankondigt, moet madame Sabbar zo snel als de wind alle kaarsen doven!’

De man legde zijn hand achter zijn oor en zei: ‘Hoor! Wat was dat?’

Ineens leek het er hard op dat we toch waar voor ons geld zouen krijgen!

Ergens achter het podium klonk gegrom, zoals wanneer meneer Brown zijn keel schraapte, maar dan honderd keer harder, en madame Sabbar ging aan de slag! Ze pakte een andere katapult en het werd me toch een spektakelstuk!

Om te beginnen richtte ze op de tien kaarsen boven op het bord. Ze pakte de rare stenen met gaatjes erin en liet ze door de tent zoeven met het geluid dat de dikke, luie hommels in Buxton maakten. Toen de zoemende stenen over de kaarsen scheerden, gingen de vlammen met een zacht gefluister uit. En geen een kaars viel om! Alleen de pit bewoog heel even. Joh, met die tent vol gezoem van tien stenen en de vlammen die de een na de ander uitgingen, werd het een belevenis waar ik nog wel een eigen dubbeltje voor over had gehad om mee te kunnen maken!

Daarna maakte ze het nog bonter. Ze draaide de katapult naar ons in het publiek en begon pal over onze hoofden te schieten, om alle kaarsen uit te maken die overal rond de binnenkant van de tent stonden!

Het is raar maar waar – als je denkt dat je in je kop geraakt gaat worden door een zoemende steen en het gebeurt niet, dan krijg je vanzelf zin om 't uit te schreeuwen. Mensen die ineen waren gekrompen of hun armen over hun hoofd hadden geslagen veerden klappend en juichend overeind!

Madame Sabbar maakte een deftig soort damesbuiginkje.

'Heb ik te veel gezegd?' zei de man. 'Zei ik niet dat u versteld zou staan? O, wat was uw gebrek aan vertrouwen misplaatst! En we zijn er nog lang niet!' De man wees met zijn wandelstok naar het bord met de wildernis en de zes kwastgaten in de bomen. 'Niet alleen moet madame Sabbar uitkijken voor de gevreesde Zweedse mottenleeuw, ze moet ook nog verdacht zijn op de komst van bondgenoten van de leeuw, de wrede kannibalen van de Zweedse Mobongostam en hun jonge opperhoofd MaWee!'

Achter het gatenbord klonk eerst 'n heleboel gegil, geschreeuw en potjeslatijn voor er een blank joch met een speer in z'n hand en een soepbot op zijn kop het podium op beende. Hij droeg niks anders dan de onderhelft van een vrouwenjurk, die eruitzag alsof-ie enkel uit aan mekaar genaaide lange bladeren bestond. Hij had zwarte verfstrepen op zijn wangen. Hij sprong van z'n ene voet op z'n andere en intussen sloeg iemand op een trommel. Als-ie vlugger en met meer ritme had gesprongen, had het een dansje kunnen zijn.

'Kijk uit, madame Sabbar!' schreeuwde de man. 'De jonge MaWee is razend om wat u doet.'

Het joch zwaaide met de speer naar de katapultdame, maar z'n gezicht stond eerder angstig dan woedend.

'Maar... wat krijgen we nou? O nee! MaWee gebruikt zijn toverkunsten om madame Sabbar blind te maken!'

Het joch greep in een zakje om zijn middel en gooide glimmende sprankeltjes naar de vrouw. De blanke man met de wandelstok bond madame Sabbar een blinddoek om en trok een stoffen zak over haar hoofd, zodat we zeker wisten dat ze niks kon zien.

'En nu hij haar blind heeft gemaakt, verstopt MaWee zich achter een boom in de Zweedse wildernis om daar vals en laag het moment af te wachten om toe te slaan!'

De man draaide de katapultdame om, zodat ze recht tegenover het bord met de gaten stond. MaWee ging achter het bord staan. Maar voordat-ie er was kon ik hem goed bekijken. Het was geeneens een opperhoofd uit de Zweedse wildernis! Het was Jimmy

Blassingame, een van de blanke kinderen uit Chatham die bij mij op school zat!

'Madame Sabbar, kunt u iets zien?' vroeg de man.

De vrouw tilde de zak een stukje op zodat haar mond vrijkwam en zei: 'Jammer genoeg zie ik niets meer. De toverkunsten van die wilde hebben me compleet blind gemaakt.'

De man zei: 'O, wat erg! En kijk die laffe wilde nou! Hij wil haar aanvallen! Wat moeten we doen? Hoe kunnen we die onschuldige blanke dame redden? Ik kan haar een wapen geven, maar wat heeft ze daaraan in haar toestand?'

De man greep naar de tafel naast madame Sabbar en stopte een andere katapult in haar linkerhand. In haar rechterhand legde hij een trosje paarse druiven. Ze plukte een druif en legde hem op het riempje van de katapult.

Opeens dook Jimmy Blassingame z'n gezicht op door het gat met de mooie letters DRIE eronder, het laatste gat rechts in de bovenste rij.

De man schreeuwde: 'Madame Sabbar! De lafaard valt aan! Schiet!'

Madame Sabbar hief de katapult en liet een van de dikke paarse druiven zoeven. Hij spatte uiteen aan de zijkant van de tent, dik een meter boven Jimmy z'n hoofd.

'O, nee! Ze is echt blind! En kijk! De wilde gaat naar een andere plek om die arme, nobele dame te belagen!'

Jimmy z'n hoofd kwam uit gat nummer vijf, op de onderste rij midden in het bord.

'Ik weet wat!' krijste de wandelstokman. 'Beste burgers van Chatham, u kunt de madam helpen door hard het nummer te roepen van het gat waar die zwar... eh... die beoefenaar van de zwarte kunsten zich verschuilt!'

Jimmy z'n gezicht dook op in het laatste gat rechts onderaan en zowat het halve publiek schreeuwde: 'Zes!'

Joh, die jagersvrouw zag geen hand voor ogen maar schoot toch zo snel en scherp een druif af dat Jimmy midden op zijn voorhoofd werd geraakt! Hij had z'n hoofd ingetrokken en je zag alleen nog z'n voorhoofd door het gat.

Iedereen moest zo hard lachen dat de tent ervan schudde.

Jimmy ging van gat nummer vijf naar gat nummer vier, gat nummer een en gat nummer drie, en steeds als zijn voorhoofd naar buiten stak trakteerde madame Sabbar hem op diezelfde behandeling.

Na een tijdje gingen alle druiven die op Jimmy z'n voorhoofd uit mekaar waren gespat in zijn ogen lekken, zodat-ie zich voorover moest buigen om het sap weg te vegen. Maar dat deed-ie op hetzelfde moment dat-ie weer voor het vijfde gat stond en het publiek 'vijf!' brulde.

Madame Sabbar hief de katapult en vuurde de volgende druif zo kaarsrecht af dat Jimmy, die geen schijn van kans kreeg om z'n hoofd af te wenden, midden tussen zijn ogen werd geraakt.

En niemand schrok daar erger van dan Jimmy Blassingame! Zijn mond viel open, hij kwam overeind, zijn gezicht was nu voor het tweede gat en ik mag 't heen en weer krijgen als ik 't lieg, maar een paar rotzakken in het publiek brulden: 'Twee!'

Madame Sabbar schoot op slag nog een druif af, die in Jimmy z'n keel verdween met het geluid alsof er een zeepbel uit mekaar spatte!

Jimmy greep naar zijn hals, wankelde achter het bord met de

wildernis en de gaten vandaan en viel schokkerig als een vis op het droge op het podium.

De man met de wandelstok begon te vloeken met woorden waarvan ik het bestaan niet eens kende. Hij tilde Jimmy op en sloeg zijn armen strak om zijn middel. De druif schoot uit Jimmy z'n mond en rolde het publiek in.

Je zou denken dat er nog nooit in de hele geschiedenis van de mensheid zoiets lolligs was gebeurd. Zelfs de predikant, die toch meestal best ernstig is, gooide zijn hoofd achterover en schaterde het uit.

Jimmy Blassingame had niet eens het benul om van het podium te gaan. Hij bleef als een dwaas op de plek zitten waar de man hem had laten vallen en huilde zo hard dat de paarse en zwarte strepen op z'n wangen uitliepen en over z'n borst drupten.

Jimmy bofte dat ik de enige van school was die het zag. Anders had-ie nog jarenlang van iedereen te horen gekregen hoe-ie daar gezeten had, in een halve vrouwenjurk van bladeren, met paarse en zwarte stroompjes over zijn borst. Dat was dan net zo aan z'n naam blijven kleven als meneer Frederick Douglass aan mijnes!

De man met de strohoed en wandelstok wees naar madame Sabbar en zei: 'Hooggeëerd publiek, een applaus voor uzelf omdat u de onschuld van deze arme, blanke edelvrouwe hebt gered, en toont u meteen uw waardering voor de beste wildedierenjaagster aller tijden in de wildernis van Zweden!'

Iedereen, behalve ik, de predikant en Jimmy Blassingame klapte en juichte en floot uit alle macht.

De predikant boog zich naar me toe en schreeuwde: 'Ik moet nog even met iemand praten,' en hij trok me mee de tent uit.

De hypnotiseur en Sammy

Ik en de predikant gingen door een stuk bos op de geluiden af die door de avondlucht dreunden. Toen we op de Atlas Clearing kwamen was het alsof we pardoes vanaf een bergtop in een heel andere wereld waren gevallen. Ik schrok zo van wat ik zag dat het leek alsof m'n hele lijf verkrampte en ineen wou krimpen, zo'n beetje als hoe 't voelt wanneer je 's winters door het ijs zakt en in vrieskoud water stort. Er kwam in een keer veel te veel op je af dat je de adem wou benemen. Maar ik denk dat het circusvolk 't daar nou net om begonnen was.

Alles op de Atlas Clearing was zo opgebouwd dat je hoofd ervan ging duizelen en aan het duizelen bleef, en er was geen ontkomen aan! Elk zintuig vocht met andere zintuigen om voorrang. Mijn oren vingen aldoor geluiden op die ik nog nooit had gehoord. Kinderen en grote mensen gilden en krijsten door mekaar; er werd zo hard geschreeuwd dat je dacht dat iemand de dood in de ogen keek, maar het sloeg algauw om in een soortje opgelaten gelach.

Er klonk snerpende, sissende muziek uit een wagen met een rij pijpen die rookwalmen en liedjes uitstootten, zo'n verhit, hard en schril geluid dat je zowat zou denken dat je veels te diep met een mes in je oren zat te peuteren.

Maar net als je het gevoel kreeg dat je hoofd ging barsten van al die herrie, wonnen je ogen het van je oren en merkten ze allerlei aparte dingen op in wat eerst niks anders leek dan één grote waas van kleuren en fakkels.

Nog veel meer met wandelstokken zwaaiende blanken met strohoeden op schreeuwden om 't hardst dat je in hun tent moest komen zien wat daar verborgen was. Ze dreunden aldoor dezelfde woorden op, als een kerkkoor op zondag, maar dan zonder een echt blij gevoel.

Bij dofbruine hoge tenten hingen felrode, blauwe, groene en gele spandoeken. Er stonden afbeeldingen op van dingen die een heel kwartje kostten als je ze met eigen ogen in de tent wou zien. En dat waren zulke akelig enge dingen dat ik er eerder een kwartje voor over had om niet naar binnen te hoeven!

Er was een schilderij van een blanke man die half mens en half krokodil was, zo aan mekaar geplakt dat je niet wist of je de onderkant zag van een krokodil die de bovenkant van een man opvrat, of dat het een man was zonder benen die de onderkant van een hagedis aan z'n romp had genaaid om te kijken of-ie dan misschien kon lopen!

Op 'n andere plaat stond een blanke vrouw die eruitzag alsof er uit de zijkant van haar hals armpjes en benen van een kind staken! Ook was er een blanke man die een volwassen olifant oppakte en boven zijn hoofd tilde alsof-ie hem zo naar het buurland wou gooien! En er was een spandoek met een blanke man zo breed als een huis, die de handen vasthield van een blanke vrouw die niks meer dan een lange lucifer was met een dot geel haar erop. Ze stonden onder een groot, rood hart met de woorden: BIZARRE LIEFDE!!!

Maar de plaat waarvan ik meteen wist dat ik er slapeloze nachten van zou krijgen en die er nog heel lang voor zou zorgen dat ik niet meer door de bossen durfde te dwalen, was er een van een blanke man die gewoonweg een tovenaar moest zijn! Er zaten geen stukken dier aan zijn lijf geplakt en 't kwam ook niet doordat er delen van andere mensen uit hem groeiden dat je moest blijven staren, nee, 't kwam door iets veel griezelijkers. Ik wou het voor geen goud zien, maar tegen wil en dank moest ik steeds weer kijken.

Uit z'n ogen schoten scherpe, gele, grillige bliksemflitsen! Hij had de doodgewone blanke op de plaat gewoonweg van z'n voeten gebliksemd, en die stakker zweefde spartelend en klauwend in de lucht alsof hij regelrecht naar de wolken steeg! Het kostte maar liefst een hele Amerikaanse kwartdollar om in de tent te gaan kijken hoe die tovenaar dat deed! Ik had er grif twéé héle kwartdollars voor over om die tent niet in te hoeven!

Maar 't is ongelogen waar, dat was nou net de persoon met wie de predikant wou praten. Hij wees naar de man met de bliksemflitsogen op de plaat en zei: 'Hij is de baas van het circus. Ik wil eerst zijn hocus pocus goed bekijken voor ik met hem praat.'

De zoveelste blanke man met een strohoed stond zwaaiend met een wandelstok voor de tent te blèren: 'De laatste voorstelling van vanavond, de laatste voorstelling van het jaar, de laatste keer in Canada, de laatste kans van uw leven om de onovertroffen ridder Vaughn te zien met zijn almachtige, bezwerende toverkunsten!'

De predikant legde met een klap twee hele Amerikaanse kwartjes op een tafel en zei tegen de blanke vrouw die erachter zat: 'De jongen hier en ik willen de hypnotiseur zien.'

Ik protesteerde meteen: 'Nietes! Gaat u maar binnen kijken. Ik wacht wel ginds bij die boom.'

De predikant greep me bij m'n kraag en trok me de tent in. Hier waren geen zitbankjes, zodat we schouder aan schouder met een heleboel volk uit Chatham moesten staan. We waren nog niet naar voren gedrongen of ik sloeg mijn handen stijf voor mijn ogen.

De predikant zei met zijn mond vlak bij mijn oor: 'Geen sprake van, mannetje. Ik heb nota bene vijfentwintig cent betaald zodat jij dit kunt zien, en zien zul je het.' Hij rukte mijn handen weg van mijn gezicht.

Ik keek meteen strak naar boven, want dan hoefde ik het podium niet te zien, maar als de predikant me dwong te gaan kijken en ik naar omhoog zou zweven door de bliksemende ogen van een blanke wou ik vooral weten of er iets was om me aan vast te klampen voor ik in de wolken kon verdwijnen.

Dit was nog geeneens zo'n gekke plek om de lucht in gebliksemd te worden, want het tentdak zou me tegenhouen. Hoog aan de wanden hingen brandende fakkels die link waren, maar met een beetje geluk kon ik ze wegschoppen en m'n leven redden zonder ergere kleerscheuren dan geschroeide schoenen en misschien een brandplek aan m'n broekspijpen.

Ik bekeek het tentdak heel goed en mijn hart ging er rustiger van kloppen. Het was een hele opluchting dat er niemand van vorige voorstellingen aan het doek zat geplakt. Dat kon betekenen dat de toverij na een tijdje was uitgewerkt en je vanzelf weer neerstortte.

Als ik het van tevoren had geweten, zou ik een touw hebben meegebracht voor om m'n enkels. Dan had de predikant me als een vlieger naar huis kunnen trekken als ik was gaan zweven. Ik wachtte veel liever in Buxton tot de toverij was uitgewerkt dan hier tussen al die vreemden.

Voor ik nog verder kon tobben werd een gordijn op het podium weggeslagen en stond er een grote, ronde blanke met een lange, zwarte cape vlak voor ons. Zijn ogen leken eerder op die van een dooie dan van een levende. Ze waren leeg en blauw en staarden je recht aan, maar je kon merken dat ze eigenslijks niks zagen.

Er steeg een orkaan van gelach, gekreun en geschreeuw op uit de mensen die boven op mekaar in de tent stonden. 't Is echt niet dat ik over-gevoelig ben, maar toevallig was ik een van de schreeuwerds.

Ik greep de mouw van de predikant en drukte m'n gezicht in de stof. Hij trok z'n arm meteen weg en zei: 'Ik heb toch al gezegd dat je moet kijken. Zo leer je hoe boerenbedrog werkt.'

Ik merkte dat iemand mijn eigen arm stevig vasthield en keek wie het was. Een blank joch dat ik niet kende, zowat net zo oud als ik, stond te lachen en opgewonden te doen. Hij vloekte: 'Krijg 't heen en weer! Nou zie ik hem al voor de vierde keer en telkens schrik ik me de zweren as-ie opkomt!' Het klonk alsof-ie uit Amerika kwam.

'Voor de vierde keer al!' zei ik. 'Ben je dan niet bang dat je wegzweeft?'

Lachend zei hij: 'Poeh! 't Is gewoon een ouwe oplichter! Die kan nog geen meter zweven.'

De jongen had een dikke bos rood haar en een neus die nog het meest op een snavel leek. Zijn ogen hadden die dreigende, grijsblauwe kleur van de lucht voor het gaat onweren. Hij was nog een kind, maar er kwam me toch een sterke sigarenstank uit z'n mond!

'Kan-ie echt niet zweven?' vroeg ik.

'Nee man! Zal je zien. Hoe heet je?'

'Elia.'

De jongen keek me aan alsof ik hem uitgescholden had. 'Elia? Meen je niet!'

'Tuurlijk wel.'

'Woon je in Buxton?'

'Ja.'

'Nou, dan zal ik je 's wat zeggen, Elia. Haal 't niet in je harses om tegen iemand in Chatham te zeggen hoe je heet.'

'Waarom niet?'

'Omdat er in Chatham een hufter rondloopt die die naam heeft ingepikt, en hij is van 't slag dat niks met niemand wil delen! Er was hier een jongen die Edward heette en Elia van Chatham kon 't nog geeneens hebben dat iemand anders z'n naam met dezelfde letter begon als die van hem, zodat-ie die knul dwong om zijn naam in Odward te veranderen! En Odward z'n eigen pa en ma noemen hem nu ook zo om geen trammelant met de echte Elia te krijgen. Als ik jou was nam ik 'n andere naam, want Elia van Chatham zal 't niet leuk vinden als-ie je tegenkomt, en al helemaal niet omdat je een slavenjoch uit Buxton bent.'

'Ik ben geen slavenjoch. Ik ben vrijgeboren.'

'Maakt niks uit. Zorg jij maar dat je niet tegen de verkeerde zegt hoe je heet. Elia van Chatham laat niet met zich sollen. Hij heb al eens een grote indiaan gedood! En niet met een mes of geweer of zwaard, maar met één blote hand! Z'n linkerhand! En hij is nog maar twaalf!'

Die woorden kregen maar net de kans om door te dringen voor de tovenaar op het podium tot leven kwam. Hij gooide zijn armen wijd uit om te laten zien dat-ie onder de zwarte cape iets blauwigs droeg dat machtig veel op een jurk leek, vol glimmende, vonkende, zilverige sterretjes en halvemanen. Joh, er waren net zoveel manen als sterren! En dat slaat nergens op, dat slaat toch helemaal nergens op.

Alle mensen die zonet nog geschreeuwd en gelachen hadden riepen nu om het hardst oooh en aaah, zodat je nog zou denken dat ze de echte hemel zagen in plaats van een jurk met opgenaaide nepsterren en veel te veel manen.

Het blanke joch porde met zijn elleboog tussen mijn ribben en zei: 'Let op z'n ogen!'

En toen gebeurde er toch iets geks! De tovenaar z'n ogen rolden weg in zijn hoofd en er kwamen meteen twee andere ogen voor in de plaats! 't Enige verschil was dat deze ogen bruin waren, en die andere ogen hadden wel leeg voor zich uit gestaard, maar deze keken je strak aan! En het allerengst was nog dat ze je ook echt zagen!

Ik voelde m'n benen bibberen en ik greep het blanke joch vast om niet te vallen.

Hij zei: 'Die andere ogen zijn op zijn oogleden geschilderd. Ik zat achter de tent een sigaar met hem te roken en heb het zelf gezien. Hij is hartstikke nep!'

De tovenaar tuurde strak en lang het publiek in. Als hij die ogen van hem op iemand richtte begonnen sommige mensen te schreeuwen, anderen moesten lachen, een paar gingen er huilen en weer anderen waren met stomheid geslagen. Ik weet niet bij welke groep ik hoorde, want ik was veels te bang om er weet van te hebben.

Het blanke joch zei: 'Let op. Nu wordt het lollig voor mij!'

Toen de blik van de man op hem bleef rusten ging de jongen stokstijf rechtop staan en zijn gezicht werd zo strak of het van steen was! Ik liet vlug zijn arm los zodat de toverkunst niet de kans kreeg van hem over te springen op mij.

De man wees recht naar het joch en riep: 'Jij daar!'

De ogen van het joch vielen bijna uit zijn hoofd!

De goochelman kromde wenkend zijn wijsvinger op een manier die nog meer gegil en verwarring onder de mensen aanwakkerde.

De jongen keek me aan met een gezicht dat één tel weer gewoon stond en hij kneep heel even één grijs oog dicht. Meteen trok-ie zijn gezicht weer strak, alsof-ie verdoofd was, en drong-ie door de mensenmassa naar het trapje opzij van het toneel. Het leek wel of de goochelaarsvinger een magneet was en de jongen vol ijzer zat! Toen de mensen zagen dat-ie betoverd was maakten ze zo ruim baan alsof-ie een emmer met pokken met zich mee droeg!

Hij ging het toneel op en de goochelaar liet zijn cape twee keer over het hoofd van de jongen wapperen. Hij zei: 'Jongen! Ken je mij?'

'Nee, meneer, ik heb u nog nooit gezien,' zei de jongen.

'We hebben elkaar dus nooit gesproken?'

'Nee, meneer, en ik heb nooit en te nimmer achter de tent een sigaar met u gerookt.'

Een paar mensen die niet doorhadden hoe griezelijk het was moesten lachen, en de goochelaar riep: 'Stilte! Ziet u niet dat die jongen betoverd is en wartaal uitkraamt? Ik zeg u, als ik hem ook maar één tel uit het oog verlies loopt hij gevaar zijn hele leven zo'n onzinnige kletsmajoor te blijven!' De goochelman praatte alsof hij uit Engeland kwam.

De meeste mensen werden er zo stil van alsof ze in de kerk zaten.

De goochelaar liet zijn cape weer over het hoofd van de jongen wapperen en zei: 'Kijk me aan! Kijk me diep in de ogen!'

Of hij wou of niet, de jongen moest wel kijken en de goochelaar knipperde eerst met z'n ene en toen met z'n andere oog, zodat je op de ene helft van zijn gezicht een levend bruin oog en op de andere kant een dood blauw oog zag. Daarna deed-ie de twee dode ogen allebei open en daarna de twee levende ogen, net zolang tot je hoofd weer duizelde en je zeker wist dat die jongen het mis had gehad, die goochelaar was zo echt als maar kon!

Ik greep snel de mouw van de predikant z'n jas weer vast.

De goochelaar zei: 'Kijk nog dieper in mijn ogen!'

De jongen liet z'n hoofd steeds sneller heen en weer gaan, als een op hol geslagen slinger in een klok. Toen liet hij zijn kin op zijn borst vallen en leek-ie wel bewusteloos, behalve dan dat-ie niet tegen de vlakte sloeg.

De man zei: 'Je betreedt een rijk van fluwelen slaap, gouden sluimering en bonte dromen. Als ik met mijn vingers knip, is mijn simpelste wens voor jou een bevel!'

Langzaam hief-ie z'n hand boven zijn hoofd, wachtte wel een eeuwigheid en knipte ineens met z'n vingers. Op hetzelfde moment klonk een verschrikkelijk harde trommelslag en ontplofte een flits van rood en geel poeder die vonkend en sissend langs het hele toneel schoot. Er steeg geschreeuw en walmend poeder naar het tentdak, en eerlijk gezegd was mijn schreeuw zo'n beetje het hardst en langst van allemaal!

De goochelaar zei: 'Als ik tot drie tel doe je je ogen open en hoor je niets anders meer dan mijn stem! Eén... twee... drie!'

Weer knipte hij met zijn vingers, en de jongen deed zijn ogen open en staarde recht naar de goochelaar! Ik wist dat die arme stakker betoverd was, want zijn ene oogbal draaide naar rechts en de andere naar links, waarna ze allebei ronddraaiden en helemaal wegrolden in zijn hoofd! Ik kreeg het ijskoud omdat het joch had gedacht dat het allemaal nep was, terwijl die doodenge man hem nu zijn ziel had afgepakt! Het kon niet lang meer duren of dat arme blanke joch hing krabbend en klauwend tegen het dak van de tent!

De goochelaar zei: 'Hoe heet je, jongen?'

De jongen praatte heel langzaam, want het kostte hem moeite om de woorden eruit te krijgen: 'Me ma... heb me... Samuel... genoemd... maar... de meeste mensen... zeggen... Sammy.'

'Samuel, wie is de enige mens op de hele wereld die jij kunt vertrouwen?'

'U, meester.'

'Inderdaad! En geloof je alles wat ik zeg?'

'Alsof uw mond de bijbel zelf is, meester.'

'Waarom praat je dan Engels tegen me? Je bent geen jongetje, je bent een kip! En kippen spreken geen Engels, tenzij de kippen in Canada veel slimmer zijn dan die in Amerika!'

En toen gebeurde er toch iets geks! De jongen ging kakelend en pikkend het toneel rond en krabde met zijn blote voeten over de vloer, en je zou zweren dat-ie wormen aan het opgraven was!

Zowat iedereen in de tent deed alsof dit leuk was! Niemand maakte zich er druk om wat Sammy z'n ma zou zeggen als de zoon die ze als een jongetje naar het circus had gestuurd terugkwam als een reuzenvogel! Sterker nog, als een reuzenkip!

De hypnotiseur zwaaide weer met zijn cape en riep: 'Je bent geen kip meer, je bent weer een jongen! Maar wacht, het is heel ander weer geworden! Het is hier ijs- en ijskoud!'

Begon me dat joch toch zo potdommes hevig te rillen, met zijn tanden te klapperen en met zijn knieën te knikken dat ik de kouwe rillingen langs m'n eigen rug voelde lopen! En het was echt niet nep, want Sammy werd zo blauw als blanken volgens de verhalen altijd worden wanneer ze dood zijn of op het punt staan dood te gaan!

De hypnotiseur riep: 'Genade! Dat weer in Canada ook altijd! Het ene moment vriest het en het andere moment is het zo heet als in de hel zelf! Je gaat nog dood van de hitte hier!'

Sammy hield op met rillen, begon zijn voorhoofd af te vegen, trok aan de kraag van zijn hemd en zei: 'Pfff!' Je kreeg zowat 't idee dat het half juni was en hij net twintig hectare grond had omgeploegd, zonder muilezel en ploeg, maar met een muis die een mesje voorttrok!

De mensen lachten en schreeuwden zo hard dat je meteen

snapte waarom het wel een hele Amerikaanse kwartdollar waard was om dit met eigen ogen te zien.

De hypnotiseur zei: ‘En wat zie ik daar aan je voeten, jongeheer Samuel? Dat moet het water van Lake Erie zijn, zo koel, diep en aanlokkelijk!’

Sammy begon over het toneel te vegen alsof het een strand was waar hij een plekje vrijmaakte om een deken uit te spreiden. Maar voor hij kon gaan zitten, zei de hypnotiseur met een stem die erg teleurgesteld klonk: ‘Sa-mu-el, Sa-mu-el, Sa-mu-el.’

Sammy bevroor en de man zei: ‘Hoe haal je het in je hoofd om op het strand te luieren in plaats van een meter verderop in het water van dit beroemde meer te gaan zwemmen? Spring erin!’

Sammy gaf een klap op z’n voorhoofd alsof hij dacht: had ik dat zelf niet kennen bedenken? En hij stak een teen uit om het water te proberen. Hij slaakte een diepe zucht: ‘Aaah!’ en doopte z’n hele voet in een meer dat alleen hij en de goochelman zagen.

Nog voor zijn enkel nat was geworden, zei de hypnotiseur: ‘Sa-mu-el, Sa-mu-el, Sa-mu-el.’

Sammy verzette geen stap meer, en de goochelaar keek naar het publiek en zei: ‘Hebt u wel eens gehoord van een jongen die met al z’n kleren aan gaat zwemmen?’

Als één man schreeuwden de toeschouwers: ‘Nee!’

Ik hield Sammy in de gaten en zag de suffigheid heel even van zijn gezicht glijden toen hij zijn wenkbrauwen fronste, maar al even snel keek hij weer als verdoofd.

De hypnotiseur zei: ‘Natuurlijk niet, vooral niet wanneer je het mooiste zijden hemd draagt dat de beste kleermaker van Toronto te koop heeft! Samuel, wat zou je je moeder een verdriet doen als dat mooie, peperdure, elegante hemd nat werd!'

Sammy sloeg zich nog eens tegen z'n voorhoofd en trok het hemd over zijn hoofd. Met nu alleen nog een versleten onderhemd aan liep hij op zijn tenen het water weer in. Maar voor het water zelfs maar tot zijn knieën kwam, begon de hypnotiseur weer: 'Sa-mu-el, Sa-mu-el, Sa-mu-el.'

Sammy bleef staan met een voet in de lucht en keek om naar de hypnotiseur.

'Allemachtig! Dames en heren, moet u die jongeman nu toch eens zien! Wat een koppig, ondankbaar kind. Niet alleen heeft zijn lieve, brave moeder ervoor gezorgd dat hij een mooi zijden overhemd kreeg, ze heeft hem ook een zijden onderhemd gegeven! Samuel toch, trek dat snel uit voor het verpest wordt door het water van Lake Erie.'

Nu wierp Sammy een blik op de hypnotiseur die helemaal niet suf was, maar eerder erg ongerust.

Hij trok zijn onderhemd over zijn hoofd en een golf van gelach rolde door de tent. Het gekke met lachen is dat 't op zo veel manieren kan. Je hebt de lach aan het eind van een goed verhaal, de lach als je bang bent geweest en merkt dat het nergens voor nodig was, en de lach die nu door de tent golfde. Dat was helemaal geen blije lach. Het was meer het grommen en grauwen van een roedel honden dat een buidelrat gaat verscheuren. Het klonk nog 't meest als een geluid waarvan je je kon voorstellen dat de duivel 't zou maken als hij gevoel voor humor had en je hem een mop had verteld.

Ik kon er echt niet om lachen. Ik voelde dat 't voor Sammy misschien als een lolletje was begonnen, maar dat 't in iets heel anders omsloeg.

Ma en pa hebben vast gelijk als ze zeggen dat roken slecht is voor kinderen, want toen z'n onderhemd uit was, zag iedereen hoe broodmager en ziekelijk Sammy was. Ik zou me doodgeschaamd hebben als ik zonder hemd aan m'n lijf voor al die mensen had gestaan, maar Sammy was nog genoeg in de ban om gewoon door te gaan, al leek 't wel alsof de betovering steeds zwakker werd.

Hij sloeg zijn armen om zichzelf heen en ging weer op z'n tenen het meer in. Maar Sammy kreunde lang en hartgrondig toen de goochelaar en de meeste mensen in het publiek riepen: 'Sa-mu-el, Sa-mu-el, Sa-mu-el!'

De menigte begon te joelen en brullen, want Sammy z'n corduroybroek mocht in onze ogen dan oud en versleten zijn, we voelden allemaal aankomen dat de hypnotiseur er weer de mooiste zijde van heel Toronto van zou maken, die niet tegen water kon.

'Allemachtig, knaap! Ik heb nog nooit zo'n verwende, ondankbare jongen gezien. Je moeders liefde voor jou is grenzeloos! Ook nog eens een zijden broek. Ongelooflijk toch?'

Nu verdween de suffe uitdrukking van Sammy z'n gezicht om plaats te maken voor angst en schaamte. Zijn gezicht werd al net zo rood als de kleur van zijn haar. Zijn oren begonnen te gloeien als hete kachelpoken.

Maar hij keerde de menigte de rug toe en begon zijn broek los te knopen!

Hij hield de broek vast toen de knopen los waren, maar de hypnotiseur kende geen genade. Hij zwaaide met zijn cape en zei: 'Uit met die zijden broek!'

Sammy slikte zo heftig dat iedereen in de tent het hoorde, maar toch liet hij zijn broek los en de pijpen vielen om zijn enkels.

De menigte hield de adem in en werd muisstil, op één man na die brulde: 'Mozes, die lieve brave moeder had minstens een onderbroek voor hem kunnen kopen. Dan maar niet van zijde!'

Het dak vloog zowat van de tent bij al het gelach, gebrul en gehuil, want Sammy stond er zo naakt bij als op de dag van zijn geboorte. En hij werd zo rood als alle klaprozen die ik ooit van m'n leven heb gezien bij mekaar. Ik had liever twee uur zwevend in de nok van de tent gehangen dan daar twee seconden zo te moeten staan.

De mond van de hypnotiseur zakte open, hij gaf Sammy snel een klets tegen zijn hoofd, sloeg toen zijn cape om hem heen en zei: 'De betovering is verbroken, kleine domoor. Ben je soms niet goed snik?'

Toen Sammy hardhandig de tent uit was gewerkt, bracht de goochelaar nog twee of drie anderen onder betovering maar er was er geeneen zo boeiend als Sammy.

Het moet zowat middernacht zijn geweest toen ik en de predikant de tent uit gingen en hij zei: 'Straks komen we ergens waar je alles doet wat ik zeg, en denk eraan dat je die praatgrage mond van je dichthoudt. Je zegt alleen iets als je wat gevraagd wordt.'

'Ja, predikant.'

We liepen een stuk het bos in en gingen op boomstronken zitten wachten tot iedereen het circus uit was. Eindelijk zei de predikant: 'Kom mee. En denk eraan, hoe minder je zegt, hoe beter het is.'

De echte MaWee!

Ik en de predikant zwierven nog zeker een uur over het circusterrein. Toen gingen we terug naar de Atlas Clearing en kwamen we bij een tent waar zowat al het circusvolk zat. Een grote, ruw uitziende blanke man met felrood haar stond op, duwde zijn hand tegen de borst van de predikant en zei: 'De voorstelling is voorbij, jongen. We breken vanavond op en kunnen geen knechten meer gebruiken.'

De predikant sloeg de hand weg en ging zo staan dat z'n jasje openviel en het mysteriepistool te zien was. Hij zei: 'Lijk ik soms op een jongen? Ik kom niet om werk. Ik wil de baas spreken. En als je nog één vinger naar me uitsteekt heb je straks een bloederige stomp in plaats van een hand.'

De lange goochelman met de twee paar ogen sprong op en zei: 'Kalm aan, Red. Ik ben de baas van het circus, meneer. Wat kan ik voor u doen?'

De predikant wrong z'n eigen langs de roodharige blanke en zei: 'Waarde heer, ik kom u een compliment maken voor uw prachtige circus.'

De goochelaar stak zijn hand uit en zei: 'Dank u beleefd, meneer. Met wie heb ik het genoegen?'

'Ik ben de zeereerwaarde diaken dr. Zepharia Connerly de derde. Aangenaam kennis te maken, meneer.'

'Eerwaarde, het is me een eer u te ontmoeten. Ik ben de nederige Charles Mondial Vaughn de vierde, ridder in de Orde van het Bad. Nog geen veertien jaar geleden tot ridder geslagen.'

De predikant zei: 'Dan ben ik degene die nederig moet zijn, heer ridder. Ik heb veel circussen gezien en geen daarvan kan aan dat van u tippen. U kunt er trots op zijn.'

'Dat ben ik ook. Het heeft me jarenlang gekost om deze familie te verzamelen.'

'En daarover wilde ik u nu net spreken,' zei de predikant.

De goochelaar trok lang aan zijn sigaar, blies de rook opzij en zei: 'Wat kan ik voor u doen, eerwaarde?'

'Het gaat er meer om wat ik voor u kan doen.'

'Interessant. Laat horen.'

De predikant trok mij naar voren en zei: 'Ridder Charles, staat u mij toe u voor te stellen aan het wonderbaarlijkste kind dat ooit in Buxton heeft geleefd. Hij is geboren en getogen in Afrika, maar de laatste vier jaar woont hij bij mij. Misschien heeft u tijdens uw reizen gehoord van de stam waartoe hij behoort, de Chochotes?'

Ridder Charles zei: 'Niet dat ik weet.'

'Er is een goede reden waarom u nooit van ze heeft gehoord. Jammer genoeg is de kleine Ahbo hier de enige overlevende van zijn stam.'

'Dat is zeker jammer, eerwaarde, maar wat heeft dat met mijn circus te maken?'

De predikant zwaaide met zijn armen om warm te draaien voor het verhaal dat-ie ging opdissen. 'De Chochotes waren woeste krijgers die bij de jacht en tijdens het vissen slechts stenen gebruikten. Steenkeilen was een kunst die van generatie op generatie werd overgedragen en de koning van de Chochotes, die de vader van de kleine Ahbo was, heeft zijn zoon nog de fijne kneepjes van de steenjacht en steenvisserij kunnen leren voor hij op tragische wijze werd vermoord.'

De predikant praatte zo diepbedroefd over die moord dat zelfs ik medelijden kreeg met de kleine Ahbo, al wist ik dat-ie mij was en het hele verhaal van a tot z gelogen was.

De goochelaar zei: 'Ach jeetje. Maar zeg, begrijp ik nou goed dat dit jongetje volgens u een zwemmende vis kan vangen? Met een steen?'

'Waren we maar bij een meer, dan kon hij het bewijzen,' zei de predikant.

De goochelaar knipoogde naar de grote, ruwe, roodharige blanke en zei: 'Dan moet hij uitzonderlijk scherpe ogen hebben. Kan hij zijn kunst ook op een andere manier vertonen?'

'Natuurlijk wel. Ik heb vanavond uw madame Sabbar bezig gezien, en ze was heel indrukwekkend, maar ik heb haar niets zien doen dat de kleine Ahbo niet ook kan.'

'Nee?'

'Nee. Misschien kunnen we naar haar tent gaan, zodat u het zelf kunt zien.'

'Tja, eerwaarde, we stonden eigenlijk op het punt op te breken, maar dan moeten we dat maar even uitstellen voor een ongetwijfeld interessant oponthoud met de kleine Ahbo.'

De predikant, ridder Charles en de andere blanke liepen samen naar de tent van de katapultdame en ik volgde in hun kielzog.

De goochelaar keek om naar mij en zei heel luid en langzaam: 'Spreek... je... Engels?'

Het was zowat niet te doen om hem aan te kijken, met die twee paar ogen van hem, maar ik zei: 'Ja, meneer, en ook een mondje Latijns, en ik kan ook wat Grieks verstaan.'

Oeps! Ik had vast te veel gezegd. De predikant keek me streng aan en zei toen tegen de goochelaar: 'Plus dat hij natuurlijk vloeiend Chochote spreekt.'

De goochelaar trok een wenkbrauw op en zei: 'O ja? Het klinkt mij in de oren alsof de jongen in Canada geboren en getogen is.'

'Dat komt omdat hij niet alleen de beste steenwerper is sinds David, maar ook nog ongewoon slim. Hij woont nog maar vier jaar bij me en heeft de taal en gewoontes van West-Canada zo snel overgenomen dat het een wonder mag heten.'

Ineens kwam er een joch naast me lopen dat vuil naar me keek. Een vogelnest was nog netjes vergeleken bij de warboel van zijn haar, en zijn kleren waren zo vies dat zelfs Cooter er niet dood in gezien had willen worden.

'Wie is jij?' vroeg hij.

Ik wou net m'n naam zeggen toen ik bedacht wat Sammy had gezegd over de naam 'Elia' in deze omgeving. Ik wist dat het joch niet uit Buxton kwam en ik wist zo goed als zeker dat-ie niet uit Chatham kwam, maar ik kon er geen eed op zweren. Dus nam ik het zekere voor het onzekere. Omdat-ie kleiner was dan ik, zei ik: 'Gaat 't jou wat aan?'

'Waar gaan jullie heen?' vroeg hij. Hij klonk Amerikaans.

‘Naar de tent van de katapultdame.’

Het joch spoog op de grond, schopte met z’n blote voeten zand op en zei: ‘Dacht ik het niet!’

Ik merkte wel dat-ie me schattend opnam, of-ie me aankon. Ik zette m’n borst uit onder het lopen.

De jongen zei zacht: ‘Ik ben de échte MaWee! Maar jij wilt mij zijn, hè?’

‘Watte?’

‘Die blanke knul bakte er niks van, ik heb ’t zelf gezien, en nou wil *massa* Charles weten of jij mij kunt zijn.’

Hij gaf een rukje met z’n hoofd in de richting van de goochelaar en zei: ‘Hij zei dat het alleen hoefde zolang we in Canada waren, maar ik wist allang dat-ie loog.’

‘Waar loog-ie over?’

‘Jij wilt de nieuwe MaWee worden, hè?’

‘Watte?’

‘Nou, ik zal je meteen maar vertellen dat ’t niks voor jou is. Je zou er geen lol aan vinden om met hun rond te reizen. Eerst zeggen ze niks, maar dan laten ze je alle kooien uitmesten en mot je dag en nacht hun knechtje zijn, en de krokodillenman slaat je om ’t minste of geringste verrot en je mot al hun kleren wassen, en na een tijdje raak je ’t ook zat dat er steeds maar druiven in je gezicht worden gesmeten.’

‘Ik wil jou niet zijn,’ zei ik. ‘De predikant loopt alleen maar over me op te scheppen om de man met al die ogen te laten zien hoe goed ik kan keilen.’

De jongen keek me weer vuil aan.

‘Reis jij met die mensen rond?’ vroeg ik.

'Tuurlijk. Dat zeg ik toch, ik ben de échte MaWee.'

'Werken je ma en pa hier ook?'

'Ik heb geen ma en geen pa.'

'Ben je een wees?'

'Let 'n beetje op je woorden. Wat is een wees?'

'Hoe oud ben je?' vroeg ik.

'Weet ik veel.'

'Ga je dan niet naar school?'

'Waarom zou ik? Jij moest 's niet zo veel vragen.'

'Wie zorgt er voor je?'

'Massa Charles. En goed ook. Hij heb meer dan honderd dollar voor me betaald in Loe-sianna.'

'Betaald? Ben je een slaaf?'

'Nee, man! Ik weet toch zekers wel hoe ze slaven behandelen. Ik ben geen slaaf.'

'Heb je nooit weg willen lopen?'

'Hoezo? Hoe kom ik aan eten als massa me laat gaan? Waar mot ik slapen?'

'Maar je bent nu in Canada! Je bent nog geen zes kilometer van Buxton! Heb je nog nooit van Buxton gehoord?'

'Massa Charles zeg dat we om Buxton een blank joch voor MaWee motten hebben. Hij zegt dat het volk hier de pest in krijgt as ik met druiven word bekogeld. Nou het-ie zelf gezien dat die blanke niks waard is en gaat-ie jou perberen.'

Ik zei: 'Mijn ma en pa laten me echt niet met een circus meereizen. Ik woon in Buxton.'

De binnenkant van madame Sabbar haar tent leek stukken kleiner nu het er niet bomvol mensen was. Madame Sabbar zat op het toneel een sigaar te roken.

MaWee wees naar het witte doek op het wildernisbord en fluisterde: 'Ken je lezen? Wat staat daar?'

'Er staat "De wildernis van Zweden",' vertelde ik hem.

'Staat er niks over MaWee?'

'Nee.'

'Dacht ik 't niet. Hij liegt!'

De predikant en de goochelaar hielden op met praten en ridder Charles zei tegen MaWee: 'Ga de kaarsen aansteken alsof we een voorstelling geven.'

'Ja, baas!'

MaWee streek een lucifer af en stak alle kaarsen op het bord aan.

'De andere ook, baas?'

'Ja, allemaal.'

MaWee greep een lange aansteekstok en ging de tent rond om de hoge kaarsen aan te steken. Daarna kwam hij terug en vroeg: 'Nog iets, baas?'

'Nee, MaWee, maar ga niet weg. We beginnen zo meteen.'

'Ja, meneer, baas.'

'En nu, eerwaarde, kan de kleine Ahbo misschien laten zien wat hij kan.'

De predikant gebaarde dat ik op het podium moest komen.

Hij fluisterde me toe: 'De eerste reeks alleen je rechterhand gebruiken.'

Dit werd een makkie! Er waren nog geen twintig passen tussen mij en de kaarsen op het Zweedse wildernisbord. Ik stak mijn hand in mijn buidel, haalde er tien keilers uit en legde ze op de tafel naast me.

Ik keek naar de predikant en hij knikte even. Ik hield m'n adem in, legde met m'n linkerhand de stenen in m'n rechter en gooide.

Na afloop had ik alle kaarsen net zo soepeltjes uitgemaakt als de katapultdame had gedaan.

De goochelaar en de andere blanke keken mekaar aan. Madame Sabbar blies een lange rookwolk uit haar neusgaten. De predikant knipoogde naar me.

MaWee schreeuwde: 'Woe-oeoe-wiee! Goed is-ie, massa Charles! U ken hem voor meer dan alleen stenen gooien gebruiken, zo goed is-ie!'

De goochelaar zei: 'Dat is zo, MaWee, het was heel bijzonder! Dan nu de andere maar?' Hij wees naar de hogere kaarsen.

Dat werd lastiger. De kaarsen het verste weg leken zo'n dertig, vijfendertig passen van me af, en het was donker daarboven.

De predikant zag dat het me niet lekker zat en kwam het podium op.

'Wat is er?'

'Ik weet niet of ik de vlammen van die twee achterin uit krijg, predikant.'

'Probeer ze dan in ieder geval om te gooien.'

'Goed. Weer alleen met rechts?'

'Ja.'

Ik hield m'n adem in en mikte op de twaalf kaarsen rond de wanden. Na afloop lag er eentje achterin om en had ik de kaars boven de ingang geeneens geraakt.

Ridder Charles en de andere blanke staken de koppen bij mekaar en begonnen te praten.

'Massa Charles, massa Charles!' riep MaWee. 'Hij mot in de

plaats van medam Sabbar! Hij is goed genoeg om 't van d'r over te nemen!'

'En dat is nog niet het hele verhaal, ridder Charles,' zei de predikant. 'Ik wil u niet beledigen, madame, want u bent zonder twijfel dodelijk accuraat met de katapult, maar de kleine Ahbo heeft nog meer vaardigheden.'

De predikant spreidde zijn handen en gebaarde heftig om zijn woorden kracht bij te zetten. Hij zei: 'Een van de redenen waarom de stam van de aardbodem is gevaagd, is dat de Chocotes het land deelden met een insect zó monsterlijk, dat het de Vreselijke Bamareuzenbij werd genoemd. Die vreselijke reuzenbijen kunnen even moeiteloos met een volwassen man wegvliegen als een havik met een muis. En omdat ze aanvallen in zwermen van tien, moesten de Chochotes wel leren om niet alleen raak, maar ook pijlsnel te gooien. Mag ik voorstellen dat madame Sabbar, als ze niet te moe is, en de kleine Ahbo tegelijkertijd laten zien hoe snel ze zijn?'

Ridder Charles zei: 'Een wedstrijd? Nou, dat kon wel eens interessant worden. Madame?'

De katapultdame keek niet blij bij dit voorstel, maar ze klampte haar tanden om de sigaar en kwam naast me staan.

De predikant zei: 'Als het jongetje de kaarsen op het bord weer aansteekt, kunnen we beginnen.'

MaWee wachtte tot ridder Charles hem toeknikte en stak toen alle kaarsen aan.

De predikant zei: 'En als madame aan de ene kant van het bord gaat staan en naar het midden toe de kaarsen uit gooit, doet de kleine Ahbo hetzelfde vanaf de andere kant. Wie het snelst de meeste kaarsen dooft.'

De vrouw beet nog harder op haar sigaar en zei: 'Links.' Ze hief haar katapult.

De predikant fluisterde me toe: 'Gebruik allebei je handen. Maak haar in.' Tegen ridder Charles zei hij: 'U geeft het startsein.'

De goochelaar zei: 'Bij drie beginnen jullie allebei met gooien. Een... twee...'

Zweedse mensen kunnen vast niet tellen. De goochelaar had nog geeneens 'twee' gezegd of madame Sabbar had al de eerste kaars van links uit gegooid.

'drie...!'

Ik gooide links, rechts, links, rechts, links, rechts.

Ik had er zes uit in dezelfde tijd dat zij er vier raakte.

Ze spuwde haar sigaar op het podium en zei: 'Steek ze weer aan, snotneus.'

MaWee wachtte het knikje van de goochelaar af en stak alle kaarsen weer aan.

Deze keer had ik er zeven en zij drie. En één ervan had ze nog omgegooid ook.

Ze smeet haar katapult neer en liep de tent uit.

'Ooe-oee-wieee!' schreeuwde MaWee. 'Hij heb d'r dik ingemaakt! Hij is veel beter als haar, krijgt-ie nou haar plaats?'

De goochelaar zei: 'Zo, eerwaarde, u hebt niet overdreven. Ik denk dat de kleine Ahbo goed bij onze familie zou passen.'

MaWee zei: 'En krijgt-ie dan haar plaats, baas? Geen mens gooit zo goed als hem! Het volk heb er goud geld voor over om 'm te zien! Het is eeuwig zonde om hem druiven naar z'n kop te gooien.'

De goochelaar zei: 'Ga jij beginnen met opbreken, jongen. Ik wil morgen aan het eind van de ochtend vertrekken. Red, ga kijken of alles goed is met madame Sabbar. Eerwaarde, wij moeten praten.'

Hij en de predikant gingen opzij van het podium staan.

Ridder Charles zei: 'U zult wel onkosten hebben gemaakt voor het grootbrengen van de kleine Ahbo. Ik ben bereid u daarvoor te compenseren. De arme jongen is een wees, zei u?'

'Ja, hij heeft alleen mij.'

'Aan welk bedrag denkt u, eerwaarde?'

De predikant zei: 'Wacht eens even, u begrijpt me niet goed. Ik handel niet in mensen.'

'Wat stelt u dan voor?'

'De jongen en ik zijn bereid een tijdje met u mee te reizen als u bereid bent bepaalde garanties te geven.'

'Zoals?'

'Ons loon bijvoorbeeld. En wat we moeten doen in uw familie. En wat we niet hoeven te doen.'

Ridder Charles blies weer een lange wolk sigarenrook naar het dak van de tent en zei: 'Ach zo, eerwaarde, en wat zou uzelf dan kunnen doen? De kleine Ahbo kan van belang voor ons zijn en letterlijk zijn steentjes bijdragen, en hij zou zo zijn plichten hebben, maar ik heb verder geen mensen nodig. Overigens zou ik u wél royaal belonen als u het voogdijschap over de jongen overdraagt.'

MaWee had alle kaarsen van de bovenkant van het Zweedse wildernisbord gehaald. Hij zei: 'Mag ik even, baas? Ken ik dat bord met die blanke jongen wegdoen? Verders hangen we toch alleen nog het bord op met de wildernis van de échte MaWee, hè?'

De goochelaar bleef naar de predikant kijken maar knikte met zijn hoofd in de richting van MaWee.

MaWee trok het witte laken weg waarop stond: DE WILDERNIS VAN ZWEDEN!!!!

Meteen onder het laken stond op het bord geschreven:

De wildernis van donker Afrika!!!
Help madame Sabbar bij het vangen van MaWee,
opperhoofd der Roetmoppen!!!

Ineens had de predikant niks geen praatjes meer. Hij greep me bij m'n kraag en we beenden de tent uit. Voor ik het wist liepen we alweer terug over de weg naar Buxton.

Het ging zo vlug dat ik de predikant moest vragen: 'Waarom zijn we zonder gedag te zeggen weggegaan?'

'Het was niet wat ik ervan dacht,' zei hij.

'Wat dacht u dan? Het was toch gewoon een circus?'

'Vergeet maar dat het gebeurd is. Het was om te beginnen al een slecht idee.'

'Wat was een slecht idee?'

'Niets, Elia. Ik zocht alleen een manier om de kolonie te helpen.'

Ik deed nog een paar pogingen, maar ik kreeg er niks meer uit bij de predikant. Hij wou geen woord meer zeggen, wat ik opvatte als een teken dat-ie liever luisterde. Ik vertelde hem alles over Sammy en m'n angstigheid dat ik weg zou zweven, en over ridder Charles die een paar honderd Amerikaanse dollars voor MaWee had betaald. Onderweg terug naar Buxton praatte ik aan een stuk door, maar het enige onderwerp waar de predikant nog belangstelling voor kon opbrengen was MaWee. Ik moest het wel drie keer opnieuw vertellen. Ik vroeg de predikant of 't ook als slavernij telde als je het niet erg vond om te werken voor iemand die je had gekocht en je toch nergens anders heen kon.

Hij zei alleen: 'Ja, dan ben je ook een slaaf. Sterker nog, dan ben je een domme slaaf.'

We kwamen thuis en de predikant bleef wachten tot ik weer door mijn raam was geklommen. Ik zwoei nog naar hem en hij zwoei terug en liep weg. Pas toen ik in bed over de spannendste dag van m'n hele leven lag na te denken, bedacht ik dat de predikant zich had omgedraaid in de richting van Chatham in plaats van door te lopen naar z'n eigen huis. Dat was al net zo raar als al die andere rare dingen die de predikant die avond had gedaan. Ik hield 't er maar op dat het gewoon onbegrijpelijk grotemensengedrag was, want het sloeg weer eens helemaal nergens op.

Maandagochtend kwamen Cooter en ik mekaar tegen voor school. Ik plofte zowat van alles wat ik hem over het circus wou vertellen, maar voor ik m'n mond kon opendoen, zei hij: 'Gek dat er niemand is, hè? Potdommes Elia, dat gebeurde me vorige maand ook toen ik in de war was met de dagen en hier op zondagochtend een heel half uur zat te piekeren waar iedereen bleef. Het is toch wel maandag vandaag?'

'Ja, je hebt toch zeker gisteren de hele dag in de kerk gezeten?'

'Maar waar zijn dan...'

We hoorden iemand 'Ooo!' zeggen en liepen snel om het gebouw naar achteren. Ver in het veld stonden ze zich met z'n allen in een grote kring te verdringen. Dichtbij school durfden we niet te vechten, dus renden Cooter en ik eropaf om te zien waarom er gemat werd.

'Er zijn vast dooien gevallen!' zei ik.

Cooter zei: 'Nee man, Emma Collins staat erbij en anders was ze allang weggerend om te gaan klikken. Wedden dat er een mottenleeuw is ontsnapt uit dat circus van jou? Die houen ze nu met z'n allen tegen de grond gedrukt tot-ie wordt opgehaald.'

Ik keek eens naar Cooter en hoopte vurig dat dommigheid niet zo besmettelijk is als verkoudheid.

We wurmden ons de kring in, maar er was geen lijk en ook geen leeuw. In het midden stond een vreemd joch, met een gezicht alsof-ie in huilen ging uitbarsten.

Ik kende hem, maar ik wist niet waarvan.

Toen schoot 't me te binnen. Het was MaWee! Iemand had z'n woeste haar geknipt en hem normale kleren aangetrokken.

'Je bent ontsnapt! Je bent vrij!' zei ik.

't Was de gewoonste zaak van de wereld dat mensen die net vrij waren raar en warrig deden, maar ik had nog nooit meegemaakt dat er één kwaad was omdat-ie in Buxton terecht was gekomen. En MaWee barstte van kwaaiigheid. Joh, hij had een kop alsof er kiezels tussen z'n kaken zaten en stond zo te chagrijnen dat iedereen wel moest denken dat-ie knetter was.

Emma Collins vroeg: 'Wat mankeert je? Wou je dan dat je niet ontsnapt was? Wou je dan nog een slaaf zijn?'

MaWee wreef over zijn hoofd alsof hij niet begreep waar z'n haar was gebleven.

'Ik heb al honderd keer gezegd dat ik geen slaaf was. En ik ben niet ontsnapt. Ik ben ontvoerd door de vriend van die daaro!' Hij wees recht naar mij.

'Watte?' zei ik.

‘Toen jullie weg waren is je vriend teruggekomen en heb me van massa Charles gejat.’

Ik kon er niks aan doen, ik had beter m’n mond kunnen houen, maar ik zei: ‘De predikant?’

‘Predikant?’ zei MaWee. ‘Hij dee echt niet als de predikanten die ik ken.’

‘Wat is er gebeurd?’ vroeg Cooter.

‘We hadden het spul nog niet afgebroken of die vriend van hem daar barst binnen met twee pistolen en gaat er massa Red mee slaan. Dan grijpt hij massa Charles z’n haar of-ie hem gaat scalperen. Schuift-ie massa Charles zo een pistool in z’n gok. Wij nog denken dat het een overval is. Baas is bang voor die man en roept: “Doe ons niks, neem gewoon het geld mee.” Maar de vriend van hem daaro...’ MaWee wees weer naar mij, ‘zegt dat ’t geld hem niks ken schelen en richt ’t pistool dat niet in massa Charles z’n neus zit ineens op mij! Zegt-ie tegen de krokodillenman dat-ie als de bliksem m’n handen mot binden. En ondertussen heeft-ie dat andere pistool zo diep in massa Charles z’n neus gestoken dat het bloed eruit stroomt.’

De tranen rolden over MaWee z’n wangen. ‘Toen de krokodillenman me geboeid had, zegt die predikant tegen hem dat we in Canada zijn, waar de mensen vrij zijn, en dat-ie me naar Buxton brengt en iedereen doodschiet die hem tegen wil houen. Zegt-ie ook nog tegen massa Charles dat jullie leger in Buxton wel zorgt dat niemand me hier ken weghalen. Hij zegt dat het snelste paard van Canada in het bos klaarstaat maar dat ’t net zo goed een ouwe aftandse knol had kennen wezen, want galopperen of draven of haast maken gaat-ie toch niet doen. Hij zegt dat-ie voor niks of niemand op de vlucht hoeft, zeker niet in z'n eigen land. Dan legt-ie massa Charles uit hoe-ie jullie dorp ken vinden. Dat de weg naar Buxton na zowat een kilometer naar rechts buigt, en dat ze vooral die kant op motten rennen als ze zo stom zijn om hem achterna te komen en graag snel voor hun schepper willen staan.'

Iedereen keek erg geschrokken van MaWee z'n verhaal.

Hij veegde met zijn mouw zijn neus af en zei: 'Dan trekt-ie me de tent uit, sleurt me het bos in, zet me boven op dat mooie paard, bindt me aan het zadel, bindt de teugels om zijn middel, pakt in elke hand een pistool, en dan gaan we midden op de weg lopen. Ik weet zo zekers als wat dat massa Charles en de anderen me komen redden en 't is te hopen dat ze raak schieten als ze die man doden en niet per ongeluk mij raken.'

MaWee schopte tegen de grond en zei: 'Ze motten wel haast verkeerd zijn gegaan toen ze bij de kruising kwamen. Kijk er maar niet gek van op als ze straks de school in stormen om me terug te halen.'

'Waarom wil je dat? Je bent nu vrij,' zei Emma Collins.

MaWee zei: 'Hoe ken ik nou vrij zijn als ze me dwingen naar school te gaan? Hoe ken ik vrij zijn als die Johnny en z'n ma me als sheriffs in de gaten houen?'

De bel ging en ik bedacht dat ik wel mocht uitkijken met MaWee. Als Emma Collins of 'n andere meid er lucht van kreeg dat ik om middernacht bij het circus had rondgehangen, was ik nog niet jarig.

Toen we de treden naar de ingang op gingen zei meester Travis: 'Goedemorgen leergierige, ijverige studenten die aan hun toekomst werken! Hebben jullie er zin in vandaag, zin om je te ontwikkelen?'

Hij zag MaWee en zei: 'Kijk! Gefeliciteerd! Er was me al verteld dat je vandaag bij ons zou komen. Welkom, jongeman.'

Ik kon wel merken dat 't een heidens karwei werd voor MaWee om vrij te zijn. In plaats van meester netjes antwoord te geven zoals het hoorde, zei hij zo brutaal als de beul: 'Hoe groot is dat leger van jullie eigenslijks?'

Iedereen deinsde terug en maakte ruim baan om niet in meester z'n vaarwater te komen als-ie MaWee te grazen nam. Maar meester kwam verrassend uit de hoek. MaWee kreeg niet met het rietje, kreeg zelfs geen standje en meester deed geeneens boos. Hij legde zacht zijn hand op MaWee z'n hoofd en zei, zonder ook maar een spat ergernis in zijn stem: 'Mijn naam is meneer Travis. Als ik je iets vraag, spreek je me zo aan, of je zegt "meester". Ik heb zo'n idee dat jij en ik veel tijd samen zullen doorbrengen. Nogmaals welkom, en mijn felicitaties.'

'Dank u, meester,' zei MaWee. Hij en ik bleven heel die dag uit het raam kijken of ridder Charles en de ruwe, roodharige blanke man al kwamen. Maar ze kwamen niet.

Emma Collins en Birdy

Zaterdagochtend vroeg, een week na het circus, waren pa, Old Flap, Cooter en ik op vrouw Holton haar land boomstronken aan het uitgraven. Het ging allemaal goed tot Old Flap ineens dat snuifgeluid maakte waardoor ik wist dat-ie iets ongewoons gezien of geroken had. Hij maalt niet om herten en andere wezens op vier poten, en dus wist ik dat hij dat geluid om een mens maakte. Een vreemd mens.

Ik ging gewoon verder met Old Flap en trok aan z'n teugels toen hij de kettingen aan de stronk liet vieren, maar ondertussen liet ik m'n ogen over het land dwalen of er ook iets te zien was wat hem aan het snuiven had gebracht.

Ik zag ze bij de boomgrens.

Mensen die geen bossen gewend zijn maar zich er wel willen verstoppen maken altijd dezelfde fout. Als je zonder te zoeken wilt weten waar ze zitten, hoef je alleen naar de grootste boom of rots in de buurt te kijken. Vreemdelingen denken altijd dat ze zich daarachter het beste kunnen verbergen. Wie die onbekenden ook waren, ze hadden de grootste esdoorn op vrouw Holton haar grond gekozen.

Zowat vijftig meter verderop zag ik twee hoofden uit het groen achter de esdoorn steken. Ik werkte doodleuk verder en floot naar Old Flap om hem aan te sporen, en ik deed alsof ik niks bijzonders had gezien.

Ik zei: 'Pa, Old Flap heeft lucht gekregen van mensen tussen de bomen aan de oostkant.'

Pa werkte ook gewoon verder, keek niet op of om, liet geeneens merken dat ik wat had gezegd, maar zei alleen: 'Blanken?'

'Nee.'

'Met hoeveel zijn ze?'

'Ik zag er maar twee, pa. Een man en een jongen, geloof ik.'

Pa zei: 'Cooter, ga Emma Collins zoeken. Zeg dat ze nodig is. Kijk niet om, en als je uit het zicht ben ga je hard rennen.'

Cooter wist waarom pa naar Emma vroeg, zei: 'Goed,' en deed of hij op z'n dooie gemakje weg slenterde.

Het lijkt raar, maar we moesten zo doen om die mensen niet aan het schrikken te maken.

Meestal komen pas bevrijde slaven naar Buxton met hulp van het netwerk dat ze de Underground Railroad noemen, maar soms weten ze ons uit hun eigen te vinden. Als dat gebeurt ziet iemand hun meestal tussen de bomen en struiken, waar ze ons bespieden en goed bekijken omdat ze zeker willen weten of het veilig is. Zelfs als er in geen velden of wegen een blanke te bekennen is, durven ze hun eigen niet meteen te laten zien.

We hebben allang geleerd dat we geen drukte moeten maken

als we ze voor het eerst zien. We weten dat ze schrikachtig zijn geworden van hun lange vlucht, van aldoor achterom te moeten kijken en eeuwig de onzekerheid wanneer ze weer te eten krijgen of waar ze kunnen slapen of wie ze wel en niet kunnen vertrouwen. Niet alleen schrikachtig, maar zelfs gevaarlijk en echt niet in de stemming om iemand die op ze af komt stormen aardig te vinden. Ook niet als je lacht en zwaait en laat merken hoe blij je bent dat ze het gehaald hebben. Ze zijn allang weer in 't bos verdwenen voor je bij ze kunt zijn, en jij staat dan te twijfelen of je wel echt iemand hebt gezien.

Als we met z'n allen juichend en joelend op ze af gaan kunnen ze maar zo weer twee, drie dagen in het bos onderduiken. Dat zijn dan twee, drie dagen waarin ze al vrij zijn maar het niet doorhebben, wat volgens pa een drama is omdat je nooit weet hoeveel tijd je hier op aarde hebt en elke dag die je vrij bent kostbaar is.

We hebben van alles en nog wat geprobeerd, maar ten slotte kwamen we erachter dat we de nieuwkomers in de kolonie het beste welkom konden heten door dat jankende kleine mormel van een Emma Collins in te zetten.

Cooter was in een ommezien terug, met Emma Collins in z'n kielzog. Ze klemde haar pop in haar armen. Dat was eigenslijks niks anders dan een ouwe sok, waarvan het voetstuk volgepropt was met vulsel, en met een strak touw om het beenstuk om er een soort hoofd van te maken. Er waren twee grote ronde knopen opgenaaid als ogen en zes kleine witte knoopjes als tanden. Er waren zelfs nog twee strengen in mekaar geknoopt naaigaren, die haarvlechten moesten voorstellen. Emma had lintjes om het kwastje van elke vlecht gestrikt en een blauwe jurk en rode schort voor de pop gemaakt. Alles bij mekaar was het een akelig allegaartje dat je nachtmerries kon bezorgen. Maar Emma sjouwde dat ding overal mee naartoe, behalve naar school.

'Middag, meneer Freeman. Middag, Old Flapjack. Middag, Elia,' zei ze.

Emma denkt dat ze leuk is als ze een muilezel eerder groet dan mij, en dat is nou percies waarom niemand Emma aardig vindt. Net als Philip Wise kan ze het niet uitstaan dat ik de eerste was die als vrije baby in Buxton werd geboren. Mijn ma en die van Emma deden een wedstrijd wie het eerst haar baby kreeg, en Emma kwam pas zes dagen na mij. Omdat ik en ma de wedstrijd hebben gewonnen, heeft Emma de zonde van de afgunst nooit uit haar hart kunnen bannen.

Pa trok de pet van zijn hoofd en groette terug. Ik trok een gezicht.

Hij veegde zijn voorhoofd af en zei: 'Zie je ze nog, jongen?'

Ik klopte Old Flap op z'n flank en hield m'n gezicht in pa's richting, maar intussen keek ik vanuit m'n ooghoeken naar die grote esdoorn. Op zo'n beetje een meter vanaf de grond kwam nog steeds de bovenste helft van een hoofd boven de struiken uit. Het was de jongen.

'Ja, pa, er staat er een te kijken.'

Pa zei: 'Daarginder, Emma, bij de grootste boom, pal onder de zon.'

Emma keek vanuit haar ooghoek, zei: 'Ik zie de boom, meneer Freeman,' en slenterde op haar gemak bij ons weg.

Als meneer Frederick Douglass een toespraak houdt zegt-ie dat de eerste stap die je zet om jezelf te bevrijden de op één na moeilijkste stap is. Hij zegt dat je na de beslissing om die eerste stap te zetten de meeste stappen daarna niet zo moeilijk vindt. Maar hij zegt dat de allermoeilijkste stap die je moet nemen de allerlaatste is. Hij zegt dat definitief de grens tussen slavernij en vrijheid oversteken het allergriezelijkste, allerdapperste is dat een slaaf ooit zal moeten doen. 't Is gek dat nou net Emma Collins er beter dan wie dan ook in is om mensen bij die laatste stap naar de vrijheid een zetje te geven, maar eerlijk is eerlijk: geen sterveling kan 't half zo goed als zij.

Ma zegt dat het komt omdat Emma op mij lijkt, maar dat bedoelt ze niet aardig, want Emma is waardeloos met stenenkeilen en kan ook niet zo goed als ik zorgen dat de beesten het fijn hebben. En ik ben niet half zo goed op school en met leren als zij. Ma bedoelt dat we op mekaar lijken omdat Emma ook over-gevoelig is.

Ze is anders honderd keer over-gevoeliger dan ik ooit was of worden zal, en aan mij kan je het geeneens zien als je niet héél goed kijkt, maar bij Emma staat het op haar gezicht geschreven. Ze draagt haar over-gevoeligheid mee alsof het zo'n lelijke bloemenhoed is die ma en de andere vrouwen 's zondags naar de kerk dragen. Maar aan die over-gevoeligheid zie je ook meteen dat Emma het niet kwaad bedoelt, zodat de vluchtelingen meer op hun gemak zijn als ze haar zien dan een ander.

Emma Collins stevende niet regelrecht op de grote esdoorn af. Slenterend ging ze kriskras het land over, dan weer wat naar rechts, dan weer wat naar links, maar steeds een stukje verder in de richting van de boom.

Met al dat treuzelen en dreutelen duurde een wandeling van

maar een minuut zowat een eeuwigheid, maar dat deed ze expres. Ze bukte om een gele bloem te plukken, deed alsof ze de bloem aan die oerlelijke pop liet zien, ging een stukje verder, zakte op haar knieën om een steen op te tillen en te kijken wat eronder zat, hield het poppengezicht dicht bij de grond zodat dat enge ding 't ook goed kon zien, huppelde en draaide een paar keer rond, ging weer een stukje verder, veegde iets van de poppenjurk en voor je in de gaten had hoe ze er gekomen was stond ze vlak bij de grote esdoorn.

Dan kwam er eindelijk een einde aan de poespas en keek ze recht naar de boom. Ik wist dat ze heel lief praatte tegen de vreemdelingen, die nog wel gedacht hadden dat ze niet waren gezien.

Ze was te ver weg en praatte te zacht om haar te kunnen horen, maar ik wist wat ze zei: 'Dag, ik ben Emma Collins. Ik ben het eerste meisje dat in vrijheid is geboren in Buxton, en nu zijn jullie ook vrij. We zijn heel blij dat jullie bij ons komen wonen. Kom maar mee, iedereen wil jullie ontmoeten.'

Emma was klaar met haar riedel en stak haar rechterhand uit naar de boom.

Het duurde vreselijk lang voor daar iets bewoog, en toen, zo langzaam als maar kon, kwam er een man achter de esdoorn vandaan, met z'n hoed in z'n hand. Hij zei iets, zette zijn hoed weer op, viel toen op één knie en stak zijn hand uit naar Emma.

Emma pakte zijn hand en hij stond op. Ze kwamen in rechte lijn naar ons toe lopen.

Ik zei: 'Hebbes!' en eindelijk keek pa die kant op en zwaaide hij.

De man reageerde niet op pa's gebaar of zo. Met z'n ene hand hield hij die van Emma vast en z'n andere hand hield hij op z'n rug. Hij keek steeds van links naar rechts en om zich heen, alsof-ie het op een rennen zou zetten als iemand 'Boe!' zei.

Toen hij zo'n twintig passen bij ons vandaan was liet de man Emma haar hand los, zette zijn hoed af en riep naar pa: 'Pardon, meneer, is het waar wat dit kind zegt? Is dit echt Buxton?'

'Goeiemorgen. En ja, je bent in Buxton, en jullie zijn vrij!'

De man haalde zijn hand achter zijn rug weg.

Hij hield stevig een lang, glimmend mes vast! Hij keek van het mes naar pa en het leek wel of-ie in huilen ging uitbarsten.

Hij draaide het mes om zodat-ie het bij het lemmet vasthield, en zei: 'Let niet op die dolk van me, meneer, maar...' Hij veegde langs zijn ogen, '... maar we zijn zo moe van het vluchten, we komen van zover...' Hij kon niet verder.

Pa ging vlug naar hem toe, sloeg zijn armen om hem heen en zei: 'Zeg maar niks meer, broeder. Ik weet er alles van. Ik weet dat het zwaar is geweest, maar je hebt de plek gevonden waar je wezen mot. Je hoort hier thuis. Ben je alleen?'

'Nee,' zei de man, en hij draaide zich om naar de esdoorn, floot en zwaaide toen met beide armen boven zijn hoofd.

Een vrouw, een jongen en een meisje kwamen hand in hand uit het bos onze kant op. Ze liepen in half gebukte houding en keken van links naar rechts, net als de man had gedaan. In plaats van meteen naar ons over te steken, gingen ze langs de rand van het bos en het stuk land van vrouw Holton dat meneer Leroy al kaal gehakt had.

De vrouw had een bundel op haar rug. Ik wist dat het een baby moest zijn, omdat de bundel net zo aan haar hing als bij kolonievrouwen wanneer ze aan het werk zijn en hun kinderen bij zich willen houen.

Zowat halverwege maakten ze zich los van de boomgrens en gingen steeds sneller over de open plek onze kant op. Hun monden stonden wijd open alsof ze wouen schreeuwen, maar er kwam geen kik. Na een tel begonnen ze zo hard te rennen alsof de duivel zelf hen op de hielen zat. Ineens maakten ze een geluid waar ik kouwe rillingen en kippenvel van kreeg. Het had niks menselijks, het was een soort mengelmoes van kermen, kreunen en gillen. Het was akelig om aan te moeten horen.

De man smeet het mes neer en rende op hen af. Ze vlogen zo hard tegen elkaar op dat je zou denken dat ze mekaar omvergooiden, maar niks hoor. Op een kluitje stonden ze dat akelige geluid te maken en zich aan mekaar vast te klampen alsof de wereld verging. Het leek of ze mekaar zowat in geen honderd jaar gezien hadden in plaats van nog geen paar minuten geleden.

Het jongetje, van zo te zien een jaar of vijf, stond te snotteren en met zijn benen te bewegen alsof hij nog holde maar hij kwam niet van zijn plek. Hij omklemde de benen van z'n vader en moeder terwijl hij nog deed of-ie rende. Hij was vast helemaal overstuur omdat-ie z'n ouders zo zag huilen en raar doen en zo, want ineens verscheen er een donkere vlek op de voorkant van zijn broek. Ik moest de andere kant opkijken, zodat-ie zich niet hoefde te schamen.

Ik keek naar Emma en potdommes, ze kneep die oerlelijke pop fijn en haar onderlip trilde en haar ogen stroomden vol alsof ze elk moment mee kon gaan janken met de net vrij geworden mensen.

Ik mag 't heen en weer krijgen als het met janken niet net zo is als met mazelen of waterpokken of de pest, want als de ene overgevoelige persoon het te pakken heeft, slaat het zo over op andere over-gevoelige mensen die voorhanden zijn. Ik vocht er nog tegen, maar ik kon er niks aan doen dat ik met Emma en die mensen mee ging janken.

Pa en Cooter lachten me niet uit of zo. Cooter keek naar z'n schoenen en pa keek naar mij. Zijn schouders gingen hangen en hij liet een lange, langzame zucht ontsnappen. Het had wel veel van teleurstelling, maar hij zei er gelukkig niks van.

De vrouw maakte zich los van het kluitje en holde hard naar pa. Ze haalde de baby van haar rug en hield het kindje voor zich uit.

'Mijn baby, meneer! Mijn kindje is ziek!' zei ze.

Ze liet pa de baby zien en hij zei: 'We hebben verpleegsters die goed voor uw kindje zullen zorgen, mevrouw. Hoe lang is ze al zo?'

De vrouw zei: 'Ze is na gisterochtend niet meer wakker geweest. Twee nachten terug waren er slavenjagers in de buurt. Het was altijd zo'n rustige baby, maar sinds we op de vlucht zijn huilt ze veel meer, en ik moest haar wel iets geven omdat ze ons anders zekers gepakt hadden. Ik moest wel, maar ik heb haar vast te veel gegeven!' Ze haalde een bruin medicijnflesje uit haar jurkzak.

'Haar ademhaling is goed,' zei pa. 'We krijgen hier vaker kleintjes die te veel slaapdrank hebben gekregen, maar ze komen er weer bovenop.'

De man en de twee kinderen drongen om de vrouw en de slaperige baby heen. Pa maakte Old Flap z'n kettingen los en bond hem aan de stronk waar we mee bezig waren geweest.

Pa liep terug naar het gezin en zei hetzelfde wat we altijd tegen net vrije mensen zeggen als ze in Buxton aankomen. Op die manier heten we ze welkom in de vrijheid.

Pa wees omhoog en zei: 'Kijk dan toch! Kijk die hemel toch!'

Ik had het pa en andere grote mensen al zo vaak horen zeggen, maar voor ik er erg in had keek ik al waar pa naar wees. Iedereen keek, we keken allemaal naar de strakblauwe hemel waar geen wolkje aan de lucht was.

'Is het niet de mooiste lucht die jullie van je leven hebben gezien?'

Pa wees lachend naar het veld. 'Kijk dat land toch! En die bomen! Hebben jullie ooit zoiets schitterends gezien? Het is het land van de vrije mensen!'

Het gezin keek steeds waar pa wees.

'En kijk jezelf nou eens! Die kindjes! Zijn jullie ooit mooier geweest? Vandaag is de eerste dag dat jullie kindjes van niemand anders zijn dan van jezelf. Vandaag is de eerste dag dat je niemand de schuld kan geven van wat er morgen met je gebeurt. Vandaag hebben jullie jezelf voor eens en altijd vrijgemaakt!'

Toen spreidde hij zijn armen en zei tegen die mensen: 'En jullie hebben de mooiste, de allervolmaaktste dag ervoor uitgekozen! Ik heb maar één vraag: waar bleven jullie zolang?'

Gek genoeg maakte het niks uit of het regende of sneeuwde, of donder en bliksem langs de hemel scheurden, we zeien altijd tegen nieuwkomers dat het de mooiste, allervolmaaktste eerste dag was om vrij te zijn. Als je 't mij vraagt ging het ook eigenslijks niet om het weer.

Pa zei: 'Kom, we gaan de kolonie in en laten iedereen weten dat jullie het gehaald hebben. Cooter, Emma, Elia, jullie komen ook mee. Laat de ezel maar hier, want we blijven niet lang weg.'

Pa, Cooter en de nieuwe mensen liepen al naar de weg.

Voor over-gevoeligheid schaam je je dood, zelfs als je een meisje bent, zodat Emma en ik een stukje achterbleven om van ons gesnotter af te komen. Emma legde haar pop en het gele bloemetje op de stronk en haalde een zakdoek tevoorschijn om haar ogen en neus af te vegen.

Het is me al honderd keer uitgelegd, maar toch zal ik nooit het nut inzien van een lap die alleen wordt gemaakt om er je neus mee te snuiten. In mijn ogen is dat een knap gore boel. Je kunt toch zeker veel beter je ene neusgat dichtdrukken en de rommel er gewoon door je andere neusgat uitblazen. Dan loop je tenminste niet aldoor met opgedroogde kledder uit je neus in je zakken rond. Maar ma zegt altijd dat ik het niet doen mag, vooral niet in de buurt van fatsoenlijke mensen.

Je hoort mij niet zeggen dat Emma bij de fatsoenlijke mensen hoort, maar om ma een plezier te doen snoot ik m'n neus in m'n mouw in plaats van de snot weg te blazen.

Emma keek me vies aan en ik keek meteen vies terug.

Ik dacht aan het mes dat de man op het land had laten liggen. Ik ging het pakken en zette het op een rennen om pa en die mensen in te halen.

'Meneer, u vergeet wat,' zei ik.

Ik hield hem 't mes voor. Hij en de vrouw keken mekaar aan en ze trokken een bitter gezicht. Hij zei: 'Dank je wel, jongen, maar we zijn nu vrij. Ik wil die dolk nooit meer terugzien.'

Ik kon er niks aan doen dat ik stomverbaasd was.

De man zei tegen pa: 'Ik heb gezworen dat geen mens ons terug kon brengen. Over mijn lijk. Ik heb het gezworen en ik heb bewezen dat het geen bluf was, maar nu heb ik die dolk niet meer nodig, nu hoef ik er nooit meer aan te denken hoe smerig ie-is. Hij is bezoedeld, hij is niet schoon.'

Ik keek naar het mes. Het zag eruit alsof het nog maar net door een smid was gemaakt. Ik zei: 'Maar, meneer, het ziet eruit als nieuw, helemaal niet vies, het ziet eruit alsof...'

'Elia,' zei pa. 'Doe dat mes in je tas en hou je mond.' Tegen de man zei hij: 'Zit er maar niet over in, ik kom wel van dat mes af.'

Ik hoopte dat pa me later zou vertellen wat hij daarmee bedoelde, maar ik merkte aan zijn snelle, kortaffe manier van doen dat ik er nu niet op door moest gaan. Ik haalde een lap uit mijn tas en wikkelde het mes erin zodat het niet tegen m'n keilstenen zou stoten.

We liepen weer door en Emma ging dreutelend en treuzelend de kant van het net vrije meisje op. Het meisje deed of Emma een spook was en klampte zich aan de jongen met de natte broek vast.

Met een lachje probeerde Emma het meisje de gele bloem te geven die ze had geplukt. Het meisje keek van de bloem naar Emma, maar ze liet haar broertje niet los. Toen stak Emma de bloem in het schortje van die oerlelijke pop en hield het meisje de hele handel voor.

Het meisje bleef met één hand haar broer vasthouen, maar hief haar andere hand om heel langzaam de pop aan te pakken. Toen ze het ding vasthad, drukte ze het stijf tegen zich aan en staarde ze naar Emma.

Emma zei: 'Ze heet Birdy. Je mag ook zelf een naam bedenken, maar ze vindt Birdy het leukst. Ze is best verlegen en daarom wil ze dat ik voor haar vraag of je haar nieuwe mama wil zijn.'

Het meisje keek lang en ernstig in de bruine ogen van de pop en glimlachte toen alsof ze daar meer zag dan twee knopen en naaigaren. Ze knikte een paar keer en bewoog haar lippen alsof ze dankjewel zei.

Emma lachte ook en zei: ''t Is fijn dat je er bent.'

Ik had ook iets aardigs tegen de jongen kunnen zeggen, maar ik wist van toen het me zelf was overkomen dat je, als je in je broek hebt geplast waar vreemden bij zijn, veel liever hebt dat niemand iets tegen je zegt. Je wilt niet dat iemand vraagt waarom je zo stijf loopt en je wilt niks doen om aandacht te trekken. Ik hield me niet stil omdat ik stom of ongastvrij was, maar omdat ik hem niet voor schut wou zetten. Trouwens, nadat-ie de hele weg naar de kolonie had moeten lopen met pis die in z'n broek schuurde tot-ie er rauw van voelde, wou-ie natuurlijk toch niks zeggen!

Cooter zei tegen me: 'Het zijn de eerste nieuwe vrijen in vier maanden, Eli! Jij hebt de vorige ingeluid, dus nu is het mijn beurt om die mensen in te luien.'

Dat was zo. Ik had de vorige nieuwe vrijen ingeluid en nu was het Cooter zijn beurt.

'Pa?' zei ik.

'Hol maar vast vooruit,' zei hij.

Ik en Cooter riepen allebei: 'Doenewe!' en we draafden naar de kolonie.

Zowat iedereen in Buxton die benen had, zou meteen komen aanhollen als we de Vrijheidsklok gingen luiden!

De geheimtaal van grote mensen

Cooter en ik renden de hele weg terug en namen de beste kruipdoorpaadjes die we kenden om lang voor pa en Emma en de nieuwe mensen bij het schoolgebouw te zijn. Pa zou langzaam de weg met ze af lopen, zacht tegen ze praten en ze alvast van alles vertellen over hoe het eraan toe gaat in Buxton.

Op zaterdag was er niemand in school, zodat ik en Cooter zelf de deur opendeden en naar de toren gingen om de Vrijheidsklok te luien.

De Vrijheidsklok is geen schoolbel. Het is een klok van tweehonderdvijftig kilo die helemaal uit Amerika is gekomen. En echt niet van zo vlakbij in Amerika als Michigan. Hij komt uit een stad die Pittsburgh heet, heel, heel ver weg in de Verenigde Staten. En we hoefden er geen cent voor neer te leggen, want we kregen hem cadeau van mensen die vroeger slaaf waren geweest.

Ze deden er jarenlang over, maar ze spaarden elke stuiver die ze hadden om de Vrijheidsklok te laten maken en helemaal naar Canada te brengen. En het waren nog armelui ook, maar ze waren zo trots op ons dat het hun niks uitmaakte of ze d'r eigen van alles moesten ontzeggen, zolang wij die klok maar kregen. Ze wouen dat het een ding was dat we steeds konden horen en zien, zodat het volk van Buxton nooit zou vergeten dat er in Amerika altijd voor ons werd gebeden.

Ze lieten zelfs woorden op de klok zetten om ons eraan te blijven herinneren van wie we hem gekregen hadden. Er stond:

Geschonken aan dominee King door de zwarte bevolking van Pittsburgh voor de leefgemeenschap in Raleigh, West-Canada.
Laat de vrijheid klinken als een klok!

Mensen die niet van hier zijn noemen de kolonie vaak 'Raleigh'.

Als er net vrije mensen in Buxton aankomen luien we voor ieder van hun twintig keer de klok. Tien keer om hun oude leven uit te luien en nog eens tien keer om hun nieuwe, vrije leven in te luien. Dan vragen we de nieuwkomers om de een na de ander de ladder van de toren op te klimmen en met hun linkerhand over de klok te wrijven. Meestal als je iets belangrijks doet hoor je dat met rechts te doen, maar we vragen ze om het met links te doen omdat aan die kant je hart zit.

Meneer Frederick Douglass zei dat-ie hoopt dat er zo veel mensen vrijkomen en over de Vrijheidsklok wrijven dat er een glimmende plek, zo schitterend als goud, in het koper slijt. Maar dat is er nog niet van gekomen.

Iedereen in de kolonie die de klok hoort luien houdt meteen op met wat-ie doet en gaat naar de school om de nieuwe vrijen welkom te heten. En als de nieuwkomers zeggen dat ze in de kolonie willen blijven, wordt met z'n allen besloten waar ze zolang logeren tot ze hun eigen huis krijgen en op hun gemak zijn bij ons.

Er staat in de toren een doos watten klaar om je oren dicht te proppen als je de klok luidt. Het is zo'n kabaal dat je nog heel lang alleen gelui en niks anders zou horen als je je oren niet dichtstopt. Ik en Cooter propten onze oren goed vol.

'Hoe vaak mot ik eigenslijks luien?' vroeg Cooter.

Ik zei: 'Watte?'

'Hoe vaak mot ik eigenslijks luien?' brulde Cooter.

Met twintig vermenigvuldigen is makkelijk, je doet gewoon keer twee en plakt er een nul achter. Ik zei: 'Vijf keer twee is tien en met een nul achter de tien is het honderd.'

'Watte?' zei Cooter.

Ik zei het nog een keer, maar veel harder.

'Echt?' zei Cooter. 'Dat lijkt toch veels te veel.'

'Watte?' zei ik.

'Honderd keer lijkt veels te veel,' zei Cooter.

Ik spreidde en sloot m'n vingers tien keer en zei: 'Nee hoor. Kijk. Tien, twintig, dertig, veertig, vijftig, zestig, zeventig, tachtig, negentig, honderd.'

'Zal best, maar toch lijkt het veel,' zei Cooter.

'Watte?'

Cooter schreeuwde: 'Jij ken beter rekenen dan ik, dus ik doe 't wel!'

Hij nam een sprong om aan het touw te gaan hangen en de klok te luien. Omdat-ie moest luien, moest ik tellen, zodat iedereen kon horen hoeveel mensen er vrij waren gekomen.

Dong!

Ik schreeuwde: 'Een!'

De eerste slag was altijd het zachtst. Pas na vijf, zes keer begon het lekker hard te galmen.

DONG!DONG!DONG!

'Twee, drie, vier...'

Het duurde niet lang of we waren bij zesennegentig.

DONG!DONG!DONG!DONG!

'... zevenennegentig, achtennegentig, negenennegentig, honderd!'

Toen we klaar waren stonden er al mensen bij school te wachten om de net vrijen, die onder aanvoering van pa onderweg waren, welkom te heten.

Juffrouw Carolina, meneer Waller, de eerste juffrouw Duncan en haar zus de tweede juffrouw Duncan, en meneer Polite zeien allemaal tegelijk: 'Morgen, Cooter. Morgen, Eli.'

Cooter zei: 'Wablief?'

'Ik zei: morgen,' zei meneer Polite.

'Pardon?' zei ik.

'Haal die watten uit je oren of ik doe je wat, stelletje sufferds!' schreeuwde meneer Polite.

Cooter en ik trokken de proppen uit onze oren.

'Hoeveel mensen zijn het, Elia? Negen? Tien?' vroeg juffrouw Carolina.

'Nee juffrouw, het zijn er maar vijf, een man, een vrouw, een meisje, een jongen en een zieke baby.'

'Vijf maar?' zei meneer Polite. 'Heb je wel goed geteld, jongen?

Die klok heb zo vaak gebeierd dat ik hierheen kwam met het idee dat half Tennessee in aantocht is.'

'Nee, het was honderd keer voor vijf mensen.'

'Dat zei ik ook al. Ik zei ook al tegen hem dat honderd veels te veel leek voor vijf mensen,' zei Cooter.

'Tuurlijk niet!' zei ik. 'Vijf keer twintig is honderd.'

Ik spreidde mijn vingers om nog een keer te tellen, maar ik was nog geeneens bij veertig of pa en de net vrije mensen kwamen er al aan over de weg naar school. Emma Collins en het kleine meisje hielden allebei een armpje van die potdommese pop vast en jonasten het ding tussen hen in.

Pa zei: 'Morgen, mensen. Dit is het gezin Taylor, net aangekomen uit Arkansas. Ze hebben al veel en vaak over ons gehoord. De baby mot verpleegd worden.'

Nu pa en Emma die mensen al wat op hun gemak had gesteld mochten we wel op ze af hollen. Op slag maakte niemand zich nog druk om mij, want ze gingen allemaal naar pa en de nieuwelingen.

Ook mensen die ver weg waren geweest toen ze de klok hoorden luien kwamen er nu aan. Ma en vrouw Guest waren er ook bij.

De nieuwelingen stonden er een beetje verloren, beduusd en verlegen bij toen al die mensen op ze af kwamen, ze op de rug klopten en de hand schudden om ze in Buxton te verwelkomen. Vrouw Guest ging met de vrouw en de baby naar het ziekenhuis. Ma keek naar de jongen en trok hem mee. Ik wist dat ik hem pas terug zou zien als-ie naar poeder rook en een oude broek van mij aanhad. Ik wist ook dat het zelfs dan nog even zou duren voor-ie weer gewoon kon lopen.

Daarna werd het een warboel, want in plaats van de mensen te begroeten en op hun gemak te stellen zoals het anders altijd ging, begon de eerste juffrouw Duncan allerlei vragen te stellen.

Ze legde haar handen om het gezicht van Emma haar nieuwe vriendinnetje en zei tegen haar zus, de tweede juffrouw Duncan: 'Dot, je was toen nog maar acht en het is al vijftien jaar geleden, maar doet dit kind je niet aan iemand denken?'

De tweede juffrouw Duncan bekeek het meisje goed en zei toen: 'Ze lijkt niet op iemand die ik ken. Wie bedoel je?'

De eerste juffrouw Duncan zei: 'Hoe oud ben je, kind?'

Het meisje trok Birdy haar arm uit Emma haar hand en drukte zich weer tegen haar vader aan. De man zei: 'Niet verlegen zijn, Lucille. Ze is al zes, maar ze is klein voor haar leeftijd. Op wie lijkt ze?'

De eerste juffrouw Duncan vroeg: 'Hoe heet je vrouw?'

'Liza. Liza Taylor,' zei de man.

De eerste juffrouw Duncan vroeg: 'En zijn jullie getrouwd?'

'Ja. Al zeven jaar.'

'Hoe heette ze voor haar trouwen?'

'Ze heette Jones, mevrouw.'

'Waar komt ze vandaan?'

'Uit Fort Smith, Arkansas.'

'Is ze daar geboren?'

'Ja.'

'En wie is haar mama?'

'Die heeft ze nooit gekend, mevrouw.'

'Door wie is ze grootgebracht?'

'Door haar tante.'

'Een echte tante?'

'Ja.'

'Heeft haar tante dan niet gezegd wie haar mama was?'

'Nee, mevrouw.'

'Waarom niet?' vroeg de tweede juffrouw Duncan.

Meneer Taylor keek naar de vrouwen en fronste zijn wenkbrauwen. Hij keek of hij iets wou gaan zeggen, maar de eerste juffrouw Duncan was hem voor en vroeg: 'Wat weet ze van North-Carolina?'

'Daar weet ze niets van. Ze heeft het er tenminste nooit over.'

De tweede juffrouw Duncan keek nog eens naar het kleine meisje en sloeg ineens haar handen over haar oren. Haar mond vicl opcn en het leek of ze met stomheid geslagen was.

De eerste juffrouw Duncan zei: 'Man, aan je dochter te zien ken ik jouw vrouw. Ik zweer het je. Maar dan heet ze Alice en geen Liza.'

De tweede juffrouw Duncan keek alsof ze niet wist hoe ze het had. Ze haalde haar handen van haar oren en fluisterde: 'Nee, dat bestaat niet, die vrouw zag er te oud uit. Alice kan niet ouder dan zesentwintig zijn.'

Meneer Taylor zei: 'Nee dames, dat ken niet. We weten niet precies hoe oud Liza is. Ze heeft vijf kinderen elders en de oudste zal zo'n jaar of veertien zijn. Liza is ergens tussen de vijfendertig en veertig, voor zover we kennen nagaan. Maar ze is zeker geen jonge vrouw, ze ken nooit zesentwintig zijn.'

De eerste juffrouw Duncan antwoordde: 'Wel waar! Ze heeft al – Emma, hoe veel is vijf en drie?'

'Vijf plus drie is acht, eerste juffrouw Duncan,' zei Emma.

De eerste juffrouw Duncan zei: 'Ze heeft acht kinderen gebaard nadat ze zelf nog maar net geen piepkuiken meer was. Daarom lijkt ze zo oud.' En toen zei ze tegen meneer Taylor: 'Ze heeft op haar linkerschouder een litteken als een halvemaan dat doorloopt tot over haar borst.' Het was geen vraag.

Meneer Taylor z'n adem stokte en zijn gezicht werd strak. Hij trok z'n dochter naar zich toe en zei: 'Hoe weet u dat?'

'Ze heeft op haar vierde een brandwond opgelopen toen ze een bakpan over haar eigen heen trok. Haar echte naam is Alice Duncan en ze is geboren in Ajax Country, North-Carolina. Zij en haar broer Caleb zijn vijftien jaar terug weggekocht. Jouw vrouw is ons kleine zusje. Weet ze waar Caleb is?'

'Nee, want we wisten geeneens dat ze familie had. Dit wordt een grote schok voor haar.'

Ik wist gewoonweg niet meer hoe ik 't had, want de eerste juffrouw Duncan ging geen 'halleluja!' of 'godzijdank!' of andere blijigheden krijsen, wat je zou verwachten, maar ze zei: 'Meneer, zeg er alsjeblieft geen woord over tot wij tijd hebben gehad om te bedenken hoe we het haar motten vertellen. Ze heb al genoeg doorgemaakt zonder deze last erbij.'

Hij zei: 'Dank je wel, mevrouw, zo denk ik er ook over. Die onrust ken ze er niet meer bij hebben.'

Dat was nou net weer zo'n verwarring waardoor ik me afvroeg of ik ooit van m'n leven het soort verstand zal hebben om een groot mens te kunnen zijn. Zowat het enige wat ik ervan kan zeggen is dat grote mensen niet normaal kunnen denken. Daarom zal het wel zo lang duren voor je groot bent, want er zal wel heel veel tijd voor nodig zijn om alle normale gedachten weg te laten slijten.

Als ik net uit Amerika was vrijgekomen en al die kilometers had gevlucht om aan het slot m'n zussen terug te vinden, zou ik een gat in de lucht springen van geluk, maar grote mensen niet hoor. Toen de eerste juffrouw Duncan meneer Taylor al die vragen stelde, waren de gezichten van alle grote mensen die meeluisterden steeds langer geworden en trokken ze steeds meer rimpels in hun voorhoofd.

Een heel klein beetje kon ik het nog wel volgen. Pa zegt altijd dat slaven in Amerika een ongelooflijk zwaar leven hebben. Hij zegt dat zowat geen mens zonder kleerscheuren uit Amerika wegkomt, zonder een blijvende wond, zonder dat er een stukje van hun lijf is gehakt of er iets in hun vel is gebrand, zonder iets wat vanbinnen aan ze vreet.

Het zou best kunnen dat grote mensen daarom niet zo uitgelaten zijn als ze iemand terugzien van wie ze dachten dat-ie verloren was. Het kan best komen uit angstigheid om van alles en nog wat te horen te krijgen over de rottigheid die een geliefd persoon heeft moeten doorstaan zonder dat zij het wisten of er wat aan konden doen. Het kan best dat ze liever niet diep ingaan op de verhalen over alle akelige dingen die de oorzaak waren van de littekens en brandwonden en verdwenen lichaamsdelen van hun familieleden.

Dit was denken als een groot mens, en het sloeg nog ergens op ook.

Potdommes-nog-aan-toe!

13 Post uit Amerika

Een van de dingen die ik 't allerliefst doe is naar Chatham gaan om te kijken of we post hebben. Het komt er niet vaak van, omdat we hier in Buxton een eigen postkantoor hebben, maar af en toe blijft de post een week of twee, drie weg en dan moet iemand navraag gaan doen. Ik doe niks liever, maar alleen als ik Old Flap mag meenemen in plaats van een van de rijpaarden. Zelfs als die paarden langzaam lopen gaan ze me nog veel te snel.

Op woensdag na school zei pa dat ik meteen door moest naar Chatham om de post te gaan halen. Omdat-ie niet met zoveel woorden zei dat ik een paard moest nemen, vroeg ik meneer Segee in de stal om Old Flap. Ik wist wel dat ik niet helemaal goed zat, maar helemaal fout zat ik eigenslijks ook niet, want het hing er zo'n beetje tussenin.

Ik en Old Flap waren nog geen drie kilometer buiten Buxton lekker langzaam op weg naar Chatham toen ik begon te wensen dat ik me meer aan het goeie dan aan het foute had gehouden. Old

Flap maakte dat snuifgeluid waardoor ik wist dat-ie gevaar rook. Hij schopte zelfs z'n voorste hoeven in de lucht in plaats van z'n achterste benen, en ik wist geeneens dat-ie dat kon!

Ik greep me vast aan zijn manen en tuurde naar de bossen.

Eerst zag ik niks. Misschien had Old Flap gewoon iets viezigs geroken. Toen haalde hij voor de tweede keer z'n kersverse kunstje uit. De eerste keer was een oefening geweest en nu ging 't hem al beter af. Hij gooide zijn voorbenen zo hoog op dat ik pardoes van z'n achterkant gleed. Ik en mijn draagtas en de lege postzak knalden op de weg!

Ik had me nergens pijn gedaan, maar ik was nog niet overeind gesprongen of Flap flikte nog een kunstje dat ik niet van hem kende. Hij begon te rennen! Hij deed het heel onhandig met stijve poten, maar je kon er geen enkel ander woord dan rennen voor bedenken.

Van niks ter wereld raak je zo van slag als van 't zien dat je muilezel, die je voor een goeie vriend aanzag, ineens probeert weg te galopperen nadat-ie je eerst op straat heeft gegooid, waar je opgevroten kan worden door wat 't ook is waarvan-ie zo geschrokken is.

Ik greep mijn draagtas en griste er drie keilstenen uit. Ik draaide me om naar het bos, klaar om te gooien. Maar er was niks te zien. Het onbekende waarvan Old Flap geschrokken was, moest vertrokken zijn toen ik in het stof beet.

Ik keek de weg af en zag dat Old Flap erachter was gekomen dat-ie niet van rennen hield. Hij was gestopt en een veld in gelopen om op iets te gaan staan kauwen. Ik holde naar hem toe, aaide hem een beetje en klom weer op zijn rug. We gingen weer verder naar Chatham.

Maar deze tocht was ons niet gegund. Nog geen vijf minuten later kwam meneer Polite het bos uit, met een jachtgeweer en de nekken van drie dode fazanten in z'n handen.

'Middag, meneer.'

'Middag, Elia. Waar ga je heen?'

'Naar Chatham.'

'Waarom?'

'Om te kijken waar de post blijft.'

'Op die slome muilezel? Geen sprake van. Jij maakt nu rechtsomkeert naar de stal en zegt tegen Clarence Segee dat je Conqueror of Jingle Boy mee mot hebben. Ik wacht op een pakje uit Toronto en ik wil het hebben voor de twintigste eeuw aanbreekt.'

'Goed.'

Ik wendde Old Flap in de richting van Buxton om hem in te ruilen voor een van die potdommese paarden.

In Chatham reden Jingle Boy en ik regelrecht naar het postkantoor. Ik bond hem buiten vast, wachtte tot mijn geklutste ingewanden weer op hun plaats zaten, en ging toen de veranda op. Ik trok aan de deurknop en rukte zowat m'n schouder uit de kom. De deur zat op slot, wat machtig gek was omdat het niet veel later dan vier uur kon zijn. Pas toen zag ik dat iemand een papier tegen de ruit had geplakt:

DICHT TOT DE VIJFDE. IMFORNATIE
BIJ GEORGE IN HET WARENHUIS.

Ik ging naar de winkel van MacMahon, naast het postkantoor.

Het rook daar heerlijk. Naar vers gelooid leer en nieuwe stoffen vermengd met dure poeder en zeep. Als je de hordeur opendeed klingelde een belletje, zodat de mensen wisten dat je er was. Het belletje klingelde ook als je wegging, zodat ze wisten dat je vertrokken was.

De blanke man die lappen stof voor vrouwenjurken stond te vouwen achter een toonbank keek op.

'Hé, hallo, Elia. Hoe gaat het?'

'Goed hoor, meneer MacMahon.'

'En wat kan ik voor je doen, *laddy*?'

Ik was er al lang geleden achter gekomen dat meneer MacMahon niks kwaads bedoelde als hij je 'laddy' noemde. Het klonk wel verdacht veel alsof-ie 'lady' verkeerd uitsprak, maar er was ons gezegd dat we niet op z'n uitspraak mochten letten.

'Ik kom om onze post, meneer. Er hing een papier dat ik naar u toe moest.' Nou hoopte ik maar dat het er ook echt stond. Het was me een compleet raadsel wat *imfornatie* betekende.

'Aha. Ik was al benieuwd of er nog iemand uit Buxton zou komen opdagen. Hebben jullie dan niet gehoord wat er gebeurd is?'

'Nee.'

'Tja, laddy, we moeten een nieuwe postbode zoeken. Larry Butler heeft een heel verschrikkelijk ongeluk gehad.'

Als meneer MacMahon woorden als 'verschrikkelijk' zegt klinkt het alsof er zeven of acht erren in zitten in plaats van maar een.

'Wat dan?'

'Voor zover we kunnen nagaan heeft zijn paard hem afgegooid en getrapt. De hoef kwam vierkant in z'n gezicht terecht.'

Dat bewees maar weer eens dat een muilezel beter was dan een paard. Als meneer Butler op Old Flapjack had gereden, zou hij nu nog de post hebben rondgebracht.

Meneer MacMahon zei: 'Momentje nog, Elia. Er ligt in ieder geval een pakje op het postkantoor, en een paar brieven meen ik. Veel is 't niet.'

'Ja, meneer.'

Hij was klaar met lappen vouwen, pakte zijn krukken en ging me voor naar het postkantoor.

Lang geleden heeft meneer MacMahon zelf een akelige aanvaring met een paard gehad. Daarom houdt zijn rechterbeen nu op bij de knie in plaats van bij zijn voet.

Hij bewoog zich heel soepel en zwierig met die krukken. Hij was dat been al zo lang kwijt dat de krukken bij z'n lijf leken te horen. Als hij liep zag het er zowat uit alsof hij danste.

In het postkantoor sjorde meneer MacMahon een doos van een plank en keek toen in een postzak met op de voorkant de letters BUXTON.

'Hm, zo te zien niks anders dan een pakje en een brief, Elia. Ik had durven zweren dat er nog meer was.' Hij gaf me de brief.

'Dank u wel.'

'Tot de vijfde moeten jullie de post zelf komen halen. De nieuwe komt rond die datum om aan de slag te gaan.'

'Ja. Wenst u meneer Butler maar beterschap van me.'

'Dat is aardig van je, laddy. Het maakt alleen niet veel uit wat we hem wel of niet wensen, want zijn geest is niet meer bij ons.'

MacMahon danste naar de deur en deed hem achter ons op slot. Hij liep naar Jingle Boy en klopte hem op z'n nek. 'Mooiste paard dat ik ooit heb gezien, Elia. Bijna niet te geloven dat-ie zo snel is.'

‘Zeg dat wel, meneer.’

Ik tilde de doos op het zadel en sprong er zelf achteraan.

Vanwege al die rampen met paarden in Chatham en omdat ik me hoog boven de grond toch al niet lekker voelde, kwam ik pas op het idee om te kijken voor wie de brief was toen we halverwege de terugreis waren.

M’n hart klopte me in de keel toen ik zag wat er in zwierige letters op de envelop stond: MW. EMELINE HOLTON, NEGERKOLONIE BIJ RALEIGH, WEST-CANADA.

Het was mis. Brieven uit Amerika betekenden weinig goeds. Als er op de envelop gewone blokletters stonden waaraan je kon zien dat iemand er erg z’n best op had gedaan, betekende het zowat altijd dat een slaaf de brief naar buiten had gesmokkeld en hij vol slecht nieuws stond. Dan ging ’t om een vader die ziek was geworden of een broer die was afgeranseld of een moeder die toe moest zien dat haar kindjes verkocht werden. Als het mooie letters waren, zoals op deze brief, met lussen en krullen en van die tierelantijnen, betekende het maar één ding: een vriendelijke blanke schreef om je te berichten dat er iemand dood was.

Een brief die aan vrouw Holton was gericht moest wel slecht nieuws brengen over haar man.

De rit terug naar Buxton was niet leuk. De weg was niet ineens slechter geworden, er waren niet ineens veel meer steekmuggen dan eerst en Jingle Boy hotste en botste ook niet meer dan anders, maar de mooi beschreven envelop in mijn tas maakte de rit naar huis lang en treurig.

Ik zette het pak voor meneer Polite bij z’n deur en bracht Jingle

Boy terug naar meneer Segee. Ik ging niet meteen met de brief naar vrouw Holton, want ik wou eerst naar huis om te kijken wat ma ervan vond.

Ik trok mijn schoenen uit en ging door de voordeur naar binnen.

'Ma!'

Ze was niet in de woonkamer.

'Ma!'

Niet boven in haar kamer.

'Ma?'

Ook niet in mijn kamer.

'Ma?'

Niet in de keuken.

Er stond een perziktaart af te koelen op de keukentafel en ik had zin om een hoekje van de korst los te peuteren en er met m'n vinger stukjes perzik uit te hengelen. Toen bedacht ik me.

Ik trok mijn sokken uit en ging door de achterdeur naar buiten. Ma zat op haar hurken in haar moestuin te werken.

Ze zag me, lachte en keek alsof ze hallo wou zeggen.

Moeders zijn een onthutsend eng mensensoort. Het is net of ze dingen kunnen zien die niet te zien zijn en dingen kunnen horen die niet gezegd worden. Ik had geeneens m'n mond opengedaan, maar ma zag meteen dat er iets mis was. Ze kwam vlug overeind en zei: 'Li? Wat is er?'

Het troffeltje en een pluk onkruid waarmee ze bezig was vielen uit haar hand.

'Wat is er gebeurd?'

Ze vloog op me af en ik liet haar de brief uit Amerika zien.

Ze veegde haar handen af aan haar overall en zei: 'Je ziet toch dat ik m'n bril niet op heb. Voor wie is-ie, van wie komt-ie?'

Alle grote mensen die in slavernij in Amerika geen lezen en schrijven hadden geleerd moesten naar avondschool. Bij al het koken, schoonmaken, tuinieren, naaien, breien, helpen met oogsten op de akkers en op dagen dat de kolonie gezamenlijk hout hakte en opstapelde om een nieuw huis te bouwen, met haar schapen voeren en scheren en wol kaarden en spinnen, was ma laks geweest en had ze haar lessen laten sloffen, en wat ze geleerd had bleef ook niet best hangen.

Ik vertelde wat er op de envelop stond en ze zei: 'O jee, o jee, o jee. Houdt het dan nooit op?'

Ma liet er geen gras over groeien, ze zei: 'Doe je zondagse kleren aan, Li. We gaan het haar samen vertellen.'

Ik wist dat ik de brief ook aan vrouw Holton moest voorlezen. Ze zat met ma op les, en ik moet natuurlijk respect hebben voor meester Travis, maar het was duidelijk dat-ie er machtig veel moeite mee had om de grote mensen zo les te geven dat iemand er wat van opstak.

Ik trok mijn zondagse pak aan en ging de woonkamer in. Ma had haar zondagse jurk al aan en hield de versgebakken taart in haar handen.

'Gelukkig had ik net taart gebakken,' zei ze. 'Bij zoiets kun je niet met lege handen aankomen.'

Ze zette de taart neer en hield haar armen wijd.

Ik liep haar omhelzing in en ze kuste mijn kruin en drukte haar wang ertegenaan.

Haar stem en de warmte van haar gezicht streken over mijn kruin. 'Hoor eens, Li, je weet vast wel dat je vrouw Holton slecht nieuws mot vertellen. Denk eraan dat je een grote jongen mot zijn. Je mag haar en de meisjes niet overstuur maken door te gaan huilen of zo, hartje. En je mag al helemaal niet gillend vrouw Holton haar huis uit rennen als het inderdaad slecht nieuws is. Kun je dat aan?'

Als je nog een kind bent hoor je je vast niet zo te voelen over degene die je grootbrengt, maar ik was toch machtig teleurgesteld in ma. Ze had geeneens gemerkt hoe ik me de afgelopen weken als een grote jongen had gedragen.

Laatst nog speelde ik voor luistervink en hoorde ik haar tegen pa zeggen dat het een mirakel is dat ik niet in slavernij ben geboren, omdat ik veels te over-gevoelig ben om dat maar een minuutje te overleven. Het kan zijn dat ik vroeger wat over-gevoelig was, maar ik ben al in geen eeuwen meer angstig geweest of op de vlucht geslagen voor allerlei flauwekul. En trouwens, het is geeneens fatsoenlijk om iemand voor over-gevoelig uit te maken.

'Kan ik erop rekenen dat je een grote jongen zult zijn, Li?'

'Ja, ma.' Maar makkelijk zou ik 't er niet mee krijgen. Niks ter wereld maakt dat je zo graag wil instorten en janken als wanneer iemand zegt dat het niet mag. Ik voelde al iets snotterigs loskomen in m'n neus.

Ma gaf me nog een kus op mijn kruin en liet me toen los.

We gingen op weg naar het huis van vrouw Holton.

De eerste en de tweede juffrouwen Duncan waren in de bloementuin voor hun huis bezig.

De eerste juffrouw Duncan zag ons, kwam overeind en riep: 'Sarah! Wat is er? Is er iets gebeurd?'

De tweede juffrouw Duncan stond ook op. 'Sarah?' vroeg ze.

Ma zei: 'Li heeft een brief opgehaald voor vrouw Holton, van thuis.'

De gezusters veegden hun handen af aan hun rokken, en de tweede juffrouw Duncan zei: 'Wacht even, we gaan met jullie mee. Die arme, arme ziel.'

Tegen de tijd dat we bij vrouw Holton haar huis kwamen, was wat met mij en ma en een brief was begonnen uitgegroeid tot een lange stoet mensen. We waren met ons twaalven: ik, drie kleintjes, en acht vrouwen die allemaal iets te eten bij zich hadden. Er waren taarten, maïsbrood, kippenlevers, ham, paardenbloemgroente en maïspuree.

Onderweg werd er niet veel gezegd.

Bij vrouw Holton haar huis duwde ma me de veranda op om aan te kloppen. Alleen de hordeur om de strontvliegen buiten te houen was dicht. De buitendeur stond open en ik kon zo de woonkamer in kijken.

Ik klopte aan. Penelope en Cicely, de dochtertjes van vrouw Holton, zaten op de grond te spelen en keken op. Ze lachten toen ze zagen dat ik het was.

Vrouw Holton kwam overeind uit haar stoel. In haar hand had ze hetzelfde eerste leesboekje waaruit ik vijf jaar terug lezen had geleerd.

Ze zei glimlachend: 'Hé, dag, Elia. Meneer Leroy is nog niet begonnen. Goeie hemel, waarom heb je je zondag...' Ze deed de deur open en haar adem stokte toen ze de groep op haar veranda zag. 'O! O,' zei ze.

Het leesboekje gleed uit haar vingers en viel op de planken van de veranda. Ik gaf het aan haar terug.

Ze glimlachte naar iedereen en zei: 'Welkom. Kom binnen, allemaal.'

We deden allemaal onze schoenen uit en gingen naar binnen.

Ze had haar woonkamer net zo gezellig gemaakt als die van ons, met een tafel en een schommelstoel en een zitbank en een grote open haard van baksteen en vloeren van esdoornhout met kleedjes erop.

'Jammer dat er niet genoeg stoelen zijn, maar maak het jullie zo gemakkelijk als maar kan,' zei ze.

Ze draaide zich naar de twee kleintjes en zei: 'Gaan jullie maar in de tuin bloemen voor mama plukken. Doe er ook van die mooie paarse en witte bij.'

Het oudste meisje zei: 'Maar ma, eerst zei je dat ze nog niet geplukt konden worden.'

'En nu zeg ik dat het wél kan, Penelope,' zei vrouw Holton.

'Dag, allemaal,' zei Penelope tegen ons, en ze vroeg nog snel aan haar moeder: 'Wat komen al die mensen doen?'

'Niks bijzonders, schat,' zei vrouw Holton. 'En doe nu wat ik zeg. Blijf in de tuin tot ik je roep, en ga niet de straat op.' Ze gaf de meisjes allebei een knuffel en een kus.

Penelope hield Cicely's hand vast en trok haar mee door de voordeur.

'Kan ik jullie iets aanbieden?'

'Nee, maar toch bedankt, zuster Holton,' zei ma. 'Li heeft in Chatham post voor je meegekregen. Een brief van thuis.'

'Wil je hem voorlezen, Elia?' vroeg vrouw Holton. Ze zwaaide met het leesboekje waarin ze had zitten kijken. 'Ik ben nog niet erg ver met mijn lessen.'

De eerste juffrouw Duncan legde haar hand op de schommelstoel en zei: 'Ga er even bij zitten, zuster.'

‘Het gaat best zo, juffrouw Duncan. Echt, maar toch bedankt. Elia?’

Ik wou de brief openmaken, maar voor ik mijn vinger onder de flap had om het zegel van was te breken, zei ze: ‘Elia, als je het niet erg vindt maak ik hem liever zelf open.’

‘Dat vind ik helemaal niet erg, mevrouw.’

Ze peuterde de was los en stopte de envelop in de voorzak van haar schort. Ze hield de brief in haar handen. Ze bekeek hem en gaf hem toen aan mij.

‘Hij is zo’n beetje een jaar terug geschreven, mevrouw,’ zei ik. Ik las de brief door en zag dat ik sommige woorden moest spellen. Ik las:

Lieve Emeline,

Ik hoop dat deze brief jou en de kinderen in goede gezondheid bereikt. We hebben veel goeds gehoord over de negerkolonie en we zijn God in zijn oneindige genade en wijsheid dankbaar dat Hij jou en de jouwen asiel heeft verschaft.

Vrouw Holton onderbrak me. Ik was bang dat ze het erg vond dat ik over sommige woorden struikelde, maar daar ging ’t niet om. Ze bekeek de envelop en zei: ‘Dat zal mevrouw Poole wel geschreven hebben. Zij doet graag deftig. Je mot me soms maar wat uitleggen, Elia. Wat betekent asiel?'

Dat wist ik van zondagsschool.

'Asiel betekent een plaats waar je veilig bent,' zei ik.

Ze knikte begrijpend.

Ik las weer verder:

Helaas is deze missive er geen van goede berichten.

Helaas heb ik je tragisch nieuws mee te delen.

Ik zweeg om te kijken of vrouw Holton uitleg nodig had, maar nee. Daar was ik blij om, want 't was me een compleet raadsel wat mis-sive betekende.

Na een zware terugreis naar Applewood in gevangenschap, werd John weer teruggebracht bij zijn meester. Tot onze onuitsprekelijke schrik heeft meneer Tillman een voorbeeld willen stellen door John bij wijze van boetedoening een zo wrede straf op te leggen dat Johns lichaam het na de koortsen van de thuisreis moest opgeven, en hij op de zevende dag van de vijfde maand in het jaar achttienhonderdnegenenvijftig is opgenomen in de liefhebbende armen van de Heer die onze redding is.

Hij rust in vrede op de slavenbegraafplaats. Wij hebben ervoor gezorgd dat hij een christelijke dienst kreeg en hebben vijftien dollar betaald voor een gedenkteken met zijn naam.

Het spijt me meer dan ik zeggen kan dat ik je met dit nieuws moet belasten. We bidden voor jou en de kinderen. Als je genegen bent mij de onkosten te vergoeden, zend het geld dan naar Applewood s.v.p.

Met vriendelijke groet,

mevrouw Jacob Poole

Vrouw Holton stond wezenloos te kijken. Het leek wel of geen van die acht vrouwen naar haar keek, maar ik wist dat ze allemaal op scherp stonden om toe te schieten als ze flauwviel of over-gevoelig ging doen.

Maar vrouw Holton gaf geen krimp. Ze zei tegen me: 'Lees die zin nog eens, Elia, die zin over de straf van John.'

Ik schraapte mijn keel en las: '... "heeft meneer Tillman een voorbeeld willen stellen door John bij wijze van boetedoening een zo wrede straf op te leggen dat Johns lichaam het na de koortsen van de thuisreis moest opgeven."'

Ze hief haar hand. Ik wou net gaan zeggen dat ik best goed kon lezen maar niet altijd wist wat een woord betekende, maar ze schudde haar hoofd en zei: '"Dat Johns lichaam het moest opgeven." Dat is heel zacht uitgedrukt als de ene man de andere met zweepslagen vermoordt.'

Vrouw Holton glimlachte naar de andere vrouwen en zei: 'Aardig dat jullie zo bezorgd zijn, maar ik red me wel. Ik wist het. Ik wist het al. Al die tijd dat we hier zijn heb ik niks meer gehoord, maar nu... Ik kan alleen maar hopen dat-ie gevoeld heeft dat wij het gehaald hebben. Mevrouw Poole kan zeggen wat ze wil, maar alleen dan kan John in vrede rusten. Ik hoop dat-ie heb gevoeld hoeveel blijdschap en liefde jullie ons dit jaar hebben gegeven.'

Ze snufte even en ik dacht al dat ze ging huilen, maar ze zei alleen: 'Ik hoop dat-ie heb geweten hoe mooi zijn dochtertjes zijn geworden nu ze vrij zijn.'

Vrouw Holton ging in de schommelstoel zitten en zei: 'Diepe rouw zou-ie nooit gewild hebben, en ik hou genoeg van hem om me daaraan te houen, dus het komt wel goed met me.'

De vrouwen gingen naar haar toe om haar aan te raken en steeds maar weer 'wat erg toch' en 'kan ik iets voor je doen' en 'je kunt altijd bij me aankloppen' te zeggen.

Vrouw Holton raakte van iedereen even de hand aan en zei: 'Foei toch, zijn jullie zo aardig om met al dat eten aan te komen en zit ik maar te doen of ik geen manieren heb. Kom, we gaan eten.'

Ze stond op en liep naar de keuken.

Ze riep haar kinderen binnen en we gingen met z'n allen eten.

Toen het tijd werd om op te stappen treuzelden ma en ik net zo lang tot alle anderen weg waren. Ma en vrouw Holton raakten aan de praat en ontdekten dat ze uit dezelfde Amerikaanse staat kwamen en gebonden waren geweest aan plantages die maar een paar kilometer van mekaar lagen. Ze kenden zelfs een paar dezelfde mensen daarginds bij naam. Maar dat waren allemaal blanken, omdat het slaven verboden was van de ene plaats naar de andere te gaan.

We waren op de veranda aan de voorkant en ik trok mijn schoenen aan. Ma en vrouw Holton omhelsden mekaar en ma zei: 'Zuster Emeline, als je iets nodig hebt, mot je vooral naar me toe komen of een boodschap meegeven aan Eli of Leroy.'

'Dank je, zuster Sarah,' zei vrouw Holton. 'Wat een kleine wereld, hè? Het is een hele troost dat we uit dezelfde omgeving komen. Ik red me wel. Ik ben vooral opgelucht dat ik nu weet wat er gebeurd is. Het is slopend om valse hoop te koesteren, en ik ben blij dat ik daar vanaf ben. 't Enige is dat ik die woorden van mevrouw Poole niet meer van me af kan zetten. Dat Johns lichaam het moest opgeven. Dat vind ik zo erg. Ik vind het zo erg dat dat de laatste woorden zijn die over John Holton zijn gezegd.'

'Tja, maar op het laatst mot het lijf het toch altijd opgeven?' zei ma. 'Ik hoop alleen... nee, ik weet zéker dat iets in ons zo sterk is dat het niet klein te krijgen is. Een kracht die altijd blijft bestaan.'

Vrouw Holton zei: 'Zuster Sarah, dat zijn troostrijke woorden, en jij en alle andere zusters van Buxton zijn een grote steun voor me. Ik dank je hartelijk. En jij ook bedankt, Elia, voor het voorlezen van die brief. Over een tijdje kennen je ma en ik het zelf wel af.'

Ma lachte en zei: 'Je hebt er meer vertrouwen in dan ik, Emeline. Dat leren lezen en schrijven gaat niet vanzelf als je al ouder bent. Maar ja, er zit niks anders op dan door te ploeteren.'

We liepen naar huis en onderweg barstte ik zowat van ongeduld om haar te horen zeggen hoe ik het had gedaan. Je weet het nooit zeker, want het telt pas als een groot mens het zegt, maar volgens mij had ik net iets gedaan waarmee ik toch mooi bewezen had dat ik niet meer over-gevoelig was! Ik was niet gaan janken, mijn stem had niet gebeefd en ik had geeneens gesnotterd onder het voorlezen van de brief aan vrouw Holton.

Ik keek wel uit om 't tegen ma te zeggen, maar ik dacht niet dat 't mijn eigen flinkheid was die me erdoorheen had geholpen. Ik denk eerder dat ik niet was gaan janken omdat ma en de horde vrouwen rond vrouw Holton, met hun waakzame ogen en handen, net een leger soldaten leek dat met geheven zwaard de woonkamer bewaakte en zelfs het grootste verdriet buiten de deur hield.

Het was net of die horde vrouwen in vrouw Holton haar woonkamer, de muur van Jericho om ons heen had opgetrokken, en geen honderd Jozua's en geen duizend kinderen konden die muur neerhalen, al toeterden ze nog zo hard op trompetten en schreeuwden ze hun keel rauw.

Toen die kluwen vrouwen om mij en vrouw Holton heen dromde in die woonkamer had ik nog geeneens een traan kunnen laten als ik zo over-gevoelig als Emma Collins was geweest. Maar ondertussen hoopte ik dat ma ervan zou maken dat ik een grote jongen was.

Vlak bij huis sloeg ze haar arm om mijn nek, trok me tegen zich aan en zei: 'Li Freeman, ik wist wel dat je het kon, hartje! Je wordt groot, joh! Wat zal pa daarvan ophoren!'

Ik was bang dat ik van trotsigheid uit mekaar ging ploffen, maar het enige wat er gebeurde was dat in m'n neus de snotterigheid weer losging!

En dat slaat nergens op. Dat slaat helemaal nergens op.

Picknick bij het meer!

Als meester Travis zondagsschool geeft, zegt-ie dat de Heer op zondag uitrustte en wil dat wij dat ook doen. Maar potdommes, da's dan wel een les die hij en alle andere groten niet goed begrepen hebben, want de halve zondag krijgen we helemaal geen rust met al dat zitten in de kerk. En ma en pa beweren wel dat naar de kerk gaan geen werk is, maar als 't aan mij lag mestte ik nog liever vijf stallen uit, groef ik drie kilometer sloot en kapte ik drie hele bossen om dan een hele ochtend en middag in de kerk te moeten zitten.

Er waren maar twee redenen waarom het deze zondag nog wel een beetje ging. Ik wil niet oneerbiedig doen, maar de eerste reden was dat dominee King nog steeds in Engeland was en meester Travis in zijn plaats de preek deed. Je hoort mij niet zeggen dat dominee King geen machtig goed mens is, want hij is de man die de kolonie heeft gesticht, maar zijn preken duren altijd zo lang dat je halverwege het liefst zou roepen: 'Verlos me, Jezus!'

De tweede reden dat de dienst er deze zondag wel mee doorkon, was dat ma en pa met meneer Segee hadden geregeld dat we zijn karretje en een trekpaard mochten lenen om met een hele zwik kinderen en vrouw Holton bij Lake Erie te gaan picknicken.

Meester zei z'n allerlaatste 'amen', de allereerste van de hele zooi waar Cooter en ik hartgrondig mee instemden, en iedereen ging de kerk uit door de voordeur, waar we in een hinderlaag werden gelokt door meester Travis die we allemaal een hand moesten geven.

Ik treuzelde, want ik wou niet samen met pa en ma naar buiten. Vooral als-ie ons samen zag raakte meester in de war of-ie 'n gewone meester of 'n zondagsschoolmeester was. Voor je het wist had-ie vergeten dat-ie op zondag moest rusten en begon-ie ma en pa uit te leggen dat je er een potje van maakte met Latijns.

Ik, Cooter, Emma Collins en Philip Wise gingen als laatsten de kerk uit.

Eenmaal bij de plek waar meester Travis de uitgang versperde, logen Cooter en ik tegelijk: 'Mooi gepreekt, meester.'

Meester trok een wenkbrauw op en zei: 'Jongeheer Bixby, jongeheer Freeman, *in vestra Latina maxime laborate*.'

Had je 't al. 't Was me een compleet raadsel wat dat betekende. Het zou wel een bedankje zijn voor onze leugen over zijn preek.

'Graag gedaan, meester,' zei ik.

'Nou en of,' zei Cooter. 'Ongelogen waar.'

Emma Collins proestte, en ik wist meteen dat we het verknald hadden.

We stonden nog niet op de treden buiten of ze zei: 'Hij zei dat jullie harder moet werken voor Latijn. Hij zei niks waar je "graag gedaan" op terug moest zeggen.'

Ik maakte er geen woorden aan vuil, ik keek haar alleen vol medelijden aan. 't Was doodgewoon de zonde van de afgunst die aan Emma Collins haar hart vrat. En het zieligste was nog wel dat ze die zonde pal voor de kerk beging.

Pa had het karretje en Shirl, het grootste trekpaard, op de weg klaarstaan. Hij, ma en vrouw Holton zaten op de bok, en Penelope, Cicely en Sidney Prince zaten in de bak. Ik en Cooter en Emma zeien hallo tegen iedereen en klommen erin.

In plaats van m'n benen over de achterkant of de zijkant van het karretje te laten bengelen, ga ik altijd met m'n rug tegen het midden van het bankje zitten. Daar hobbelt 't niet alleen minder, maar het is ook een prachtplek als je graag gesprekken wilt afluisteren. In het zuiden tussen Buxton en Lake Erie lag een gebied van tien kilometer dat ook nog bij de kolonie hoorde, en het werd nog een knap lang tochtje.

Van achter in een kar zitten vergeten kinderen vanzelf dat er grote mensen in de buurt zijn en gaan ze een heleboel zeggen dat ze beter voor zich kunnen houen. Maar dat geldt ook voor de grote mensen. Als die aan de praat raken geloof je je oren niet! Het duurt niet lang of je krijgt door dat ze glad vergeten zijn dat er kinderen achter ze zitten, want vaak beginnen ze over dingen die je geeneens horen wil. Soms ga je kuchen of je keel schrapen om te laten merken dat je er bent, maar soms ook hoor je van alles wat ze je anders nooit zouen vertellen.

Deze zondag werd er voorop en achter in de kar niks bijzonders gezegd. Wij achterin besloten dat we straks op het strand vrijheidsstrijdertje en slavendrijvertje gingen spelen en maakten ruzie wie wat moest zijn. Niemand wou slavendrijver zijn, want die maakten we op het laatst altijd dood. We moesten strootjes trekken om uit te maken wat je werd. Ik trok vrijheidsstrijdertje en Cooter slaaf. Ook op de bok ging het over saaie dingen. Zo te horen gingen ze niks anders bespreken dan de oogst en de regen en wie er door welk paard getrapt was.

Het duurde niet lang of het geklepper van Shirl haar hoeven en het geschommel van de kar en de middagzon en pa's zachte geneurie werkten allemaal samen om m'n hoofd zwaar en soezelig te maken. Ik moet af en toe ingedommeld zijn, want ik deed een keer m'n ogen open en zag Emma en de meisjes met poppen spelen, en even later zaten ze ineens te zingen, en weer even later had iedereen al de kriebels omdat we het meer konden ruiken, wat betekende dat we er over een paar kilometer waren.

Pa zat nog te neuriën, en ma en vrouw Holton raakten aan de praat over iets waar grote mensen liever over zwijgen als wij erbij zijn, over toen ze nog slaven waren.

Ik had ma haar verhaal al vaker gehoord en hoefde haar niet te zien om te weten wat ze onder het praten deed. Ze hield haar ogen dicht en haar linkerhand bewoog alsof-ie een eigen leven leidde. Haar vingers gleden steeds tussen haar linkeroor en mond heen en weer alsof ze aan een striem van een zweepslag voelden. Dat was gek, want al keek je nog zo goed naar ma haar gezicht, er was geen litteken of schram of zo te zien. Het enige wat je zag was haar gladde, donkerbruine huid.

'Emeline,' zei ze, 'daar weet ik alles van! Soms kennen ze zo raar doen.'

Ma bedoelde haar eigen ma en pa, mijn grootouders die ik nooit gezien had.

Ma zei: 'Ik was toen niet veel ouder dan Li nu. Op een dag kwam mevrouw Wright zonder pardon tegen mama zeggen dat zij en *massa* de hele zomer met Missy en mij naar het noorden gingen. Ze had mama niet gewaarschuwd of zo. Van 't ene op 't andere moment moest ik mee. Een kwartier later zaten Missy en ik bij hun op de vrachtkoets naar het noorden.'

Vrouw Holton zei: 'Ze zeien het pas op het laatst omdat ze bang waren dat je mama er anders met jou vandoor ging.'

Zulke dingen hoor je liever niet. Het is moeilijk voor te stellen dat een klein blank meisje je ma cadeau kreeg alsof ze een huisdier was, maar zo ging het. Ma had me verteld dat ze in die tijd, als ze niet op het land werkte, alles moest doen wat een meisje dat Missy heette van haar wou.

Ma zei: 'Mama vindt het niks, maar wat kan ze ertegen doen? We zouen drie maanden wegblijven. Ik was nog nooit bij mama weg geweest, ik was doodsangstig en dacht steeds maar dat ze me nooit meer terug zouen brengen.'

Op dit punt van het verhaal hield ma's hand altijd op met bewegen.

'We reden regelrecht naar het stadje Flint in Michigan. Massa had er een broer wonen die een houtfabriek had, en op een keer nam die broer ons allemaal mee naar De-troit. Ik zal nooit vergeten dat mevrouw met ons naar de rivier ging, naar de overkant wees en tegen Missy zei: "Daar ligt Canada. Dat is een heel ander land waar heel andere mensen wonen."'

Ma zei tegen vrouw Holton: 'Ik kan je niet half vertellen hoe teleurgesteld ik was toen ik over het water naar Canada keek. Het zag er geen spat anders uit. Mama en alle andere mensen zeien altijd dat Canada het land van melk en honing was, maar ik zag 't er niet aan af, en het lag nog geen kilometer verderop.'

'Ooo meid, dat zeien ze tegen ons ook altijd, het land van melk en honing!' zei vrouw Holton.

'Afijn, voor mij voelde het alsof we twee hele jaren in Flint bleven, maar het was maar drie maanden, en toen gingen we weer naar huis. Die reis duurde eeuwen! Nog geen uur buiten Flint begon Missy al te zeuren of we er al zowat waren en dat hield ze al die dagen vol!

Toen we met de wagen een paar kilometer van de plantage vandaan waren herkende ik de omgeving en kreeg ik net zo de kriebels als Missy. "Sarah, stel je niet aan en zit stil," zei mevrouw tegen me.

Zeg ik: "Ik kan 't niet helpen, mevrouw, ik verlang zo naar mama!" Zegt mevrouw: "Je ziet haar morgenochtend vroeg weer. Het blijft nog wel even licht zodat je in de schuur kunt werken, en vanavond moet je bij Missy blijven. Ze is van slag door al dat reizen." 't Was wel heel brutaal van me, maar ik ging er toch tegenin: "Mevrouw, mag ik alstublieft heel even naar mama?"

Je zou denken dat ik om de maan had gevraagd! Ze sloeg me zowat van de wagen af en zei: "Nog één woord van jou en ik zorg dat je een week lang niet meer kunt zitten."

Zegt massa tegen haar: "Gwen, laat dat kind naar het veld gaan om haar mama gedag te zeggen. Een kwartiertje kan toch wel."

Zegt mevrouw: "James, je bent te goed voor je roetmoppen. Dat wordt nog eens je dood. Let op m'n woorden."'

'Tsss,' zei vrouw Holton.

Ma zei: 'En blij dat ik was! Toen ik Missy in bed had, ging ik naar mevrouw en ze keek op de klok en zei: "Niet langer dan een kwartier. Je krijgt ongenadig met de stok als je een seconde te laat terugkomt."

Emeline, zo hard als ik toen rende heb ik van m'n leven niet meer gerend, daarvoor niet en daarna niet. Ik had mama honderden meters verderop in een veld aan de pluk gezien en het was of ik naar haar toe vlóóg.'

Op dat punt begon ma weer over haar linkerwang te wrijven.

Vrouw Holton legde haar hand op ma haar schouder.

Ma lachte en zei: 'Genade, als ik geweten had wat er komen ging was ik vast niet zo happig geweest haar te zien. Mama hoorde me gillen, liet alles vallen en ging net zo hard rennen als ik. Ik zwom in m'n tranen toen ik haar zag.'

Ma sloeg haar armen om zichzelf heen.

'O, wat knuffelde ze me! Zei ze: "Kind toch, kind, al die avonden dat je weg was heb ik gebeden dat je terug zou komen, en nu ben je er! Wat ben je groot geworden!" Ze zoende me zo erg dat ik niet wist of m'n gezicht nat was van de tranen of van de zoenen. Toen vroeg ze hoe het was in het noorden. En ik zei: "Net als hier, maar dan met meer bomen en zonder tabak." En toen zei ik ineens dat ik Canada had gezien. Meid, het was er nog niet uit of ik zag haar verstarren en wist dat ik iets fouts had gezegd.

Eerst dacht ik nog dat mevrouw stilletjes achter me was komen staan en gehoord had dat ik Canada zei. We werden afgeranseld als we over Canada praatten. Maar dat was het niet.

Voor ik weet wat er gebeurt haalt ma uit met een arm als een ratelslang en slaat me tegen de grond. Ik had nooit iets anders van haar gekregen dan liefde, maar God weet dat er niets liefs was aan die oplawaai.'

Vrouw Holton wreef wat harder over ma haar rug.

Ma zei: 'Ik vlieg overeind, te bang en te beduusd om zelfs maar te huilen. Ik kon niks anders uitbrengen dan: "Mama... waarom?"

Kijkt ze me aan met een blik die ik nog nooit van haar had gezien. Zegt ze: "Heb ik soms 'n achterlijke idioot grootgebracht? Je was zo dicht bij Canada dat je het kon zien, en toch sta je nu hier voor me?"

Zeg ik: "Maar mama, als ik weg was gegaan had ik jou nooit meer gezien!" Geeft ze me weer een dreun, en zegt ze: "Je stond voor de hemelpoort en kwam terug omdat je mij anders nooit meer zou zien? Dacht je echt dat ik jou terug wil zien als ik weet wat voor 'n..."' Ma keek even achterom naar ons in de bak en fluisterde: '... ver-dom-de plannen massa met je heb? Ben je zó stom dat je niet snapt wat hij met je gaat doen als je groter bent? Ben je zó stom dat je liever mij terugziet dan dat je daaraan ontsnapt?"'

Ma zei: 'Ik kon nog net stamelen: "Maar mama, zo heb ik 't niet bekeken. Ik wou alleen naar jou terug..." Mama grijpt me bij m'n kraag en houdt m'n gezicht zo dicht bij het hare dat ik haar ogen zie vlammen en kan ruiken wat ze 's ochtends heeft gegeten en de spuug uit haar mond kan voelen. Zegt ze: "Meid, als ze je ooit, ooit nog eens meenemen naar het noorden en je probeert niet naar Canada te komen, dan zal ik je wat beloven. Ik zweer bij ieder die ik liefheb dat ik je dan net zo makkelijk je nek omdraai als ik 'n kip d'r nek omdraai. Want als ze jou nog eens meenemen naar Detroit en jij niet naar Canada gaat, heb je net zo min recht op leven als die kippen. Dan ben je nog stommer dan een kip die stom rondscharrelt tot-ie geslacht wordt. Als je nog eens die kans krijgt grijp je 'm, op leven of dood... want ik zweer je, meid, dat ik je anders eigenhandig vermoord als je hier terugkomt."'

Ma wreef niet langer over haar wang, maar stak drie vingers op. 'En voor de derde keer sloeg ze me tegen de grond.'

Ma lachte. 'Toen was ik wel zo slim om te blijven liggen. Er kwamen mensen bij, die mama van me af trokken. Ik weet nog hoe ze krijste en huilde en me vervloekte toen ze werd teruggesleurd naar haar werk. Ik wist dat ze 't niet gelogen had. Het duurde nog twee jaar tot ze me weer meenamen naar De-troit, en toen we wegreden op de vrachtkoets nadat ik m'n mama gedag had gekust wist ik dat ik haar nooit terug zou zien.'

Vrouw Holton bleef ma haar rug wrijven en zei: 'Sarah, een wijze vrouw heeft eens tegen me gezegd: "In ons is een kracht die eeuwig blijft bestaan."'

Ma sloeg haar armen om haar heen en riep: 'Oe-wie! Wees maar zuinig op die vrouw, want dat zijn heel wijze woorden!'

Ze schoten in de lach en vrouw Holton zei: 'Nou en of ik zuinig op haar ben. Je moest eens weten. Ik hou van haar als van een zusje.'

Ze bleven met de armen om mekaar zitten tot pa paard-en-wagen tot stilstand bracht.

Iedereen rammelde van de honger na al die lange uren in de kerk en we wouen eerst eten voor we vrijheidsstrijdertje en slavendrijvertje speelden. Omdat ze nog in de rouw was, kreeg vrouw Holton nog steeds hulp van anderen die haar eten brachten, en daar had ze veel van meegenomen. Ma had kip gebraden en een paar taarten gebakken.

We spreiden dekens over het zand en gingen zitten eten.

Je kunt zowat niks vrediger bedenken dan dicht bij het water zitten en het meer tegen het zand horen kabbelen. Als ik niet aan het langste eind had getrokken en vrijheidsstrijder mocht zijn was ik net zo lief blijven eten en soezelen, maar geen tien paarden konden me tegenhouen als ik de kans kreeg slavendrijvers om zeep te helpen, ook al waren het maar Penelope en Sidney die voor blanken speelden.

Ma en vrouw Holton gaven ons grote borden met lekkers, en toen sneed ma stukken van haar perziktaart en legde er op ieder bord een.

Zo'n beetje halverwege het eten zag ik pa een bergje zand scheppen uit een kuiltje vlak naast zijn plek op de deken. Ik stond er niet bij stil tot hij vijf minuten later ineens naar een groepje reusachtige populieren wees en zei: 'Zien jullie die kale adelaar daar?'

Adelaars komen meestal niet zo ver het binnenland in dat ze Buxton halen en we gingen allemaal bij de populieren kijken.

Niemand zag wat, en pa zei: 'Jullie hebben hem vast weggejaagd toen je opeens overeind sprong.'

Ik keek naar pa en zag dat het kuiltje naast hem verdwenen was. Hij had al het zand er weer in teruggeduwd. Toen zag ik dat zijn stuk van ma haar perziktaart ook weg was.

Pa merkte wel dat ik één plus één bij mekaar had opgeteld en wist waar de taart was. Hij boog zich naar me toe en fluisterde: 'Voor we straks vertrekken mot jij effe teruggaan, dat ding opgraven en het ergens anders dieper begraven. We mogen het hier niet laten liggen, want dan wordt 't vast gevonden door een arm, hongerig wild dier dat het niet kan verteren en een gruwelijke, langzame dood sterft.'

Ik moest lachen, of ik wou of niet. Op dat moment holden Cooter en de rest weg over een heuveltje en schreeuwde hij achterom: 'Help! Is er een vrijheidsstrijder in de buurt? Slavendrijvers willen me gevangennemen en terugsleuren naar de slavernij!'

Ik zei vlug dat ik weg moest, zodat ik Cooter achterna kon om een stel slavendrijvers te vermoorden!

John Holton blijft bestaan

Een paar dagen later bonkte een van de tweeling Mae na het avondeten op de deur. Ik deed open.

'Avond, Eli.'

'Avond, Eb.'

'Meneer Leroy laat zeggen dat je vanavond niet regelrecht naar vrouw Holton haar land mot gaan.'

'Zei-ie ook waarom?'

Eb zei: 'Nah, je weet hoe Leroy is, altijd kort van stof. Hij zei alleen dat je eerst naar de zagerij moest.'

'Goed. Doe je ma en pa de groeten?'

Toen ik bij de zagerij kwam zaten meneer Leroy en meneer Polite naast een net gezaagd stuk hout van zo'n beetje één bij anderhalve meter.

'Daar is-ie,' zei Polite. 'Avond, Eli.'

Ik groette hen allebei.

'Avond, Eli,' zei Leroy. 'Kijk even naar die schrijverij hiero voor ik de letters ga snijen. Vrouw Holton wil een bord boven de deur en ik ga niks snijen, voor niemand niet, tot er een die ken lezen me heb gezegd dat er geen onzin staat. Mensen vragen je wat te snijen en als je 't percies doet zoals ze het hebben willen en iemand leest het voor en 't blijkt niks dan koeterwaals te wezen, ken ik naar m'n geld fluiten en heb ik kostbare tijd verknoeid. Dus kijk jij eerst of het zinnig is.'

Het was te merken dat het meneer Leroy machtig hoog zat. Voor zijn doen had-ie meer gepraat dan anders in een hele maand. Hij gaf me een briefje vol hanenpoten en doorhalingen. Ik las: '"Bijgaand schrijfen om liefdevol denken aan mijn man John Holton wreed vermoord met de zweep doodgegaan op de zeven mei 1859 vanwegens ze gezin in vrijheid zien. Dat hij in vrede ruste en wete dat zijn gezin het gehaald het. Zijn lichaam moest opgeven maar de kracht blijft eeuwig."'

Ik zei tegen Leroy: 'Meneer, er moeten wel fouten uit. Hoe lang mag ik erover denken voor u het moet weten?'

Meneer Polite zei: 'Erover denken? Als jij goed was met lezen en schrijven hoef je er toch zekers niet over na te denken. Verander het nou maar gewoon, want het klinkt nergens naar in mijn oren.' Hij draaide zich om naar meneer Leroy. 'Zei ik 't niet, Leroy? We hadden dat wichtje van Collins motten vragen. Dat is nog eens een pienter kind. Het scheelt niks of die knul hier is te stom om voor de duvel te dansen.'

Meneer Leroy zei: 'Hou je gemak, Henry. Als die jongen zegt dat-ie erover na wil denken, geef ik hem de tijd. Vrouw Holton heb al genoeg geleden. Die hoeft niet nog 's erger te lijen door koeterwaals boven haar deur.'

Ik liet ma en pa het papier zien dat vrouw Holton had geschreven en ze vonden dat het een grote eer voor me was om het te mogen doen, en dat ik het zo mooi mogelijk moest maken.

Pa zei: 'Je ken haar een dienst bewijzen door de scherpe kantjes van die woorden te halen, Elia. Haar pijn is nog te rauw om voor altijd in dat bord vast te leggen.'

Ma zei: 'Die arme Leroy zou nog jarenlang zitten snijen als dat er allemaal op mot staan. Maar zeg, lieverd, sommige woorden zijn van mij!'

Ik dacht er de hele week over na. Ik krabbelde bladzijde na bladzijde vol in mijn schrift om percies de goede woorden voor vrouw Holton te bedenken. Ik dacht erover na als ik eigenslijks hoorde te leren en als ik m'n klussen deed. Ik dacht er zelfs over na bij het vissen, en dat maakte het stenenkeilen heel vervelend voor mij én de vissen. Ik gooide er maar vier van de twintig dood. Het ergste was nog dat ik er twee met tot pap geklutste hersens terug in het water stuurde.

Na zowat een week raakte meneer Leroy z'n geduld op en zei hij: 'Er zit wat in wat Henry Polite zei. Mot het zo lang duren om een paar woorden te veranderen? Vrouw Holton wil weten waar haar bord blijft. Kom na het eten naar het land en neem die woorden mee zodat ik ken beginnen. En schrijf duidelijk.'

M'n eetlust bleef erbij weg, maar vlak na het avondeten speelde ik het eindelijk klaar iets op papier te krijgen. Voor ik ermee naar meneer Leroy ging, rende ik naar meester Travis z'n huis om te vragen of ik erge fouten had gemaakt. Meester verbeterde twee woorden, streepte er drie door, zette de punten op de goeie plek en zei: 'Bewonderenswaardig gedaan, jongeheer Freeman, bewonderenswaardig.'

Ma en pa zeien dat het er volgens hun goed uitzag, en toen ik de woorden aan meneer Leroy voorlas had hij geen ander commentaar dan een grom, wat heel wat zei voor zijn doen.

Het duurde wel even voor hij alle letters had uitgesneden, en op de dag dat-ie ermee klaar was liet hij me het bord zien. Prachtig was het!

Hij zei: 'Ze vond het belangrijk dat het mooi werd, het moest een beetje deftig zijn, dus heb ik het wat versierd.'

In drie hoeken van het bord had hij een boom gesneden, een vogel, en golven. In de vierde hoek had hij de zon en de maan gemaakt. Hij had zelfs een lint om de woorden gesneden waarvan je zou zweren dat het echt was. Meneer Leroy liet me het bord naar het huis van vrouw Holton dragen, zodat we het boven haar deur konden hangen.

Hij had nog niet de eerste spijker in het hout geslagen of vrouw Holton kwam kijken waar al dat lawaai voor diende.

'Goeiemiddag, Leroy. Elia.'

We zeien allebei tegelijk: 'Goeiemiddag, mevrouw.' En meneer Leroy zei nog: 'Neem me maar niet kwalijk dat ik de jongen een paar woorden heb laten veranderen, zuster Emeline. Het was eerst veels te lang.'

Ze kwam buiten staan, keek op naar het bord en zei: 'O ja? Wat staat er nu?'

Ik las het voor en ze zei glimlachend: 'Er staat percies wat ik wou dat er stond, jongen. Dank je wel, hoor. En jij ook bedankt, Leroy, voor je goede werk. Wat zijn die figuren in de hoeken mooi, zo deftig! O, voor ik het vergeet.' Ze ging haar huis weer in. Ik dacht dat ze geld haalde om meneer Leroy te betalen, maar toen ze terugkwam had ze een mooi gefiguurzaagd kistje in haar handen.

Ze stak haar hand in haar schortzak en gaf me een hele stuiver! Ze had me geld gegeven omdat ik woorden op papier had gezet!

Ik klemde het geld in mijn vuist en zei: 'Dank u wel!' Maar nog voor ik het in mijn zak had gestopt kon ik ma en pa al horen mopperen.

Ik deed mijn vuist open en wou de stuiver aan vrouw Holton teruggeven. 'Ik mag nooit geld aannemen, mevrouw,' zei ik.

Ze vouwde haar hand om mijn vingers zodat de stuiver weer in mijn vuist zat geklemd.

'Elia, ik sta erop. Als je hem niet aanneemt gooi ik hem in de tuin. Ik zeg wel tegen je ma dat ik je gedwongen heb.'

Dat was machtig mooi! Ma en pa vonden geld weggooien vast nog ergerder dan het als beloning voor een gunst aannemen, dus hoefde ik me nergens zorgen om te maken!

Toen keek vrouw Holton naar meneer Leroy en zei: 'En dit is voor jou.' Ze gaf hem het houten kistje.

Meneer Leroy trok rimpels in zijn voorhoofd en zei toen: 'Zuster, het is aardig van je om me dat kistje te geven. 't Is een mooi ding. En gezien je verlies zou ik zeggen dat we kiet staan, maar voortaan kan ik met niks anders genoegen nemen dan geld. Ik wil niet bot doen, hoor, da's mijn bedoeling niet, maar omdat je zelf ook in het ouwe land iemand had die nog in slavernij leefde, begrijp je me vast wel.'

Vrouw Holton zei: 'Ik begrijp het. Hier. Maak open.'

Meneer Leroy nam het kistje aan, deed het deksel eraf en hij en ik hielden allebei onze adem in van schrik, alsof we in een vat koud water werden gegooid.

Zijn handen begonnen te beven, het zweet brak hem uit en hij keek alsof hij erge buikpijn had. Hij greep naar zijn linkerarm en fluisterde toen: 'Mens! Wat is dat?'

Vrouw Holton zei: 'Het is tweeëntwintighonderd dollar in goud, Leroy. Ik wou John Holton ermee vrijkopen. Jij hebt het nu harder nodig dan ik.'

Meneer Leroy was met stomheid geslagen. Zijn benen begaven het en hij zakte in elkaar op vrouw Holton haar veranda. Hij zei: 'Daarmee krijg ik mijn vrouw en allebei m'n kinderen. Ik... ik... ik ken het niet afslaan...'

'Je mag 't geeneens afslaan.'

Ze ging naar hem toe en hij sloeg z'n armen om haar benen als een drenkeling die zich bij een overstroming vastklemt aan een boom.

Hij mompelde aan een stuk door: 'Ik ken het niet afslaan, ik ken het niet afslaan...'

't Was vreselijk om te zien. Alsof er een geweer was afgevuurd ging de grote jongen, die ik de laatste tijd was geweest, op de vlucht als een angstig hert in het bos en maakte weer plaats voor het over-gevoelige joch van eerst. Die sterke, taaie meneer Leroy zien huilen gaf me het gevoel dat de hele wereld op z'n kop stond.

Voor je 't wist waren we alle drie aan het janken op vrouw Holton haar veranda. Ze trok me tegen zich aan en we waren potdommes niet om aan te zien zo zielig.

Meneer Leroy zei: 'Zuster Emeline, ik heb al elfhonderdtweeënnegentig dollar en vijfentachtig cent gespaard. Dit heb ik niet allemaal nodig, maar ik zweer je dat ik het zal terugbetalen, ik zweer het. En jij hoeft je hele leven niet meer bang te zijn dat er op jouw land werk blijft liggen.'

Meneer Leroy veegde geeneens z'n tranen weg. Hij huilde en begon tegelijkertijd te lachen. 'Kon je Zekial maar eens zien, m'n oudste! Het was een flink uit de kluiten gewassen knaap toen ik hem vier jaar terug voor het laatst zag en nu zal-ie vijftien zijn, en 'n boom van een vent! Hij en ik zullen alles voor je doen wat je wilt, dame, ik zweer het! We betalen je tot op de laatste cent terug! Dank je wel hoor, dank je wel...'

Vrouw Holton zei: 'Ik geloof meteen dat je me wil terugbetalen, maar als ik de Vrijheidsklok hoor luien als je vrouw en kroost in Buxton aankomen is dat beloning genoeg.'

Ze snufte in de zakdoek in haar hand en zei: 'Elia, lees nog 's voor wat die woorden voor me zeggen.'

Ik had er zo lang op gezwoegd dat ik geeneens hoefde te kijken om het bord boven vrouw Holton haar deur te lezen. Ik slikte de snotterigheid in mijn neus weg en zei uit m'n hoofd wat er op het bord stond:

UIT LIEFDE VOOR MIJN MAN
JOHN HOLTON
GESTORVEN OP 7 MEI 1859
MAAR LEVEND IN ONS HART.
HET LICHAAM MOEST HET OPGEVEN.
DE KRACHT VAN BINNEN
BLIJFT EEUWIG BESTAAN.

Ze zei: 'Zo is het maar net, Elia. Jongen, wat je zegt is de zuivere waarheid.'

Ik geloof dat we alle drie dachten dat de andere twee pas ophielden met janken als we uit mekaar gingen. Vrouw Holton maakte zich als eerstes uit ons huilende groepje los, omdat haar twee dochtertjes kwamen kijken wat er aan de hand was en het ook op een janken zetten. Ze gaf mij en meneer Leroy een kus op ons hoofd en deed toen zacht de deur dicht.

Ik vertrok als tweedes. Het werd al laat en ik wou geen ruzie met ma, en ik liet meneer Leroy achter zoals hij daar op een tree van de trap zat met zijn gezicht tegen dat kistje gedrukt.

Ik rende in één ruk door naar huis om ma en pa het goede nieuws te vertellen!

De predikant komt langs

De volgende ochtend werd er op onze voordeur geklopt. Ik hoorde pa tegen meneer Leroy zeggen dat-ie binnen moest komen, en ik ging gedag zeggen.

'Morgen, pa. Morgen, meneer Leroy.'

'Morgen, Elia,' zeien ze tegelijkertijd.

Meneer Leroy hield zijn pet in zijn hand en stond erbij alsof hij door vier rattengangen was gesleurd. Hij zei tegen pa: 'Spencer, ik mot iets met je bespreken.'

Pa zei: 'Li, je mag weg.'

Meneer Leroy zei: 'Nee, Spencer, Li en ik werken samen. De jongen houdt zich alsof-ie al groot is, dus ik hoop dat je het goedvindt als-ie erbij blijft.'

Al word ik vijftig, dan nog zal ik me dat altijd herinneren, die eerste keer dat ik groot werd genoemd! Ik had nog wel gedacht dat 't minstens een half jaar of langer zou duren voor ik dat mocht beleven!

'Jij je zin, Leroy,' zei pa. Hij ging op de schommelstoel zitten en wees naar de zachte stoel vlak voor me.

'Heb Elia al verteld wat er allemaal gebeurd is?' zei meneer Leroy.

Pa zei er geen ja of nee op. Hij liet de stoel zacht schommelen en zei: 'Hoe bedoel je, Leroy?'

Ik was ineens heel trots op pa. Pas toen meneer Leroy ernaar vroeg viel me in dat ik het misschien niet aan ma en pa had mogen vertellen. Misschien schaamde meneer Leroy zich wel als ik liep rond te vertellen dat-ie vrouw Holton haar goud had aangenomen. Maar pa liet niet merken dat ik m'n mond voorbij had gepraat.

'Het maakt me anders niks uit als hij het wél verteld had, Spencer,' zei meneer Leroy. 'Jullie voeden de jongen goed op en ik weet dat-ie graag kwebbelt, maar roddelen doet-ie niet. Er zijn nu eenmaal dingen die kinderen hun ouders motten vertellen.'

Dat hele groot-zijn was stukken moeilijker dan het leek. 't Was me een compleet raadsel hoe pa wist dat-ie niet moest zeggen dat ik het gezegd had, en hoe meneer Leroy wist dat ik daar over in zat!

Meneer Leroy zei: 'Vrouw Holton heb me genoeg geld geleend om m'n vrouw en kinderen te kopen, Spencer.'

'Dat is machtig mooi nieuws, Leroy,' zei pa.

Toen verknalde meneer Leroy al dat groot-zijn voor me door te hakkelen: 'Ja, maar ik weet niet hoe... hoe ik ooit... hoe ik ooit van m'n leven...' en 't was weer janken geblazen. Hij drukte z'n pet tegen z'n gezicht en snikte het uit. En ik mag 't heen en weer krijgen als ik niet prompt mee ging doen.

Pa keek naar me en knikte in de richting van m'n kamer. Ik ging de kamer uit en liet me niet meer zien, maar ik was dicht genoeg in de buurt om af te luisteren. Meneer Leroy had tenslotte zelf gezegd dat ik me gedroeg alsof ik al groot was, en ik weet dat grote mensen niks liever doen dan anderen afluisteren.

Pa zei geen woord. Ik hoorde de schommelstoel in hetzelfde ritme kraken op de vloer als voordat meneer Leroy in snikken uitbarstte. Pa wachtte gewoon tot meneer Leroy weer bij zinnen kwam.

Na een tijdje zei meneer Leroy: 'Let er maar niet op, Spencer. Ik heb vannacht geen oog dichtgedaan, m'n gedachten raasden vijf verschillende kanten tegelijk op. Nu ik weet dat m'n gezin komt, lijkt het wel of m'n hoofd me wil kwellen met al 't verschrikkelijks dat er nog gebeuren kan.'

'Geeft niks, Leroy. Het is een slopende tijd voor je,' zei pa.

Onder het praten trilde meneer Leroy z'n stem alsof hij op het paardenkarretje over een slechte weg reed. Hij zei: 'Ik heb vier jaar lang dag en nacht gewerkt. Vier jaar. Ik rekende erop dat ik zo nog twee jaar door moest gaan voor ik genoeg geld had, Spencer. Ik wou Zekial als eerstes kopen, dan net zo lang met hem werken tot we ook m'n vrouw en dochter konden kopen, maar met vrouw Holton haar geld wordt het allemaal anders. Ik weet niet wat me overkomt. Ik weet niet aan wie ik mot vragen of-ie voor me wil regelen dat m'n gezin daar weg kan. Spreek jij nog wel eens lui van de Underground Railroad?'

'Leroy, we komen er wel uit,' zei pa. 'Ik ga met mensen in Chatham praten om te kijken wat we kennen doen. Maak je geen zorgen, we komen er wel uit.'

Ineens hoorde ik de stem van de predikant door de hordeur komen. 'Spencer? Ik zag de deur openstaan. Zijn jullie al op?'

Pa sprong van de schommelstoel en ging naar de deur.

'Morgen, Zeph,' zei hij.

Pa liep de plaats op en trok de deur dicht. Ik kon niks horen van wat ze allemaal zeien.

Even later riep meneer Leroy: 'Zeg Spencer, mag-ie niet binnenkomen?'

Pa en de predikant kwamen de woonkamer in.

'Hé Leroy, goeiemorgen. Ik miste vanochtend het geluid van je bijl al, ik dacht dat je misschien een dag vrijgenomen had.'

Meneer Leroy zei: 'Nee, Zepharia. Het is een machtig mooie dag. Ik heb het geld om m'n gezin te kopen.'

'De Heer zij geprezen!' riep de predikant uit. 'Dan is het zéker een mooie dag. Vandaar dat je er zo ontdaan uitziet.'

'We zaten te bespreken hoe we m'n gezin daar het beste weg kennen krijgen,' zei meneer Leroy.

'En wat hebben jullie besloten?' vroeg de predikant.

'Ik ken mensen in Chatham die het kennen regelen,' zei pa.

'Toch niet die jongens van Abrams?' vroeg de predikant.

'Ja, toevallig wel,' zei pa.

'Je loopt achter met het nieuws, broeder Spencer. Hun pa in New York is ziek geworden en ze zijn ongeveer een half jaartje geleden terugverhuisd.' De predikant slaakte een diepe zucht en zei: 'Dan is het maar afwachten tot er weer mensen van de Railroad langskomen. Dat is al een tijdje geleden, dus erg lang zal het niet meer duren. Op z'n hoogst een maand of drie, vier.'

Meneer Leroy dacht vast hetzelfde als ik: drie of vier maanden duurde net zo lang als drie of vier jaar! Ik hoorde zijn stoel over de vloer schrapen toen-ie opsprong.

'Zo lang ken ik niet wachten! Het mot eerder kennen,' zei hij.

'Ik weet niet, Leroy, je hebt er zo lang op motten wachten. Iets langer is wel zo verstandig om het goed te regelen,' zei pa.

'Drie, vier hele maanden? Dank je feestelijk! Dat is veels te lang! Ik heb er niks van gezegd, tegen niemand niet, en beloof me dat het onder ons blijft, maar ik voel me dit hele jaar al niet zo lekker. Het lijkt wel of ik iets onder de leden heb waar ik niet vanaf kan komen. Ik zeg je eerlijk, Spencer, ik weet geeneens of ik nog wel drie, vier maanden heb.'

De predikant lachte en zei: 'Broeder Leroy, je werkt gewoon veel te hard. Je bent zo sterk als een os. Een zieke kan echt niet zo met een bijl zwaaien als jij.'

Meneer Leroy zei: 'Zepharia, ik ken niet langer wachten. Als jij nou eens mee wou, dan ken ik misschien naar Amerika gaan, naar Detroit, en daar m'n licht opsteken. Daar zitten blanken die met deze dingen helpen.'

'Leroy, ik denk niet...' begon pa.

'Zeg, weet je wat?' onderbrak de predikant hem. 'Nu je het toch over Michigan hebt, schiet me opeens een houthakkersdorpje te binnen, op nog geen uur van Detroit. Daar woont de blanke die vrouw Lewis heeft geholpen haar man vrij te kopen uit Zuid-Carolina. Ik ken hem persoonlijk. John Jarvey, een machtig goede blanke.'

'Dat weet ik nog!' zei meneer Leroy. 'Zo'n jaar of vier terug! Woont-ie er nog?'

'Leroy, ik ben twee maanden geleden nog bij hem thuis geweest, heb nog bij hem gegeten. Ik was van slag door je nieuws, anders had ik wel meteen aan hem gedacht. En hij houdt zich nog altijd bezig met het vrijkopen van mensen. Regelt-ie zelf. Hij doet of hij slaven koopt voor z'n eigen plantage en laat ze dan snel naar Michigan verdwijnen!'

Meneer Leroy zei: 'Dat is nou net m'n grootste angst. Als massa Dillon erachter komt dat ik het ben die m'n gezin koopt, verdubbelt-ie vast de prijs of weigert vierkant ze te laten gaan! Zepharia, je verhoort m'n gebeden!'

'Welnee, Leroy, het moest gewoon zo zijn,' zei de predikant. 'De Heer knoopt alle losse eindjes aan mekaar voor je. Hij beloont je voor je goede werk. Hij vindt gewoon dat je het hebt verdiend.'

Pa had al die tijd niks gezegd. Maar toen ik de predikant 'verdiend' hoorde zeggen, wist ik dat pa er ronduit tegen zou zijn.

Volgens pa hoort 'verdiend' ook bij ratelslangentaal, van die slijmwoorden die altijd gevolgd worden door gemeen gif.

'Zepharia, weet jij een manier om die man te vragen het voor me te regelen?' vroeg meneer Leroy.

De predikant zei: 'Nou doe je me te kort, Leroy. Dat hoef je toch niet te vragen? Dacht je dat ik niet allang stond te bedenken hoe ik m'n eigen bezigheden kan verzetten om het meteen voor je in orde te maken?'

'Het was niet kwaad bedoeld, Zeph. Ik heb geen oog dichtgedaan en ik ben op van de zenuwen,' zei meneer Leroy.

'Dat snap ik,' zei de predikant. 'Maar je beseft wel dat meneer Jarvey onkosten moet maken, hè?'

'Hoeveel mot die man hebben, Zeph? En hoeveel heb je zelf nodig voor je moeite?'

De predikant zei: 'Ikzelf wil er niets voor hebben. Ik zou nog geld toeleggen om mee te mogen maken dat je gezin bij het gebeier van de Vrijheidsklok de kolonie binnen komt lopen. En meneer Jarvey is een waarachtig goeie blanke, die nooit een cent meer van de mensen vraagt dan het hemzelf moet kosten. Helemaal precies weet ik het niet, maar ik zou denken dat ik honderd dollar bij me moet hebben voor zijn onkosten, plus het bedrag dat nodig blijkt om je gezin te kopen.'

Ik zag zo de predikant voor me toen-ie ineens schreeuwde: 'De Heer zij geloofd, ik heb in geen jaren zulke mooie woorden gehoord als "je gezin kopen", broeder Leroy!' Ik wist dat-ie z'n armen boven z'n hoofd strekte en ermee naar het plafond wapperde.

Pa had nog steeds niks gezegd, maar ik kon zowat hóren dat-ie z'n wenkbrauwen optrok toen het gepraat verder en verder ging.

Meneer Leroy vroeg: 'Kennen we meteen beginnen?'

'Ik ga nu m'n bezigheden in Chatham verzetten,' zei de predikant. 'Als jij alles bij elkaar hebt, kan ik vanmiddag nog weg, of op z'n laatst vroeg in de avond.'

'Ik heb nog 'n extra spaarcentje, Zeph. Ik vraag niet van je dat je 't voor niks doet,' zei meneer Leroy.

De hordeur ging open en de predikant riep nog naar binnen: 'Ik ben niet van plan om van andermans ellende te profiteren, zeker niet van iemand die ik zo hoog acht als jij, Leroy. Ik ga kijken of ik een paard kan lenen bij broeder Segee. Hoe eerder we van start gaan, hoe eerder we de Vrijheidsklok horen luiden!'

Ik liep de zitkamer weer in en pa zei niet dat ik weg moest gaan. Hij begon meteen tegen meneer Leroy aan te praten.

'Leroy, je loopt veels te hard van stapel! Kijk toch uit. Het is een heleboel geld waarmee je je gezin wilt kopen, en soms doen mensen de gekste dingen voor geld.'

'Te hard van stapel?' zei meneer Leroy. 'Ik wacht al vier jaar op deze dag, Spencer, vier jaar! Dan ken je niet zeggen dat ik hard van stapel loop. Zeph heeft gelijk, de losse eindjes worden nooit voor niks aan mekaar geknoopt. Er steekt iets goeds achter, iets wat alle slechtigheid recht wil zetten.'

'Toch raad ik je aan uit te kijken,' zei pa. 'Ik wil niemand in een kwaad daglicht stellen, maar wat weten we helemaal van Zepharia? Hij mag z'n eigen dan predikant noemen, maar ik heb nooit iets heiligs aan de man kennen ontdekken. Jij wil hem de geldwaarde van vijf, zes jaar in handen geven. Iedereen zou dan machtig in de verleiding komen...'

'Soms mot je gewoon vertrouwen hebben, Spencer. Soms mot je in het goeie geloven,' zei meneer Leroy.

'Ik heb het over wat we met onze eigenste ogen zien, over wat we weten, en niet over wat we geloven,' zei pa. 'We weten dat Zeph niet in de kolonie woont, we weten dat-ie geen vast werk heeft, we weten dat-ie soms tijdenlang verdwijnt. Hij loopt altijd rond met dat pistool van honderd dollar en God mag weten waar-ie 't vandaan heb, we weten dat-ie zo sluw als een vos is, en we weten dat-ie jong is, erg jong. Er mot nog heel wat opgehelderd worden voor je hem al dat geld en al die verantwoordelijkheid geeft.'

'Ik hoor je wel, Spencer, maar ik zeg al, soms mot je in 't goeie geloven,' zei meneer Leroy.

'Geloven heb er net niks mee te maken,' zei pa. 'Het gaat er meer om dat je zo naar je gezin verlangt dat je niet helder ken denken. Smeken ligt niet in m'n aard, maar nu smeek ik jou om er goed over na te denken en niks halsoverkop te doen. Zeph zet er véels te veel vaart achter.'

'Ik heb toch al gezegd dat ik niet veel tijd meer heb,' zei meneer Leroy. Hij keek naar mij en vroeg: 'Eli, jij kent Zepharia. Is-ie te vertrouwen?'

Voor ik kans kreeg antwoord te geven, zei pa er bovenop: 'Het is niet aan de jongen om daarover te oordelen, Leroy. Hij is nog maar elf. Hij ken niet in andermans hart kijken.'

Meneer Leroy stond op en zei: 'Mijn besluit staat vast, Spencer. Ik snap dat je doet wat je denkt dat goed is en ik waardeer je bezorgdheid, maar ik ken gewoon niet anders.'

Pa stond ook op en maakte een beweging alsof-ie meneer Leroy de weg wou versperren.

Ze keken mekaar strak aan. M'n adem stokte ervan.

Na een hele tijd zei pa: 'Goed dan. Maar laat me dan tenminste één ding doen, iets waardoor ik er geruster op ken zijn.'

'Ik luister alleen als het geen tijd gaat kosten,' zei meneer Leroy.

'Ik vraag je om Zeph niet in z'n eentje met al dat geld op pad te sturen. Er mot iemand met hem mee, iemand die we allemaal vertrouwen,' zei pa.

Meneer Leroy dacht even na en zei: 'Dat lijkt me niet verkeerd. Wie?'

'Jij en ik kennen niet mee,' zei pa. 'We hebben geen papieren en in Michigan stikt 't nog van de slavenjagers. Maar Theodore Highgate heeft z'n vrijlatingbewijs, z'n hand is nog niet helemaal genezen en zwaar werk ken-ie niet doen. Laten we 't hem vragen.'

'Goeie keus,' zei meneer Leroy.

Pa deed de hordeur open en ging naar buiten om z'n schoenen aan te trekken. Hij zei: 'Wacht hier op me, Leroy. Ik ben zo terug. Beloof me dat je niks doet tot ik terug ben.'

'Ik wacht, Spencer. Als je maar opschiet.'

Pa holde weg naar het huis van de Highgates.

Meneer Leroy ging weer zitten en zei tegen me: 'Elia, misschien heb je pa wel gelijk. Misschien mot ik Zeph niet blind vertrouwen.'

Hij greep m'n armen beet, keek me strak aan en vroeg: 'Jij trekt meer met hem op dan zowat ieder ander die ik ken. Denk je dat-ie m'n geld zou pikken?'

Daar vroeg-ie me wat. Met zo'n grotemensenvraag gaf meneer Leroy me veel respect en verantwoordelijkheid, en dan kon ik niet zomaar wat antwoorden. Ik mocht geen woord verkeerd zeggen en moest goed nadenken.

Ik dacht aan alle rare dingen die de predikant had uitgehaald, dingen die nergens op sloegen. Ik dacht eraan hoe-ie me m'n vis had afgetroggeld, hoe-ie me gekmakende verhalen over net vrije mensen had verteld, hoe-ie me op reis had willen sturen met ridder Charles, de goochelaar. Het kwam allemaal terug. Maar hij had toch ook een heleboel goeie dingen gedaan. Zoals het bevrijden van de échte MaWee, en het zoeken naar slavenjagers in de bossen, en hoe-ie iedereen in Buxton had verteld dat Jezus me een gave had geschonken. Dat moest toch wel betekenen dat-ie echt 'n goed hart had.

Er was toch zekers niks slechterders dan geld jatten dat bedoeld was om iemand z'n gezin uit de slavernij vrij te kopen? Ik had de predikant heus wel eens rottigheid zien uithalen, maar wie zou nou ooit zoiets slechts en gemeens doen?

Hij wist hoe keihard meneer Leroy er altijd voor had gewerkt, en de predikant was echt niet zo'n kwaaie dat-ie hem zoiets laags en gemeens zou aandoen. Dan moest je wel een duivel zijn, en de predikant had dan wel een karrenvracht aan onhebbelijkheden, maar niemand kon beweren dat-ie geen mens was.

Meneer Leroy schudde aan m'n armen en vroeg: 'Denk je dat die man m'n geld zou pikken, joh?'

'Nee,' zei ik toen. 'Nee, ik denk dat de predikant dat nooit zou doen. Nooit niet.'

Meneer Leroy zei niks meer. Hij liet me los en keek uit het raam.

't Duurde niet lang of pa kwam binnenstormen. Hij zei: 'Theodore zegt dat 't hem een eer zal zijn om te helpen jouw geld naar Michigan te brengen.'

Meneer Leroy, pa en ik schudden mekaar allemaal de hand.

Ik hoorde een paard in galop aankomen en rende naar de plaats.

De predikant reed op Champion en hield vlak voor ons huis de teugels in.

'Broeder Leroy er nog, Elia?' vroeg hij.

'Ja, hij is binnen.'

Pa en meneer Leroy kwamen de plaats op.

De predikant zei: 'Broeder Leroy, pak jij het geld in. Ik ben zo terug. Dit paard bespaart me veel tijd.'

Pa zei: 'Ho even, Zeph. Theodore Highgate gaat met je mee naar Michigan.'

Even zag ik iets vonken in de predikant z'n ogen, maar hij zei: 'Mij best. Ik vind het goed, al zal het wel tijdverlies opleveren.'

Meneer Leroy zei: 'Ik heb gewikt en gewogen, Zeph, en 't is wel zo best als jullie allebei over al dat geld waken. En jullie kennen mekaar beschermen.'

De predikant sprong van Champion z'n rug en zei: 'Is dat het enige waar je over inzit, Leroy? Want als je in de zenuwen zit over mij en dat geld, mag voor mijn part heel Buxton meekomen. Ik wil niet dat je je ook maar een greintje zorgen maakt. Ik wil dat je me met een gerust hart laat gaan.'

De predikant gespte z'n deftige holster los. Hij deed hem af en stak het ding met mysteriepistool en al uit naar meneer Leroy.

'Hier,' zei-ie. 'Het kost natuurlijk lang niet zo veel als wat jij voor je gezin betaalt, en het haalt het niet bij hoe dierbaar zij zijn, maar je weet hoe belangrijk dit pistool voor me is. Jij bent de eerste die het mag aanraken sinds ik het heb. Je weet dat ik altijd terug zal komen om het op te halen.'

'Dat is nergens voor nodig, Zeph. Ik vertrouw je,' zei meneer Leroy.

De predikant duwde hem het boeltje in handen en zei: 'Ik jou ook. Ik vertrouw erop dat je het voor me bewaart tot ik terugkom met het prachtnieuws dat de bal aan het rollen is.' De predikant glimlachte. 'Ik vertrouw er ook op dat je mijn pistool niet in het water laat vallen.'

Meneer Leroy zei: 'Zeph, je hoort mij niet zeggen dat ik het gebaar niet waardeer, maar ik voel me er beter bij als je gewapend bent met al dat geld bij je.'

De predikant trok z'n vestje open, liet meneer Leroy het ouwe pistool zien waarmee-ie me een keer had laten schieten en zei: 'O, maak je geen zorgen, broeder Leroy. Ik ga echt niet zonder voorzorgsmaatregelen de slangenkuil in.'

'Nou, als 't zo staat, Zeph, maak dan dat je vlug terugkomt. Ik zorg wel dat je pistool niet in de buurt van water komt,' zei meneer Leroy.

De predikant zei tegen pa: 'Zeg tegen broeder Theodore dat ik tegen het middaguur weer hier ben. Hij moet meneer Segee om een sterk paard vragen. Het wordt een zware rit.'

De predikant sprong weer op Champion en roffelde de weg af naar Chatham.

Pa keek hem na en zei: 'Ik wou dat 't anders was, maar 't zit me helemaal niet lekker.'

Slecht nieuws uit een dorpje in Amerika

Nooit kruipt de tijd zo langzaam als wanneer je wacht op iemand die met nieuws moet komen. Het bericht dat meneer Leroy zijn familie kon kopen was rondgegaan, en als hij en ik hard aan het werk waren om vrouw Holton haar land kaal te kappen, kwamen er steeds mensen naar ons toe om hem te feliciteren en het beste te wensen.

Meneer Leroy werkte niet slomer en niet sneller terwijl we op bericht van de predikant en meneer Highgate wachtten. Net als anders zwoegde hij tussen de bomen en maakte-ie z'n muziek, en hij hield alleen pauze om mensen die langskwamen te vragen of er al nieuws was. Als ze nee zeien, bleef-ie beleefd maar zwaaide er meteen weer op los met z'n bijl.

Nadat er vier dagen waren omgekropen kwam het idee opzetten dat er iemand naar dat dorpje in Michigan moest om te kijken of het daar wel goed ging. Iedereen was ongerust, maar niemand zei 't hardop.

Op de vijfde dag na het vertrek van de predikant en meneer Highgate waren ik en Old Flap aan het steenvissen in ons geheime meer. Ik had een pracht van 'n baars doodgegooid en haalde hem net in toen Old Flap met dat gesnuif van hem liet merken dat er iemand in de buurt was.

Ik had geen oog meer voor de baars en keek op. Ik hoorde Cooter in de verte m'n naam roepen.

'Cooter! Hiero!'

Hij kwam naar me toe hollen en moest eerst op adem komen voor hij kon uitbrengen: 'Highgate... wordt met een wagen... uit Windsor gebracht!'

'*Gebracht?*'

'Uh-uh. Vreemden... uit Windsor... hebben hem op een wagen gelegd.'

'Waarom rijdt hij niet op Jingle Boy?'

'Weet ik niet, Eli. Ze zeggen dat er een paard achter de wagen loopt.'

'Waar is hij nu dan?'

'Zo'n half uur buiten Buxton, zeien ze. Maar dat was voor ik hierheen kwam om jou te zoeken.'

'Hebben ze wat over meneer Leroy z'n gezin gezegd?'

'Er is helemaal niks gezegd. Er kwam alleen een ruiter met het nieuws dat meneer Highgate zwaargewond is.'

Ik zei: 'En waar...'

Cooter kon m'n gedachten lezen. Hij zei: 'De predikant is er niet bij, zeien ze.'

De moed zonk me in de schoenen! Dat kon alleen betekenen dat ze beroofd waren en dat de predikant vermoord of meegenomen was door slavenjagers! Ik moest meneer Leroy gaan zoeken om hem 't nieuws te vertellen. Maar toen ik er even over nadacht, vond ik dat ik hem eigenslijks helemaal niks te zeggen had. Ma zegt altijd: 'Geloof weinig of niks van wat je hoort en nog niet de helft van wat je ziet.' Dus kon ik maar beter niet naar meneer Leroy rennen met slecht nieuws waarvan ik geeneens wist of het waar was.

Ik zei tegen Cooter: 'Kom op, als we naar de weg hollen zien we die wagen misschien nog voor-ie in Buxton is.'

'Ga jij maar, Eli,' zei Cooter. 'Ik heb me kapot gerend in de bossen om je te zoeken. Ik heb geen asem meer.'

'Rij jij Old Flap dan naar huis, dan probeer ik die wagen voor te zijn. Als je m'n visspullen meeneemt, mag je twee baarzen houen. Breng de rest naar m'n ma.'

Ik was de bossen nog niet uit of ik zag verse sporen van wagenwielen. Ze moesten al voorbij zijn. Ik holde het bos weer in om te proberen ze verderop af te snijen. Pal na de eerste bocht hoorde ik ergens voor me uit een wagen, en ik rende verder door het bos naar het punt waar ze langs moesten.

Nog geen minuut later zag ik twee paarden een grote wagen trekken, en achter de wagen liep Jingle Boy.

Ik zwoei.

De koetsier hield de paarden in en zei: 'Ga je naar Buxton, joh?'

'Ja, maar ik zoek...'

Een hand klemde zich om de zijkant van de wagen. Het hoofd van een man kwam boven de rand uit en de man zei: 'Ben jij dat, Elia?'

Het moest meneer Highgate wel zijn, maar eerst herkende ik hem geeneens.

Hij zei: 'Ik ben het, jongen.'

M'n hart draaide zich om en m'n maag kromp ineen. Het was hem écht, maar hij leek van geen kanten meer op de man die vijf dagen terug was vertrokken.

Ik voelde m'n knieën slap en bibberig worden, alsof ik maar zo naast de wagen in mekaar kon zakken.

De koetsier stak z'n arm uit en trok me naast hem op de bok.

Ik keek achterom naar meneer Highgate.

Zijn linkeroog was open, maar z'n rechteroog was opgezwollen en zat dicht. Er liep zo'n kaarsrechte snee over z'n voorhoofd dat het leek alsof iemand met een mes een streep langs een liniaal had getrokken. De snee was gaan zweren en er zat verbandgaas op, maar de pus lekte onder de randen uit.

Meneer Highgate stikte zowat toen-ie wou praten. Hij zei: 'Hij heb me neergeschoten. Hij heb me neergeschoten.'

Het klonk geeneens opgewonden, bezorgd, bang of kwaad, wat je zou verwachten van iemand die neergeschoten is, maar hij zei 't meer verbaasd, alsof-ie 'n gebed opzei. Alsof-ie vond dat-ie het moest blijven zeggen om te kunnen bevatten wat er was gebeurd.

'Elia, hij heb me neergeschoten. Hij wou m'n kop eraf schieten.'

De koetsier zei: 'Hij slaat aldoor wartaal uit. Mompelt maar door over ene Zepharia.'

Ik klom in de bak en legde meneer Highgate z'n hoofd op m'n schoot.

We waren al zowat in Buxton toen een hele horde grote mensen ons tegemoet kwam rennen. Pa ging voorop.

'Pa!'

Pa sprong op de wagen, bekeek meneer Highgate en riep naar meneer Segee: 'Clarence, rij vlug naar Chatham en haal de dokter. Hij is neergeschoten.'

Meneer Segee holde naar Buxton terug.

'Wat is er gebeurd, Theodore?' vroeg pa.

Meneer Highgate zei: 'Spencer, ik heb Leroy in de kou laten staan. Ik heb m'n best gedaan, maar ik kon hem niet tegenhouen. Ik zweer dat ik 't heb geperbeerd, maar hij heb me neergeschoten!'

'Kalm aan, Theo. Vertel wat er gebeurd is,' zei pa.

Meneer Highgate zei: 'Alles liep mis. Er rustte een vloek op vanaf dat we Canada uit waren. Meteen al op de veerboot naar Michigan begon Zeph raar te doen. Eerst haalde-ie dat ouwe pistool dat-ie jullie liet zien uit z'n vest en vroeg-ie of ik het wou bewaren. Je weet dat ik niks van pistolen mot hebben, Spencer, en ik zei dus "nee bedankt, ik heb me geweer. Daar heb ik genoeg aan."

Zegt-ie: "Dan moet je 't zelf weten." En geloof of 't niet, gooit-ie dat ouwe ding zo in de Detroitrivier!

Waarom doet je dat, vraag ik. Zegt-ie dat-ie dat ding kan missen, want dat-ie iets beters heb. Trekt-ie me daar uit z'n zadeltas percies zo'n pistool en holster als-ie aan Leroy in bewaring gaf, percies zo! Ik wist op slag dat al die praatjes over die blanke tweeling die-ie vermoord heb geen geklets is, maar de zuivere waarheid!'

Pa trok 'n gezicht alsof hem net verteld was dat-ie bij zonsopgang doodgeschoten ging worden. Hij zei alleen: 'Aiii!'

Meneer Highgate zei: 'Koud hebben we de paarden van de veerboot af of-ie doet of-ie me niet kent. Wil geen stom woord tegen me zeggen. Houdt z'n eigen doof voor alles wat ik vraag. En zo sukkelen we verder naar dat houthakkersgat. Ik voel nog geen gevaar, je weet dat-ie wel vaker raar kan doen. Ik denk nog dat-ie zich door niks of niemand laat afleiden van het praatje dat-ie met die blanke daaro gaat maken. Tegen beter weten in denk ik dat 't wel goed komt.

Eenmaal in dat gat zegt-ie dat het te laat is om nog bij die blanke aan te komen, dat we tot de ochtend motten wachten. En nog voel ik de bui niet hangen. We houen halt in een steeg en ik spreid een deken uit om wat te rusten.

Ik ken de slaap niet vatten, dus leg ik wat te leggen met m'n ogen dicht. Paar uur later zie ik Zeph heel stilletjes weggaan met die hele zak met Leroy z'n geld en goud. Ik roepen, en hij zegt dat daar ergens gegokt wordt, en als-ie met Leroy z'n geld drie slaven ken vrijkopen, gaat-ie het dubbele bij elkaar gokken zodat-ie er zes kan kopen!

Ik kijk hem aan met zo'n blik van: ben jij gek, aan die onzin beginnen we niet. "Is zes mensen bevrijden dan niet beter dan drie?" vraagt-ie.'

Meneer Highgate zuchtte en ging verder: 'Spencer, de kouwe rillingen liepen me over de rug! "Niks ervan, Zeph," zeg ik, "er gaat niet gegokt worden met dat geld." Hij lacht en zegt: "Maak je niet dik, er komt geen geluk bij kijken als ik kaart." En ik weer: "Als 't aan mijn leg wordt er helemaal niet gekaart," en ik grijp m'n geweer en richt op z'n knie.

Kijkt-ie me toch aan, zo glashard als een slang, alsof hij geen tel gelooft dat ik 't meen. Zeg ik: "Je laat dat geld en goud hier, want anders komen wij deze steeg niet uit zoals we erin zijn gegaan." Hij lacht weer en zegt: "Jij weet niet half hoe moeilijk het is iemand dood te schieten." En ook nog: "Je hebt er het lef niet voor." En hij trekt dat pistool en houdt het langs z'n lijf.'

Een korte stilte. 'Wat moest ik?' zegt meneer Highgate dan. 'Ik neem z'n knie op de korrel zodat-ie weet dat 't menens is. Maar hij staart me alleen strak aan en heft langzaam dat pistool. Ik ken aan niks anders denken dan aan al die jaren dat Leroy z'n eigen heb afgebeuld en dat we Zeph nooit meer terugzien als ik hem met dat goud laat lopen.'

Pa zegt: 'Heremijntijd, vandaag...'

'Hij had gelijk, ik had nog nooit van m'n leven een man op de korrel genomen, Spencer,' zei meneer Highgate.

Pa zei: 'Niemand zal 't je kwalijk nemen dat je niet geschoten hebt, Theo.'

'Zo leg 't niet. Ik wou 't doen!' zegt meneer Highgate. 'Ik richt m'n geweer, haal de trekker over en...'

Ik en pa hielden onze adem in.

'...en er gebeurt niks. Alleen een harde klik. Ik heb nog nooit van m'n levensdagen zoiets vreselijks gehoord. Ik wíst dat ik dat geweer had geladen, en ik snapte op slag dat-ie stiekem de kogels eruit had gehaald. Ik moet ingedommeld zijn en 't niet hebben gemerkt.

Hij krijgt een grijns op z'n gezicht alsof-ie de dood zelf is, en richt dat pistool zo dat-ie pal tussen m'n ogen kan mikken. Ik weet nog dat ik dacht dat ik Leroy had laten barsten. Ik weet nog dat ik dacht dat er alleen rampen van kwamen als die schurk zo'n misdaad kon plegen. Ik weet nog dat ik aan m'n vrouw dacht, maar verders weet ik alleen dat m'n benen onder me worden weggeslagen, en daarna weet ik van niks meer tot er een paar dagen voorbij zijn gegaan.

Als ik bij kom zorgen er vrije mensen in dat houthakkersgat voor me. Een man en z'n vrouw, machtig goeie mensen. Ze waren goed voor me en wouen er niks voor terug.'

Meneer Highgate frummelde in de bovenzak van zijn jas. Hij haalde een stukje papier tevoorschijn en zei: 'Ik heb gevraagd of ze hun naam opschreven zodat ik ze als dank mijn siroop ken sturen. Ze hebben zelfs een wagen geleend om me naar Detroit te brengen, en daar regelden ze met die man hier dat-ie me naar Buxton bracht.'

Hij gaf me het papiertje. Er stonden schots en scheve ruwe letters op: *Benjamin Alston. Wilbur Place 509.*

Het leek of meneer Highgate z'n verstand het begaf. Ik wou het briefje teruggeven, maar hij duwde m'n hand weg en zei: 'Hij heb me neergeschoten. Hij heb me echt neergeschoten.'

Pa zei: 'Bewaar het maar, Elia.'

Ik vouwde het briefje weer op en stopte het in m'n zak.

Pa zei: 'Theodore, denk goed na. Heb je daarna niks meer over Zepharia gehoord?'

'Volgens Alston liep het praatje dat Zeph zat te slempen en te gokken. Het heette dat-ie dik aan 't winnen was en al die blanken daar kaalplukte. Maar ik was niet in staat hem te zoeken, Spencer. Ik vond het maar het beste om terug te komen en Leroy en jullie allemaal in te lichten.' Meneer Highgate begon weer op die verbaasde toon te praten: 'Hij wou m'n kop eraf schieten, Spencer. Hij wou me domweg vermoorden om Leroy z'n geld te stelen!'

Ik wist wel beter. Als de predikant dat echt van plan was geweest, had-ie meneer Highgate z'n kop vierkant van z'n lijf geknald. Het kon de predikant z'n bedoeling niet zijn geweest om hem te vermoorden.

Pa zei: 'Komt er dan nooit een eind aan de ellende? Hoeveel mot een mens kennen verdragen? Houdt 't dan nooit eens op?'

Meneer Highgate zei: 'Breng Leroy bij me, dan ken ik hem alles vertellen.'

'Nee, Theodore, je hebt gedaan wat je kon,' zei pa. 'Ik vertel het hem wel.' Hij keek naar mij en zei: 'Kom jongen, we motten naar vrouw Holton haar land om Leroy in te lichten over deze ellende.'

Ik en pa sprongen van de wagen en liepen in de richting van vrouw Holton haar land. Ik had pa nog nooit zo terneergeslagen gezien. Het was maar beter om helemaal niks te zeggen.

Alsof de bliksem bij me insloeg drong 't opeens tot me door. Alle ellende was aan niemand anders te danken dan aan mij! Als ik niet tegen meneer Leroy had gezegd dat de predikant nooit zijn geld zou stelen, was het nooit zo gelopen! Als ik naar pa had geluisterd en m'n neus niet in grotemensenzaken had gestoken, was het nooit zover gekomen!

Je zou denken dat ik alles maar meteen bij pa had opgebiecht, maar hij liep erbij alsof het z'n dood werd als-ie hoorde dat z'n bloedeigen loslippige zoon de oorzaak van alle narigheid was.

We liepen verder met hangende hoofden als de buik van een dikke slang, en we zeien helemaal niks.

Al vanaf zowat een kilometer ver zagen we meneer Leroy. We

zagen eigenslijks niet meer van hem dan het zonlicht dat terugkaatste van z'n bijl wanneer-ie ermee zwaaide.

Toen we dichtbij genoeg waren om z'n zweet te zien rondspatten en de hakmuziek te horen, riep pa: 'Leroy!'

Meneer Leroy haalde nog één keer uit, sloeg de bijl in de boom en liet hem daar staan. Hij keek naar ons en er hoefde geen woord gewisseld te worden.

Hij kneep z'n ogen even dicht, zuchtte heel diep, ging zitten en zei: 'Ja? Is er wat?'

Pa ging recht op hem af en zei: 'Zeph is er toch met het geld vandoor gegaan, Leroy. Zeph zit het ergens in Michigan te vergokken.'

Meneer Leroy zei helemaal niks.

Ineens werd ik doodangstig. Meneer Leroy trok z'n lippen op in een enge grijns, rukte de bijl uit de boom en tilde hem hoog boven z'n hoofd. Ik wist meteen dat-ie had gesnapt aan wie hij de hele ellende te danken had en me recht doormidden wou hakken!

Deze keer werden m'n benen niet slap en bibberig, maar juist oersterk. Voor-ie die bijl kon laten neerkomen gaven ik en meneer Leroy allebei een schreeuw en holde ik als een speer het bos in. Ik keek om en meneer Leroy had de bijl naar een eik op vrouw Holton haar land gesmeten. Hij beet zowat tien meter hoog in de stam en bleef steken. Toen rende Leroy in de andere richting het bos in.

Ik dacht dat-ie een omtrekkende beweging wou maken om me te vangen en zo snel als ik kon rende ik dieper het bos in.

Ik rende zo hard dat het leek of de bomen een stap opzij deden, alsof ze wisten dat ik ze domweg omver zou lopen als ze in de weg stonden. Ik rende als de wind. Ik voelde en hoorde niks anders dan m'n hart, dat tekeerging alsof het uit m'n borst wou barsten en er tussen m'n oren uitkomen.

De takken van de bomen zwiepten zo rakelings langs dat ik wist dat ik wel flinke striemen moest oplopen, maar ik voelde er niks van. M'n enige zorg was om weg te komen voordat meneer Leroy me met die bijl van hem zou vellen. Ik kon nergens anders aan denken dan dat ik sneller moest rennen dan een mensenwezen ooit gerend had. Ik moet wel een uur gerend hebben.

En snel was ik zeker, maar toch niet snel genoeg.

Opeens was er een hand in m'n kraag, en zonder pardon werd ik van achteren van de grond getild en weer neergegooid.

Ik smakte zo hard en onverwachts tegen de grond dat m'n mond van schrik openviel en ik een hele hap zand en oud dood blad inslikte.

Ik hoopte dat meneer Leroy er niet lang over ging doen om me doormidden te hakken. Ik hoopte dat ik geen tijd kreeg om te schreeuwen en om genade te smeken.

Ik sloeg m'n handen voor m'n ogen en wachtte op m'n dood.

Ontvoerd!

Ik weet niet hoe lang ik opgerold als een bal op de grond heb gelegen voor ik meneer Leroy boven me hoorde. Hij stond zwaar te hijgen en moest wachten tot-ie weer op adem was voor-ie me grondig aan mootjes kon hakken. Ik dacht erover om op te krabbelen en weer de benen te nemen, maar die benen waren zo moe en wankel dat ze alleen nog wouen liggen en hopen dat ze niet als eerstes werden geraakt.

Meneer Leroy kwam op adem en zei: 'Jongen... ben je... gék geworden?'

Het rare was dat praten hem wel machtig veel moeite kostte, maar dat-ie helemaal niet als hemzelf klonk. Hij klonk veel meer als pa.

In plaats van brandhout van me te maken, zei-ie: 'Opstaan jij!'

Het wás pa!

Nog naar adem snakkend zei pa: 'Dat is 't toppunt, dat jij uitgerekend nu buiten zinnen raakt! Wanneer hou je eens op met die flauwekul van wegrennen en leer je stand te houen als 't moeilijk wordt?'

'Maar pa, hij wou me vermoorden!' zei ik.

'Wat?' zei hij. 'Waarom zou Leroy jou in godsnaam willen vermoorden?'

'Hij weet dat 't door mij komt dat het zo is gegaan. 't Is allemaal mijn schuld! Ik heb tegen hem gezegd dat de predikant geen dief was.'

'Praat toch geen onzin!' zei pa. 'Het is helemaal jouw schuld niet, het is niemand z'n schuld. Leroy wou zo graag z'n gezin terug dat-ie niet meer helder kon denken. Niks wat je zei kon hem van z'n standpunt brengen. Laat dat een lesje voor je zijn. Laat je nooit door je verlangens blind maken voor de waarheid. Je mot de dingen altijd bekijken zoals ze zijn, en niet zoals je wilt dat ze zijn.'

Ik wist wel waar pa mee bezig was. Omdat hij en ma nog steeds denken dat ik zo potdommes over-gevoelig ben houen ze me aldoor de hand boven 't hoofd, proberen ze overal steeds zo'n draai aan te geven dat ik me niet naar voel over 'n ontiegelijke stommiteit van me. Maar je wordt vanzelf oud genoeg om door te krijgen wat je gedaan hebt, of 't nou goed of fout is, en niemand kon me wijsmaken dat al dat akeligs niet bij mij was begonnen.

Pa zei: 'Kom, we gaan terug naar de kolonie. Ik mot een vergadering bijeenroepen zodat we er iets op kennen verzinnen om die laffe rotdief te vangen.'

Ik was niet zo stom om m'n mond niet te houen. Pa gebruikt zelden of nooit krachttermen, en als-ie 't doet is het een teken dat ik geen kik meer moet geven.

Pa zei: 'Je hebt me zowat 'n hartverzakking bezorgd van al dat rennen. Jij rende de ene kant op en Leroy de andere, en ik ben te oud om als een jachthond achter mensen aan te jakkeren. Ik mot even zitten om op adem te komen.'

Toen pa's adem weer gewoon deed gingen we terug. Ik was diep teleurgesteld in m'n eigen. Niet om het vluchten, want dat kwam van m'n gezonde verstand. Er is niks over-gevoeligs aan om op de vlucht slaan als je denkt dat je aan mootjes wordt gehakt door zo'n krachtpatser als meneer Leroy. Nee, ik schaamde me dood omdat ik niet ver gekomen was!

Ik dacht dat ik wel drie, vier kilometer ver moest zijn gekomen, maar toen pa en ik terugliepen naar de weg zag ik dat het op z'n hoogst vierhonderd meter was! 't Was een compleet raadsel, maar het enige wat ik kon bedenken was dat ik rondjes moest hebben gerend, en daardoor had pa me natuurlijk zo makkelijk ingehaald.

Pa en de andere ouderlingen belegden voor 's avonds een vergadering in de kerk. Ik en Emma Collins en Sidney en Johnny moesten de hele kolonie door om het rond te vertellen. De meeste mensen hadden al van de gebeurtenissen gehoord en zeien dat ze er zouen zijn.

Ik was zowat een uur voor de vergadering moest beginnen klaar met eten en liep de plaats voor het huis op toen ik ma tegen pa hoorde zeggen: 'En wat doen we met Li?'

Ik zei: 'Als ik me er even mee mag bemoeien, ma, wat bedoel je met: "Wat doen we met Li?"'

Ma zei: 'Ik wil je niet mee hebben naar de vergadering, Elia. Er gaan daar heel wat slechte dingen besproken worden en het is niet goed voor een jongen van jouw leeftijd om al die onzin aan te horen. Vooral niet als je zo...'

'tHoorde niet zo, maar ik onderbrak ma voor ze de kans had het woord te zeggen dat met 'over' begon. Ik zei: 'Maar mahaaa! Ik mot erbij zijn! Misschien hebben ze m'n hulp nodig.'

Ma en pa keken mekaar aan en pa zei: 'Nou, als dat zo is, zullen we het je meteen laten weten.'

'Gaat vrouw Bixby naar de vergadering?' vroeg ma.

Ma wist dat vrouw Bixby zowat nooit haar huis uit kwam. Cooter zijn oma was al wel vijftig jaar oud en broos en ziekelijk, en vrouw Bixby durfde haar geen minuut alleen te laten.

'Nee, ma, vrouw Bixby zegt dat haar ma niet in orde is en ze bij haar blijft.'

'Mooi,' zei ma. 'Dan hol jij nu naar haar toe en vraagt of ze op je wil passen als wij naar de vergadering zijn.'

'Maar mahaaa...'

Ma stak haar hand op om me 't zwijgen op te leggen.

Toen deelde ze mee: 'En vraag meteen of je mag blijven slapen en morgen samen met Cooter naar school gaan, want het is niet te voorspellen hoe lang die vergadering duurt, en je weet hoe je bent als je niet genoeg slaapt krijgt.'

Ze praatte zowaar of ik een wiegenkind was! Ik zei: 'Maar mahaaa...'

'Spreek je moeder niet tegen, Elia,' zei pa. 'Ga je schoolkleren pakken zodat je morgen samen met Cooter naar school kan.'

'Ja, pa.'

Grote mensen zullen een ander ook nooit eens de waardering geven die-ie verdient. Ik had zo m'n best gedaan om niet meer over-gevoelig te zijn en ma en pa hadden 't geeneens gemerkt! Ik ging m'n schoolkleren voor de volgende dag halen en deed ze in een draagtas, samen met m'n schoolschoenen en -boeken.

Eerlijk is eerlijk, je kon het toch echt niet eerlijk noemen dat ik niet mee mocht doen met besluiten wat er gedaan moest worden aan de ellende die ik zelf had veroorzaakt.

Toen ik met m'n hebben en houen naar Cooter z'n huis sjouwde dacht ik eens na over wat er 's avonds bij de vergadering ging gebeuren. Ik wist niet of ze met z'n allen meneer Leroy zouen gaan zoeken of een groep wouen samenstellen die naar Amerika moest om daar op de predikant te jagen. Wat ze ook besloten, het was zo oneerlijk als wat dat ik het pas hoorde als ik morgen met m'n klussen in de stal klaar was. Dat kon maar zo na achten 's avonds worden, en het sloeg nergens op dat degene die er 'n zootje van had gemaakt anderen het vuile werk liet opknappen.

Pas toen ik de weg naar Cooter z'n huis op liep kwam er een groots idee bij me op.

Tegen de tijd dat ik bij Cooter aanklopte was 't idee een vaststaand feit in m'n hoofd.

Vrouw Bixby deed open.

'Avond, Elia. Hoe is 't?' vroeg ze.

'Avond, mevrouw. Met mij is 't goed, hoor. En met u?'

'Naar omstandigheden goed.' Ze wees naar mijn tas en zei: 'Loop je van huis weg, Elia?'

'Nee, mevrouw. Ma en pa laten vragen of ik hier vannacht mag slapen omdat die vergadering wel nachtwerk kan worden.'

Vrouw Bixby zei: 'Eli, zeg maar tegen je mama dat ze 't nooit hoeft te vragen als ze me nodig heb om op haar kleintje te passen.'

Nou werd-ie helemaal mooi, wie had 't over kleintjes! Als je 't mij vraagt wil niemand ouder dan vijf een kleintje worden genoemd. Als je 't mij vraagt wil zelfs 't over-gevoeligste kind van de hele wereld geen kleintje genoemd worden als hij potdommes zowat twaalf is! Het scheelde niks of ik was tegen Cooter zijn ma ingegaan, maar in plaats daarvan zei ik: 'Da's aardig van u.'

Toen smokkelde ik m'n leugen om bestwil erin: 'Ma wil dat ik 'n uurtje of zo naar de kerk kom om te helpen beslissen wat we aan de problemen gaan doen. Mag Cooter mee?'

Ik had bedacht dat Cooter en ik samen konden afluisteren wat er door de grote mensen gezegd werd.

'Jij mag erheen, Elia, maar reken niet op Cooter. Meester Travis is hier net geweest om te zeggen dat-ie de kantjes er weer van afloopt in de klas.'

Ze deed de hordeur open en ik zag Cooter in een hoek staan, met z'n neus tegen de muur gedrukt.

Ze zei: 'Die knaap staat de laatste jaren zo vaak in de hoek dat de plank onder z'n voeten eraan kapotgaat.'

'Ja, en nu meneer Leroy ervandoor is gegaan kan hij 'm ook niet komen maken,' zei ik.

Vrouw Bixby trok een wenkbrauw op alsof ze niet goed wist of ik wijsneuzerig wou doen. Ik zei vlug: 'Ik wou niet brutaal zijn, mevrouw.'

'Dat dacht ik al. Hier, Elia, drink jij dit maar op. Je vriendje mag geen eten en drinken meer tot-ie zich leert te gedragen op school, en ik zie een glas melk niet graag zuur worden.'

Ik dronk Cooter z'n melk op, en vrouw Bixby liet me daarna nog twee glazen drinken tot er geen druppel meer over was.

‘Breng je tas naar Cooter zijn kamer,’ zei ze. ‘En probeer niet tegen die stomkop te praten. Want wat-ie ook nog mot leren is tot z’n dertigste z’n mond te houen.’

‘Ja, mevrouw.’

Ik bracht vlug mijn tas naar Cooter z’n kamer en zei tegen z’n ma: ‘Ik ga ma even zeggen dat ik van u mag blijven slapen. Dan ga ik nog een poosje naar die vergadering.’

‘Doe voorzichtig, en kom vlug terug,’ zei ze. ‘Ik heb gehoord dat Leroy door ’t dolle heen is en overal en nergens kan zitten. Ze zeggen dat-ie een bijl meer dan tien meter hoog in een boom heeft gekwakt en dat-ie er toen nog een zo hoog heeft gegooid dat het mannetje in de maan er blind van werd.’

‘Ja, mevrouw, ik blijf niet lang weg.’ Ik ging mooi geen seconde tijd verspillen aan het idee dat meneer Leroy iemand kwaad zou doen. Ik kende hem langer dan vandaag. Dat was niks dan het nog meer aandikken van een sterk verhaal. Ik dacht dat ik wel zowat een uurtje die vergadering kon afluisteren voor ik terug moest naar Cooter zijn huis.

Ik liep naar de kerk, maar ging door ’t bos zodat ik achter het gebouw uit kwam en geen mens in de gaten kreeg dat ik luistervink speelde. Het was raar om op donderdagavond de kerk helemaal verlicht te zien met kaarsen. Meestal was ’t alleen zo op zondagavonden of als er een dienst was voor iemand die dood was gegaan.

Het was ook al machtig raar dat ik geen gewone kerkgeluiden hoorde. Niks geen stampende voeten, klappende handen en rinkelende tamboerijnen waar je blij van werd. Er was geeneens koorgezang, dat ’t anders altijd zo warm, knus en loom maakte in de kerk dat je voor je 't wist door 'n groot mens wakker moest worden gepord. Maar ik begreep wel waarom 't vanavond in de kerk zo anders was, en dat kwam echt niet door de vollemaan. Vanavond ging 't de mensen nergens anders om dan om 't goedmaken van mijn stommiteit.

Er was nog niet veel volk. Een handjevol mensen praatte gedempt en alleen heel soms ving ik een uitroep op als: 'Zo is het!' of: 'Heremijntijd!' Dat was wel leuk en aardig, maar ik had liever geweten waaróm ze dat riepen.

Als ik 't echt goed wou horen moest ik onder de plankenvloer van de kerk kruipen. Ik wist nog wat pa had gezegd over ex-slaven die, nu ze vrij waren, geen kans lieten glippen om ergens te laat te komen, dus wist ik ook dat ik buiten moest wachten tot de kerk vol zat en de laatste laatkomers ook binnen waren.

Ik was op 'n haartje na tussen de bomen uit toen ik achter me een tak hoorde knappen. Ik deed wat elk hert in 't bos doet als 't ergens van schrikt: ik bleef als verlamd staan waar ik stond.

Maar het was al te laat, want voor ik me kon omdraaien om te zien of er iemand rondsloop, werden er van achteren een ruwe hand om m'n gezicht en een arm om m'n middel geslagen en werd ik opgetild en het bos in gedragen!

Ik heb eens gezien dat een muis die door een kat wordt gegrepen niet vecht, spartelt en helemaal niks doet om te kunnen ontsnappen. Ik kon niet begrijpen waarom niet. Als ik in plaats van die muis zo werd gegrepen, zou ik me rot vechten en erop los schoppen en 't die kat dik inpeperen dat-ie me op wou vreten. Dacht ik. Ik ging niet zonder slag of stoot door die kattenstrot glijden, maar zou minstens z'n tong kapotbijten voor-ie me doorslikte. Dacht ik dus. Maar nu merkte ik dat ik 't goed mis had gehad, want toen die spookachtige moordenaar of ontvoerder of slavenjager of duivel me greep en als 'n veertje optilde en meenam het bos in, wist ik dat het geen spat zin had om me te verzetten. Ik voelde percies wat die muis moet hebben gevoeld. Ik wou de ellende niet rekken door terug te vechten. Ik wou alleen nog dat de moordpartij zo vlug als maar kon voorbij was.

De bal gaat rollen...

De spookachtige ontvoerder begon moe te worden. Hij hield me zo stijf tegen zich aan gedrukt dat ik zijn hart in z'n borstkas voelde schokken als 'n vis op 't droge. Hij begon zwaar te hijgen en liet me toen op de grond vallen.

Ik was nog niet los of ik vergat dat hele kat-en-muisgedoe en wou me tussen de bomen uit de voeten maken. Ver kwam ik niet, want het leek net of er ineens een boomwortel omhoogkwam en me pootje haakte zodat ik weer onderuitging.

Nou was dat struikelen, pootjehaken en tegen de grond smakken me al zo vaak overkomen dat je zou denken dat ik wel geleerd had om op zo'n moment m'n lippen stijf op mekaar te houen, maar ook dat is 'n les die niet blijft hangen, want ik raakte nog niet de grond of ik had alweer een hele hap takjes, zand en droge bladeren binnen.

Ik tastte rond op zoek naar iets wat ik als keilsteen kon gebruiken om vechtend ten onder te gaan, maar mijn vingers voelden niks anders dan wortels en takjes. Ik keek wie of wat me gegrepen had, en wat ik zag maakte me doodangstig!

’t Was meneer Leroy!

En hij zag er percies uit als iemand die dood was gegaan maar ’t zelf niet wist!

Hij hield z’n linkerarm vast en ademde heel zwaar.

Hij zei: ‘Elia, jou mot ik hebben.’

Ik spoog het zand en de blaadjes uit en zei: ‘Ik vind ’t zo erg, meneer Leroy, ik wist echt niet dat-ie uw geld zou stelen, eerlijk waar niet!’

Meneer Leroy gebaarde met z’n hand dat ik hem de kans moest geven op adem te komen.

Hij zei: ‘Jongen, ik weet toch dat je ’t niet wist… het is niemand anders z’n schuld dan die van m’n eigen en die grijpgrage gek. Maar ik hoop wel… dat je me gaat helpen, Elia. Ik ben kapot, ik weet niet wie ik anders om hulp ken vragen.’

Meneer Leroy leunde tegen een boom en had ’t nog steeds zwaar met z’n ademhaling. Ik stond op, ging naar hem toe en zei: ‘U en pa hebben mooi praten, maar ik weet heus wel dat ’t allemaal door mij komt, en ik doe alles wat u wilt om u te helpen, hoor, alles. U zegt ’t maar.’

Van wat meneer Leroy zei kreeg ik ’t ijskoud en werden m’n benen als slappe pap.

Hij zei: ‘Ik mot naar dat gat in Michigan om te zien of er nog iets van m’n geld over is. En als ’t allemaal op is, zoek ik Zepharia en schiet ik hem dood omdat-ie me m’n droom heb afgestolen. Dan kijk ik hem recht in z’n ogen en zorg dat-ie ’n gruwelijke dood sterft.’

Ik had wel eens horen praten over mensen aan wie je kunt zien dat de dood met ze meeloopt, en toen ik naar meneer Leroy keek en die harde, kille woorden hoorde, snapte ik wat daarmee werd bedoeld. 't Was misschien een zwaar aangedikt verhaal van vrijgekomen mensen, maar er zat iets waars in! Je zag zo dat de dood een arm om meneer Leroy heen had geslagen om hem te ondersteunen en geduldig af te wachten tot ze samen Michigan in konden lopen om de predikant te grazen te nemen.

Meneer Leroy zette een hand op z'n heup en ik zag dat-ie de sjieke holster met het mysteriepistool van de predikant droeg. Ineens voelde ik me helemaal niet dapper meer.

'Maar, meneer, daar kan ik niet bij helpen. Ik weet geeneens waar-ie is.'

Meneer Leroy zei: 'Jij mot mee omdat ik niet lezen ken, Li. Plus dat ik me geen houding ken geven tegenover blanken, en jij wel. Ik ga me niet laten tegenhouen bij wat ik van plan ben te doen, ook niet door blanken, en daar mot jij me mee helpen.'

'Maar er zijn slavenjagers in Michigan, meneer. We kennen toch niks beginnen als ze ons willen ontvoeren?'

'Jongen, jij ken zo mooi praten dat geen mens ter wereld zou denken dat je een slaaf ben geweest. Ze hoeven jou maar te zien om te weten dat je vrijgeboren ben. En als we dit pistool motten gebruiken, motten we dit pistool gebruiken.'

'Bedoelt u dat u me gaat dwingen mee te gaan, meneer?'

'Het spijt me wel, Elia, maar als de bal eenmaal de heuvel af rolt is er geen houen meer aan. We gaan samen naar Michigan.'

'Bedoelt u dat ik geen keus heb, meneer?'

''t Is nu eenmaal niet anders, jongen.'

'Mooi!' zei ik. 'Ik wou 't even zeker weten. Als ma en pa dachten dat ik uit vrije wil naar Michigan was gegaan, zouen ze me levend villen als ik weer thuiskwam! Nu kan ik tenminste eerlijk zeggen dat ik ontvoerd ben, en dan krijg ik er lang niet zo'n last mee! Bedankt, hoor.'

Meneer Leroy zei: 'Ik mag hopen dat je me onderweg niet de oren van m'n kop kletst met je onzin. Daar ken ik niet tegen, Elia. Het is 't beste als we onderweg stil zijn.'

'Goed, meneer!'

Meneer Leroy zei: 'Ik heb een paard uit de stal geleend. Kennen we flink opschieten.'

Ik kreeg door dat meneer Leroy helemaal niet goed over de tocht had nagedacht. Pa had gelijk, hij zag de dingen nog steeds niet zoals ze echt waren, maar zoals hij wou dat ze waren.

Ik zei: 'We kennen niet op stel en sprong naar Michigan vertrekken, meneer. Cooter z'n ma zit bij haar thuis op me te wachten.'

Hij draaide zich om en zei: 'Nou en? Als 't goed gaat, ben je morgen weer terug, of op z'n laatst de dag daarna.'

'Ja maar, meneer, als ik vanavond niet terugkom denken ze dat er iets gebeurd is, en ik zeg 't niet om onbeleefd te zijn, hoor, maar iedereen zegt dat u buiten zinnen door de bossen dwaalt en met bijlen naar de maan gooit. Alles bij mekaar denken ze dan natuurlijk dat u me hebt ontvoerd en we naar Michigan zijn. En pa is machtig op u gesteld, maar als-ie denkt dat u me ontvoerd hebt komt-ie met zo'n noodvaart achter ons aan gesjeesd alsof z'n haar in de fik staat. Dan zitten we pas echt in de penarie en krijgen we de predikant nooit te pakken.'

Meneer Leroy trok Jingle Boy z'n teugels aan en zei: 'Zit wat in. Wat motten we dan doen volgens jou?'

'Laat mij eerst naar Cooter z'n huis gaan om tegen vrouw Bixby te zeggen dat ma en pa zich bedacht hebben en ik thuis moet slapen. Dan denken ma en pa dat ik bij Cooter ben en Cooter z'n ma denkt dat ik gewoon thuis ben. Het geeft helemaal niks als ik morgen niet op school ben. Ma en pa denken toch dat ik gewoon ben gegaan. En omdat 't morgen vrijdag is, denken ze dat ik vanuit school meteen naar de stal ben gegaan voor m'n klussen en daarna ben gaan vissen. Tot morgenavond acht uur merkt geen mens dat ik ontvoerd ben. En dan zijn we alweer terug. Ja toch? We mogen niet later dan zaterdag terugkomen, hoor. Ik heb maandag een proefwerk van Latijnse werkwoorden en ik heb er nog zowat niks aan gedaan.'

Meneer Leroy zei: 'Ik wist wel dat 't een goed idee was om jou mee te nemen. Je hebt 'n goed stel hersens, Elia. Met die ideeën van jou ken je ons zowat overal doorheen helpen. Ik vind 't allemachtig vervelend dat ik jou erin mee mot sleuren, joh. Je helpt me uit de brand, onthou dat goed. Maar perbeer alsjeblieft eens wat minder te kletsen.'

Ik liet meneer Leroy zien hoe we 't vlugst door het bos bij Cooter z'n huis kwamen.

Voor ik van Jingle Boy z'n rug sprong draaide meneer Leroy z'n eigen om en keek me strak aan.

'Je weet dat ik niks ken beginnen als je de benen neemt. Kom ermee voor de draad, Elia, zeg 't liever meteen, want ik wil geen tijd verdoen. Kom je terug of niet? Heb wachten zin, of ken ik beter meteen in m'n eentje verdergaan?'

Ik stak m'n rechterhand op en zei: 'Ik zweer op 't leven van m'n ma dat ik meteen terugkom, meneer.'

Ik gleed van Jingle Boy, holde het bos door en de weg af naar Cooter zijn huis.

De hordeur was dicht, maar de voordeur stond open. Ik klopte.

Vrouw Bixby deed de hordeur open en zei: 'Nou, dat duurde ook niet lang.'

Ik trok een droevig gezicht en zei: 'Nee, de mensen waren niet in de stemming om lang te praten.'

'En wat gaan ze nou doen?' vroeg ze. 'Gaan ze achter die dief aan?'

O help! Ik zei: 'Ze hebben me weggestuurd voor ik erachter was.'

Ze lachte en zei: 'Mooi zo. Ik vond het al zo gek dat je van je ma en pa bij de vergadering mocht wezen.' Ze keek naar de hoek, waar Cooter nog steeds z'n neus tegen de muur drukte. Ze zei tegen mij en hem tegelijk: 'Maar ja, je bent nu eenmaal een stuk flinker dan sommige anderen van jouw leeftijd.'

Ik zei: 'Ma en pa hebben zich bedacht, mevrouw. Ik blijf toch niet slapen vannacht. Ik moet thuiskomen, en morgen moet ik naar school en meteen na school naar de stal en daarna vissen. 't Hoeft dus niemand te verbazen als ik tot zo'n beetje acht uur morgenavond niet meer gezien word, en als 't net zo gaat als de vorige keer met vissen kan 't nog wel veel later worden. Dus als 't veel later wordt dan anders hoeven de mensen niet te denken dat ik ontvoerd ben en me niet te gaan zoeken.'

Daar keek ik nóg droeviger bij.

'Goed hoor, Elia,' zei ze. 'Dan kom je maar een andere keer slapen. Je tas staat nog waar je hem hebt neergezet.'

Ik ging Cooter z'n kamer in om m'n tas te pakken, maar ik haalde er eerst papier en een potlood uit om een briefje te schrijven. Ik liep naar het raam zodat ik bij het licht van de vollemaan kon zien wat ik deed.

Ik schreef:

Beste Cooter,

Hoe gaat hut met jou? ik hoop goed. met mij gaat hut ook goed. meneer leroy ontvoert me helemaal tegen mijn wil naar amerika. we zoeken de predikant en het geld. meneer leroy is niet buiten zinnen en gooit geen bijlen naar hut mannetje in de maan. ik heb gesmeekt om niet mee te hoefen maar hut mot van hem. we komen morgenavond rond avondeten trug. Zeg tegen ma en pa dat ze geen losgeld hoefen betalen en niet ongerust zijn want meneer Leroy sfeert dat hij goed op me past.

Cooter z'n ma riep uit de woonkamer: 'Elia? Wat doe je? Zo lang duurt 't toch niet om 'n tas te pakken?'

'Nee, mevrouw, maar ik schrijf Cooter een brief omdat ik niet tegen hem mag praten,' zei ik.

'Hoor je dat?' zei ze tegen Cooter. 'Waarom ben jij niet wat meer als hem?'

Ik moest 't snel afmaken.

Hoogagtend,
Je vriend Elia Freeman

Ik las 't nog eens goed door en vond 't maar beter om er nog wat aan toe te voegen.

> p.s. laat dit niet voor zaterdagogtend aan ma en pa lezen anders snijt meneer leroy mijn strot af en laat me als een varken doodbloeien.

Dat van die afgesneden strot moest erbij omdat 't me wel eens tegenzit: ik kan er zowat altijd van op aan dat Cooter de dingen fout aanpakt, maar van schrik zou-ie 't deze keer wel eens goed willen doen. Maar als-ie dacht dat ik anders als een varken moest doodbloeien, zou-ie vast en zeker doen wat fout was en 't tegen niemand zeggen.

Ik ging weer naar de woonkamer en vroeg aan z'n ma: 'Mag ik dit briefje aan Cooter geven?'

'Doe maar, Elia, en dan vlug naar huis,' zei ze. 'Doe je ma de groeten van me.'

'Ja, mevrouw.'

Ik ging zo dicht als ik kon bij Cooter staan en zei: 'Cooter, ik heb een brief voor je.'

Ik stopte hem de brief in handen.

Zolang z'n ma in de kamer was, ging 't Cooter goed af om haar te gehoorzamen en piekerde-ie er niet over om 'n centimeter met z'n neus uit de hoek te komen. Hij keek vanuit z'n ooghoeken naar me en ik knipoogde twee keer en hij knipoogde twee keer terug. Dat gaf me moed, want het betekende dat-ie wist dat de brief machtig belangrijk was en heel goed gelezen moest worden.

'Hartelijk bedankt, mevrouw, en welterusten,' zei ik.

‘Welterusten, Elia.’ Toen zei ze tegen Cooter: ‘Heb je geen manieren meer? Zeg Elia welterusten.’

Cooter hield z’n neus in de hoek gedrukt en riep: ‘Welterusten, Eli.’

‘Welterusten, Cooter.’

Ik ging hun huis uit en deed alsof ik naar m’n eigen huis wou lopen. Ik was maar net genoeg uit de buurt om te weten dat vrouw Bixby me niet meer kon zien of ik rende het bos in en ging terug naar de plek waar ik meneer Leroy had achtergelaten.

Er kon geen lachje af of zo, maar ik kon zien dat het een pak van z’n hart was toen hij me terugzag. Hij zei: ‘Ik wist wel dat je een goeie jongen bent, Li.’

Hij boog voorover en hees me op Jingle Boy. Ik sloeg m’n armen om meneer Leroy z’n middel en zei: ‘Nu moet ik nog langs huis om een paar dingen te halen die ik nodig heb, meneer. Ma en pa zijn nu vast op die vergadering, dus niemand zal me zien.’

Jingle Boy baande zich een weg tussen de bomen in de richting van mijn huis en ik vroeg aan meneer Leroy: ‘Hoe ver is dat dorpje in Michigan hier eigenslijks vandaan?’

‘Heel niet ver, Eli. Met dit paard nog geen uur van De-troit.’

‘Waar moeten we beginnen met de predikant zoeken?’

‘Als-ie daar is, zal-ie niet moeilijk te vinden zijn.’

Dat sloeg nergens op, dat sloeg helemaal nergens op. Als de predikant echt meneer Leroy z’n geld had gepikt, zou-ie volgens mij zorgen dat-ie héél moeilijk te vinden was.

Ik zei: ‘Maar als-ie daar niet meer is, meneer? Hij heb vijf dagen terug op meneer Highgate geschoten. Ik denk nooit dat-ie rustig blijft wachten tot iemand hem komt pakken.’

Meneer Leroy hield Jingle Boy in. Hij draaide zich om, keek me recht aan en zei: 'Li, wat ken ik zeggen? Er zit voor mij niks anders op dan hem te gaan zoeken. Er zit voor mij niks anders op als ik m'n gezin terug wil. Je kunt praten tot je scheel ziet, maar wij gaan naar Michigan.'

Op dat moment wist ik hoe slim m'n pa was. Hij had helemaal gelijk als-ie zei dat meneer Leroy de dingen bekeek zoals-ie wou dat ze waren, niet zoals ze echt waren. Maar ik wist ook dat meneer Leroy geen schijn van kans maakte om de predikant te vinden als ik er niet was om hem er met m'n ideeën doorheen te helpen. Ik wist dat 't meneer Leroy zo bang om het hart was geworden dat ik voor ons allebei moest nadenken.

Een stuk verderop in het bos hielp meneer Leroy me van Jingle Boy af om naar ons huis te lopen. Bij onze voordeur bleef m'n hart stilstaan, want ik wou naar binnen gaan op hetzelfde ogenblik dat pa en ma tegen de deur duwden om naar buiten te gaan. Ze keken al even geschrokken naar mij als ik naar hun.

'Li, wat doe je hier? Ken vrouw Bixby toch niet oppassen?'

'Jawel ma, ze zei dat ze op me kan passen wanneer je maar wil. Ze was wel wat in de war, want ze noemde me je kleintje.'

Ma glimlachte en zei: 'Zo, weet ze niet dat je te oud bent om nog kleintje genoemd te worden? Maar we gaan haar er niet op aanspreken. Ze meent 't niet zo kwaad.'

'Goed, ma.'

Pa zei: 'Geef eens antwoord op ma haar vraag, Elia. Wat doe je hier?'

'Ik heb m'n meetkundeboek vergeten en dat moest ik halen,' loog ik.

'Nou, pak maar snel, joh. We zouen net weggaan.'

'Ja, pa.'

Potdommes! Mooi dat m'n kans verkeken was om etensrantsoenen voor de reis mee te nemen nu ma en pa op me stonden te wachten. Ik ging mijn kamer in, pakte een andere draagtas en deed er een boek in. Ik wou net weggaan toen ik bleef staan omdat me iets te binnen schoot. Meneer Leroy en ik gingen een gevaarlijke reis maken en in geval van nood had hij het sjieke pistool van de predikant, maar 't leek me wel zo goed als ik ook gewapend was.

Ik stopte twintig van m'n beste keilstenen in de tas, tilde toen de hoek van m'n matras op en trok meneer Taylor z'n besmeurde mes tevoorschijn. Ik keek ernaar en liet 't maanlicht weerkaatsen in het lemmet. Snel deelde ik 'n paar dolkstoten aan een onzichtbare slavenjager uit en stak het mes in m'n tas.

Daarna grabbelde ik in mijn kistje tot ik het briefje vond dat ik van meneer Highgate had. Ik las de naam van de man die hem had geholpen en propte het papier in mijn zak.

Ik keek m'n kamer rond of er nog iets anders was dat we konden gebruiken op ons avontuur. Ik weet niet waarom, maar ineens werd ik zo'n beetje over-gevoelig. Ik weet niet of het kwam omdat dit wel eens de laatste keer kon zijn dat ik m'n kamer zag, of dat het kwam van het idee dat ma en pa bij m'n thuiskomst dol van woede zouen zijn om wat ik gedaan had. Ik snoof de snotterigheid terug in m'n neus en ging naar buiten.

Ma zei: 'Gaat 't wel, Elia?'

Potdommes, ma hoorde weer eens dingen die geeneens gezegd werden!

'Ja, ma.'

Pa zei: 'Maak je maar geen zorgen, joh. Alles komt meestal vanzelf wel weer goed.'

'Ja, pa.'

Ik omhelsde m'n ma en pa voor misschien wel de laatste keer. Ze zeien dat ik lief moest zijn en we gingen allemaal van huis. Zij gingen naar links en ik naar rechts.

Meneer Leroy was nog op dezelfde plek in 't bos waar ik hem had achtergelaten. Hij trok me weer op Jingle Boy. Ik haalde het briefje met het adres uit m'n zak en zei: 'Meneer, dit is de persoon die we moeten zoeken als we in dat dorpje in Michigan komen. Meneer Highgate zei dat 't een machtig goed mens is.'

Voor de eerste keer dat ik me kan herinneren sinds ik hem kende, glimlachte meneer Leroy! En vraag me niet wat er onnatuurlijker uitzag, dat hij probeerde te glimlachen of dat Old Flapjack probeerde te hollen.

Hij zei: 'Li, dit komt allemaal nog goed. Ik voel 't in m'n hart.'

Ik, meneer Leroy, en Jingle Boy gingen in zuidwestelijke richting op weg om de dief van de dromen te pakken.

De dood van meneer Leroy

Ik zeg het wel vaker en niet veel mensen zijn het ermee eens, maar rijden op een paard is niet half zo mooi als rijden op een muilezel. Vooral niet als je hard over een slechte weg naar Windsor galoppeert. En al helemaal niet als je weet dat de man achter wie z'n rug je zit, pas wil stoppen als je op de veerboot bent die over de Detroitrivier gaat. En bovenal niet als je het gevoel hebt dat ze de weg tussen Buxton en Windsor nog met een paar honderd kilometer hebben verlengd!

Man, ik werd zo erg door mekaar geschud op Jingle Boy dat al die melk die ik van Cooter z'n ma moest drinken zich vanzelf tot een grote klomp boter karnde in m'n buik! En al hou ik machtig veel van boter, als-ie als melk in je buik is gekomen smaakt-ie lang zo lekker niet.

Ik kon alleen m'n ogen stijf dicht houen, m'n gezicht tegen meneer Leroy z'n rug drukken, me vastklampen en hopen dat al die boter geen pogingen ging doen zich terug te vechten naar m'n keel. Die klont was zo groot en hard geworden dat-ie vast niet omhoog kon komen zonder veel kokhalzerij.

Ik wou tegen meneer Leroy schreeuwen dat-ie Jingle Boy veels te hard liet draven, maar het was zoals-ie gezegd had: alsof er een bal de heuvel af rolde en er geen houen meer aan was.

Na een eeuwigheid rook ik water en liet meneer Leroy Jingle Boy iets rustiger aan doen. Ik deed m'n ogen open en zag dat we bij het eindpunt van een weg in Windsor waren, waar een grote veerboot in de rivier lag!

Ik en meneer Leroy sprongen op de grond, en toen alles in m'n binnenste ophield met klotsen klopte ik Jingle Boy op z'n borst. Hij zweette als een gek en hijgde zo zwaar alsof 't een ijs- en ijskouwe winterdag was. Hij keek naar me alsof-ie niet begreep waarom ik meneer Leroy z'n gang liet gaan met hem zo af te beulen. Zijn ogen stonden zo wild als die van een gewond hert.

Ik zei: 'We hebben Jingle Boy helemaal afgemat, meneer! 't Wordt zijn dood nog! Ik moet met hem naar de rivier om hem te laten drinken en afkoelen.'

'Hangt er vanaf hoe laat de veerboot vertrekt,' zei meneer Leroy. 'Ga eens aan die blanken daar vragen. Niks aan de hand met dat paard. Iedereen legt die beesten veels te veel in de watten.'

'Ja, meneer, maar loopt u dan met hem naar de rivier, en misschien moest u ook maar een plons nemen. U zweet zelf ook als een paard!' zei ik. Ik zei 't er niet bij, maar zijn ogen stonden ook al even wild als die van Jingle Boy.

De blanken zeien dat de boot pas over drie kwartier vertrok. Ik ging het meneer Leroy vertellen en liep meteen met Jingle Boy door naar de rivier. Hij boog zijn hoofd en dronk lang en gulzig, met veel bellenblazerij om z'n mond. Ik zag een emmer met een gat erin en schepte daarmee water over zijn flanken. Hij stond te trillen en te rillen maar ik wist dat-ie het fijn vond.

Na een tijdje had-ie genoeg gedronken en klonk z'n ademhaling weer normaal.

Meneer Leroy riep: 'Elia, kom hier met dat paard. We motten als eerstes de boot op om er als eerstes af te kennen.'

Ik leidde Jingle Boy terug naar de steiger en zei tegen meneer Leroy: 'Het is niet goed om Jingle Boy zo af te matten. Als hij doodgaat of kreupel wordt duurt het twee keer zo lang voor we bij dat dorpje komen en drie keer zo lang om in Buxton terug te zijn. Ik ken dit paard, meneer, en hij is niet sterk genoeg om urenlang hard te draven.'

Meneer Leroy keek over de rivier uit naar Detroit. Hij zei: 'Dat zal dan wel. Voortaan doen we het kalmer aan.'

Dat benam me zowat m'n adem, want hij had ontzag voor mijn mening! Ik mocht dan nog een kind zijn, maar hij gaf me gelijk en ging akkoord met m'n plan! Het moest wel waar zijn wat Cooter zijn ma zei, dat ik stukken flinker en slimmer was dan de meesten van mijn leeftijd.

We kwamen in Detroit van de veerboot en ik keek over het water terug naar Canada.

't Is niet om tegen te spreken dat ik stukken slimmer ben dan de meeste anderen van zowat twaalf jaar, maar ik snapte van m'n levensdagen niet waarom een rivier zo'n groot verschil maakt. Hoe kan de ene kant van een rivier betekenen dat je vrij bent en de andere kant dat je een slaaf bent?

Als je naar de bomen in Canada en die in Amerika keek leken

het dezelfde bomen, alsof ze uit hetzelfde zaadje kwamen. En aan de stenen, huizen en paarden en al 't andere dat ik kon vergelijken zag ik ook al niks anders, maar grote mensen zagen grote verschillen die mij een compleet raadsel waren.

Meneer Leroy hield woord, en al was het gehos nog steeds ergerder dan 't op Old Flap zou zijn geweest, het was toch iets beter te doen dan de rit naar Windsor.

Het houthakkersdorp was niet veel groter dan vijf of zes keer het plein in Buxton.

Meneer Leroy zei dat ik het briefje moest pakken met de naam van de man die meneer Highgate had verpleegd. Ik moest van hem aan de eerste de beste niet-blanke die we zagen vragen: 'Pardon, we zoeken Benjamin Alston. Hij woont op Wilbur Place vijf-nul-negen.'

'Ach, oude Benji,' zei de man. 'Hij woont daar verderop aan de straat, maar je zult hem niet thuis treffen. Op dit uur van de avond zit hij steevast achter de herberg.'

'En waar is de herberg, meneer?'

De man wees de weg af en zei: 'Daar dus.' Tegen meneer Leroy zei hij: 'Een machtig mooi paard hebt u daar, meneer.'

Meneer Leroy zei niks terug en dus zei ik: 'Dank u wel.'

Meneer Leroy staarde strak naar de herberg.

'Wat mot hij achter een herberg?'

'Gokken. De inzet is niet hoog, maar het is zowat het enige verzetje dat je hier in de omgeving kunt vinden.'

Meneer Leroy zei: 'Heb u wat gehoord over een man uit Canada die zichzelf predikant noemt en hier met anderen heb zitten gokken?'

'Een predikant die openlijk zonden bedrijft?' zei de man lachend. 'Nee, over zo'n persoon heb ik niks gehoord. Nee hoor, dat was me dan wel bijgebleven.'

Meneer Leroy sloeg zijn jas open zodat de man het pistool van de predikant kon zien en zei: 'Hij heeft net zo'n wapen als dit hier. Met dezelfde holster.'

De man grinnikte. 'O, dié. Ja, die heeft hier een tijdje terug zitten gokken. Hij heeft al die gekken hier kaalgeplukt en is toen op zoek gegaan naar vettere prooi. Het laatste wat ik ervan hoorde was dat-ie met een stel blanken zat te gokken. Vraag me niet wat ze speelden, maar dat weet een van de kerels achter de herberg wel.'

Dat was geweldig nieuws! Misschien had de predikant zo langzamerhand genoeg gewonnen om echt zes slaven vrij te kopen uit Amerika! Misschien was het geeneens nodig geweest dat we achter hem aan kwamen jakkeren!

'Bedankt,' zei meneer Leroy. Hij deed een graai omlaag om me op Jingle Boy te hijsen.

'tWas heel niet ver naar de herberg. Toen we er waren bond meneer Leroy Jingle Boy vast aan de voorkant en zei tegen mij: 'Als er gedonder van komt ren je naar het paard en maak je dat je thuiskomt. Gewoon die weg naar het zuiden af.'

'Ja, meneer,' zei ik.

Hij trok het pistool uit de holster en stopte het in de zak van zijn vest. Hij haalde zijn hand niet meer uit de zak.

We liepen om de herberg heen naar achteren, waar een groep mannen luid pratend op de grond zat.

Toen we vlakbij waren zag ik dat de predikant er niet bij was. De mannen gooiden twee kleine witte blokjes met allemaal stippen erop tegen een muur. Er werd honderduit gevloekt, munten gingen van hand tot hand en er werd gezwaaid met vuisten vol Amerikaanse dollarbiljetten.

Meneer Leroy zei: 'Mag ik effe storen? Kennen jullie toevallig een man met de naam...' Hij gaf me een por. Ik haalde het briefje weer uit m'n zak en las: 'Benjamin Alston.'

Een van de mannen vroeg: 'Waarom zoek je hem?'

'Hij heb een vriend van me geholpen en ik mot hem spreken,' zei meneer Leroy.

'Welke vriend heb hij geholpen?' vroeg de man.

'Een man die Highgate heet, uit Buxton. In Canada,' zei meneer Leroy.

De man die dat allemaal vroeg stond op en zei: 'Ik ben Benji Alston. Wat kan ik voor jullie doen?'

'Ik wou u bedanken omdat u Theodore zo vriendelijk heb geholpen, meneer.'

'Dat stelde niks voor. Hij was toegetakeld. Ik heb hem alleen een bed gegeven en een dokter geroepen. Die man heb veel geluk gehad. 't Scheelde niks of hij was er geweest, zei de dokter. Hoe is het nu met hem?'

'Ik heb gehoord dat u misschien weet waar ik de man ken vinden die net zo'n pistool heb als dit hier.' Meneer Leroy trok zijn hand uit zijn zak. Hij hield het pistool op z'n eigen gericht zodat niemand hem verkeerd kon begrijpen.

De mannen gromden en keken kwaad toen ze het pistool zagen.

Meneer Alston zei: 'Hou toch op, jullie wisten geeneens zeker of-ie vals speelde. Misschien had die man gewoon het geluk mee.'

Iemand zei: 'Geluk, ammehoela!'

Een ander zei: 'Hij heb ons vernacheld en wou toen op zoek naar groot geld, zei dat-ie het op ging nemen tegen blanken. Die zaten ginder in Culpepper te gokken, maar dat was eerder in de week. Man, als die kerel slim genoeg was om ons te belazeren, zou ik toch denken dat-ie slim genoeg was om te weten dat-ie niet met blanken moest gokken.'

Meneer Alston zei: 'Het laatste wat ik ervan hoorde was dat-ie gisteren in de stal van East Lee zat. Maar ik weet niet of ik 't geloven mot. Daar slapen de slavenjagers.'

Slavenjagers! Ik kreeg het ijskoud.

Meneer Alston zei: 'Ik zou maar uitkijken als je naar die stal gaat. Met die slavenjagers valt niet te sollen. Hebben ze ook nog een echte berenvechtershond, het grootste, valste bakbeest dat ik ooit hier in het noorden heb gezien.'

Hij vertelde ons waar de stal was en ik bedankte hem.

Ik weet niet waarvan het kwam, of het die woorden waren over slavendrijvers of de woorden over de berenvechtershond, maar we liepen nog niet terug naar Jingle Boy of meneer Leroy ging er machtig ongerust en geschrokken uitzien. Mijn hart sloeg ervan op hol.

'Wat is er, meneer?' vroeg ik. 'Moeten we hulp gaan halen?'

Meneer Leroy greep naar z'n linkerarm en ademde zo zwaar alsof-ie zojuist eiken had omgehakt.

Hij zei: 'Elia... geen mens... ken me helpen. Jij bent de enige.'

Van niks ter wereld word je zo over-gevoelig als wanneer je een grote man, die je kent als een spijkerharde, angstig ziet kijken.

'Maar wat is er dan, meneer? Waarom kijkt u zo?'

‘We motten naar die stal, jongen. En vlug ook,’ zei hij.

Traag en schokkerig klom hij op Jingle Boy, in plaats van op het paard te springen zoals anders.

Hij stak z’n arm niet omlaag om me op te trekken.

Hij zei: ‘Leid jij het paard erheen, Elia. Achterom.’

Ik greep de teugels en leidde Jingle Boy in noordelijke richting.

Zowat een kilometer verderop zei ik tegen meneer Leroy: ‘Misschien moet u even rusten voor we bij die stal komen, misschien moeten we...’

Ik keek om en op hetzelfde ogenblik gleed meneer Leroy van Jingle Boy. Hij bewoog zo langzaam dat het leek alsof-ie zowat naar de grond zweefde, alsof-ie zacht en licht als een veertje zou neerkomen. Maar toen hij op z’n gezicht landde, gaf ’t een verschrikkelijk harde bons en alles bewoog weer in hetzelfde tempo als anders.

‘Meneer Leroy!’

Ik holde naar hem toe en knielde naast hem neer.

Zijn ogen waren open maar hij knipperde er vaker mee dan anders.

‘Sta op, meneer Leroy, toe nou, sta weer op!’ zei ik.

Ik schudde hem, en hij zei: ‘Nee. Ga jij die stal in en haal dat geld, jongen. Hij heb het geld voor je moeder en zusje, Zekial!’

Meneer Leroy had z’n verstand verloren!

Ik zei: ‘Meneer, asjeblieft, ik ben Ezekial toch niet, ik ben Elia, Elia Freeman!’

Hij greep mijn arm en zei: ‘Doe je ’t? Haal je dat geld, jongen?’

Ik werd er helemaal over-gevoelig van. Er kwam weer allemaal lossige snotter in m’n neus.

Hij zei: ‘Beloof het... beloof het nú!’

Wat moest ik? Ik fluisterde: 'Ik ben Ezekial niet, ik ben Elia.'

Hij zei: 'Beloof het! Beloof me dat je dat geld gaat halen en als-ie het kwijt is, mot je me beloven dat je hem doodschiet!'

'Meneer Leroy, toe nou, sta nou op. Blijf bij me!'

'Jongen, zie je dan niet dat ik doodga? Zeg het, zeg nou toch tegen me dat je dat geld voor je ma en zusje gaat halen. Dat is toch niet zo moeilijk, Zekial. Waarom zeg je het niet tegen me?'

Zijn stem werd zachter en zachter en dat was ergerder dan als-ie geschreeuwd had.

Op het laatst zei ik het maar: 'Ik beloof het. Ik beloof dat ik het geld haal.'

Hij glimlachte en fluisterde: 'Neem het pistool mee, jongen.'

Ik haalde het mysteriepistool uit de sjieke holster en deed het in mijn draagtas.

Hij rochelde kort en er lekte iets donkers en dikkigs uit zijn mond en neus.

Het laatste wat-ie tegen me zei was: 'Ik hou van je, jongen. Zeg tegen je ma...'

Zijn ogen waren nog open, maar ik wist dat-ie niks meer zag.

Ik schudde hem en zei: 'Meneer Leroy, o meneer Leroy, toe nou!'

Ik holde terug naar meneer Alston om hulp te halen.

Ik stormde op die mannen af en schreeuwde: 'Sorry dat ik stoor, maar meneer Leroy is van het paard gevallen en hij beweegt niet meer!'

'Wat zeg je, jongen?' zei meneer Alston. 'Word eens rustig en praat niet zo snel.'

Ik haalde diep adem en zei: 'Meneer Leroy is van het paard gevallen en hij ademt niet meer!'

Ze holden met me mee terug en verdrongen zich rond meneer Leroy op de grond.

Meneer Alston keek naar meneer Leroy en legde zijn handen over zijn ogen om ze te sluiten. 'Jongen, hij is heengegaan,' zei hij. 'Familie van je?'

'Nee, meneer.'

'Maar wel allebei uit Buxton?'

'Ja, meneer.'

'Woont er iemand in de buurt die voor je kan zorgen?'

Ik wou nee zeggen, maar als ik dat deed en als meneer Leroy echt dood was zouen ze vast niet toestaan dat ik m'n belofte hield; dan lieten ze me vast niet de predikant opsporen om meneer Leroy z'n geld terug te halen.

'Ja, ik heb hier vlakbij een tante wonen,' zei ik en ik wees ergens richting zuiden.

'We motten de sheriff erbij halen, jongen,' zei meneer Alston. 'Zeg tegen je tante dat ze hem komt opeisen, want anders belandt-ie in een armengraf.'

Ik zei: 'Ik moet het mijn pa in Buxton laten weten. Dan komen ze meneer Leroy halen.'

Ik greep Jingle Boy z'n teugels en keek niet meer om.

Belofte maakt schuld, en ik was niet van plan meneer Leroy te laten barsten. Ik moest en zou de predikant vinden, al deed ik er tien jaar over. En ik zou beginnen bij de East Lee-stal.

Meneer Alston en de andere mannen konden geen achterdocht koesteren toen ik keihard wegreed in zuidelijke richting, zogenaamd naar Buxton.

Doodsangstig in Amerika!

Ik reed in een halve kring en ging terug richting noorden. Achter twee gebouwen kon ik de stal zien. Er stond een paal voor, waar ik Jingle Boy aan vastzette, en lopend ging ik verder. Ik haalde vijf keilstenen uit mijn draagtas en hield er drie in mijn linker- en twee in mijn rechterhand. Het was me een compleet raadsel hoe een berenvechtershond eruitzag en ik hoopte dat ik aan vijf stenen genoeg had voor het geval hij en ik 't niet met mekaar konden vinden.

Toen ik de stal in wou, gebeurde het in een flits. Het schoot me te binnen dat pa eens had gezegd dat ik nooit angstig hoefde te zijn voor blaffende honden, want die beten niet en blaften alleen omdat ze net zo bang waren als ik. Je moest juist oppassen voor stille honden. Zo'n hond was 't er niet om te doen je bang te maken, maar om een grote homp vlees uit je lijf te bijten.

Voor ik iets zag hoorde ik een ketting rammelen en een metalig geknars alsof iets groots zich ineens snel omdraaide. Op die zachte geluiden na was de berenvechtershond zo stil als een uil die op een muis dook.

Een grote zwarte waas stoof op me af, en op hetzelfde ogenblik dat ik probeerde weg te komen gooide ik zo hard ik kon met links-rechts-links.

Ik hoorde een ketting zingen toen-ie strak ging staan, en de poten van de berenvechter sloegen met zo'n kracht recht in m'n zij dat de laatste twee keilstenen uit m'n hand vlogen. Ik was zo goed als dood!

Hondenkwijl kwakte over m'n gezicht toen ik tegen de grond smakte en alle lucht uit m'n longen werd geperst. De hond blafte nog steeds niet, maar zijn voorpoten boorden zich als vuisten in m'n ribben. Ging-ie me aan stukken scheuren of wou-ie me dood drukken door me onder z'n volle gewicht te verpletteren?

Ik kneep m'n ogen dicht en wachtte tot ik zou stikken of levend zou worden verscheurd.

Er gebeurde helemaal niks. Ik deed m'n ogen open en zag dat de hond buiten westen was, want z'n kop hing slap tegen m'n zij. Die enorme kop zat onder de littekens en was zowat zo groot als van een vijf maanden oud kalf. De hond hijgde, alsof-ie achter een konijn aan had gezeten, en bij elke hijg stoof er een wolkje zand op. Z'n poten schokten als bij een hond die een nachtmerrie heeft.

M'n ribben deden pijn. Het voelde alsof ik met een mes was gestoken, en ik keek omlaag. De nagels van een van de berenvechter z'n poten waren door de voorkant van mijn hemd gedrongen, en m'n bloed sijpelde eruit. Ik rolde onder de poten weg, rolde toen nog twee keer om en lag in het zand naar adem te snakken.

Ik zoog vijf, zes keer diep de lucht naar binnen en trok m'n hemd op om te zien of m'n ribben uit m'n vel staken. Ik zag alleen drie gaatjes waar de klauwen naar binnen waren gegaan en daarvan bloedde er maar één. Voor alle zekerheid voelde ik of er niks gebroken was. Behalve die gaatjes had de berenvechtershond me zo te zien niks ergerders gedaan dan dat-ie de lucht uit m'n longen had geslagen.

Ik stond op, greep twee keilstenen en liep naar de hond. Ik had hem met een steen recht tussen z'n ogen geraakt. Daar begon al een dikke bult te komen. Zijn tong hing uit z'n bek, tussen grote geelbruine tanden door die zowat even groot waren als de klauwen van een beer. In het zand rond z'n tong werd het nat van de kwijl. Ik dacht dat-ie niet erg gewond was, maar ik ging niet wachten om te zien of het waar was.

Ik zette m'n hand tegen de staldeur en duwde hem open.

Als je een kamer in een huis binnenkomt, of een open plek in het bos op loopt, of zoals nu een stal binnengaat, krijg je het gevoel dat je bent opgemerkt. Je weet niet goed wat het is, maar de lucht daar verandert alsof-ie zegt: 'Ik zie je wel.' Soms is het of de lucht je toelacht en zegt: 'Ik pas wel op je, kom binnen,' en soms lijkt het of-ie bozig zegt: 'Pas maar op jij, want ik zie je heus wel.' Maar ik was zo stil en stiekem die stal in geslopen dat het onopgemerkt bleef dat ik de deur op een kier had gezet, m'n adem had ingehouden en binnen was gekomen.

Muisstil deed ik de deur weer dicht en bleef staan wachten tot m'n ogen aan het duister waren gewend.

Om me heen was het pikkedonker, maar ik hoorde geluiden alsof er zo'n vijf of zes paarden moesten wezen. Er was het sjj-sjj-

sjj van staarten die naar vliegen sloegen, het *bons-bons-bons* van hoeven die schoven en schraapten als een paard een makkelijke houding zocht, er was de vaste, rustige, diepe ademhaling van dieren die wouen slapen nadat ze hard hadden moeten werken. Ook was er het trage *oe-hoe* van een kerkuil die zich ergens schuilhield en wachtte tot een muis dom ging doen.

Niks klonk alsof er iets was om bang voor te zijn... eerst.

Zacht liet ik de lucht m'n mond uit glippen en ademde weer in door m'n neus.

Zomaar ineens wist ik dat er iets verschrikkelijk mis was hier in de stal.

Het kwam niet door de paarden, die roken net als de paarden in Buxton. Daar was niks mis mee.

Het kwam ook niet door de geur van het stro op de grond, al kon ik ruiken dat het niet vaak genoeg werd vernieuwd door degene wie z'n werk het was om het daar schoon te houen.

Ik kon zelfs ruiken dat er ergens een geit moest zijn, twee geiten misschien... Allemaal goed merkbaar en niks bijzonders. Maar er kwam nog iets anders mee in die mengelmoes van doodgewone stalgeuren, iets wat helemaal niet klopte.

Het was geen rat die in een hoekje was weggekropen, daar dood was gegaan en lag op te zwellen en weg te rotten, maar toch had 't er iets van. Het was ook geen muilezel die van verkeerd vreten zo beroerd was geworden dat het al z'n lichaamsgaten uit kwam, maar het zat er dicht tegenaan.

Het was ook niet de lucht van een ziekenkamer, waar je van anderen naar binnen moet om afscheid te nemen van iemand die erbij ligt alsof-ie al een jaar dood had moeten zijn, maar het was ook niet percies het andere uiterste van die stank.

Ik had amper tijd om na te denken over de oorzaak van die rare geur, want mijn ogen begonnen aan het duister te wennen en gingen vormen zien, en als je moet kiezen tussen afgaan op je neus of je oren of je ogen, moet je altijd je ogen de kost geven.

Toen hield m'n hart op met kloppen, m'n bloed bevroor en de tijd stond stil! Aan de andere kant van de stal stond iemand!

Meteen deed ik weer als een bang hert. M'n adem stokte en al m'n spieren gingen op slot. Misschien had die onbekende aan de overkant mij nog niet gezien.

M'n ogen konden steeds meer onderscheiden in het duister, en ik mag 't heen en weer krijgen als 't niet waar was, maar ik had zo'n idee dat ik die persoon daar kende. Aan de overkant van de stal stond de Zeereerwaarde diaken dr. Zepharia Connerly de Derde, de dief van de dromen!

Maar net als met de lucht in de stal was er iets met hem wat helemaal niet klopte.

Hij keek vanuit de verte naar me en ik wist zo goed als zeker dat het de predikant moest wezen, maar toen-ie langzamerhand minder grijs en schimmig werd en ik hem beter kon zien, begon ik weer te twijfelen.

Hij was té stil.

De predikant was altijd wel in beweging, of het nu met z'n handen of z'n benen was, en het meest nog met z'n mond. Het sloeg echt nergens op dat-ie daar stond met z'n armen in de lucht en z'n hoofd gebogen alsof-ie naar iets in het zand staarde. Of misschien was het dat geeneens. Misschien deed-ie wel net als ik, had-ie al z'n spieren op slot zodat ik hém niet zou zien.

We stonden allebei stokstijf stil, bleven zo een eeuwigheid staan wachten tot een van ons twee als eerstes bewoog. Maar op het laatst kregen m'n benen de bibbers en prikten alsof ze in brand wouen vliegen. De predikant was beter in de stilstaanderij dan ik. Hij verroerde geen vin. Hij hield die armen van hem zo roerloos als een rots omhoog, zo stil als een vogelverschrikker.

En daar klopte gewoon niets van.

Ik ging voetje voor voetje heel langzaam zijn kant op.

Ineens klonk heel dichtbij aan m'n linkerkant een gezoem waarvan die potdommese benen en adem van me meteen weer bevroren. Het rare gezoem was zo vlakbij dat zelfs m'n ogen op slot gingen. Ik staarde strak voor me uit naar de vogelverschrikker die op de predikant leek. Toen liet ik m'n ogen zo traag als ahornstroop op een kouwe dag naar links glijden, naar waar het geluid vandaan kwam.

Ik kon er niks anders van maken dan dat er een zooi donkere bundels of zakken tegen de linkerwand van de stal waren gezet. Een stuk of vijf bundels, steeds op gelijke afstand van mekaar.

Het gezoem begon opnieuw, en het klonk alsof iemand zat uit te proberen welk lied-ie wou gaan zingen.

Ik wist dat ik m'n adem niet langer mocht inhouen, anders zou ik straks zo naar lucht moeten snakken dat het een enorm kabaal maakte. Ik liet de lucht weer in m'n longen komen, zo langzaam alsof er heel kalmpjes een blaasbalg openging.

Ik bewoog m'n ogen een héél klein pietsie en zag meteen waar dat muziekzoemerig geluid vandaan kwam.

Het was een van die bundels!

Ik zal wel nooit weten of het kwam door de traagheid waarmee de lucht in me terug gleed of doordat m'n ogen eindelijk snapten wat ze zagen, maar m'n hoofd werd licht en voor ik er erg in had was ik niet meer bij m'n positieven, die de vlucht namen als een opgeschrikte zwerm fazanten uit een weiland.

Meteen daarna voelde het alsof de stalvloer opbolde en neerklapte als een pasgedroogd laken dat uitgeslagen en opgeschud werd voor het opvouwen.

Nu alles om me heen tolde en m'n verstand naar de maan was, hadden m'n benen er ook geen zin meer in. Ik moest vlug iets vinden om me aan vast te houen tot de vloer weer stillag, anders beet ik nog in 't zand.

Maar het was al te laat. Ik keek weer naar de zoemende bundel en zag dat-ie armen had!

Vier levende, bewegende armen!

Twee ervan waren klein en stil, en twee ervan waren groot en roerig!

Ik kon niet geloven dat ik helemaal naar de Verenigde Staten van Amerika moest komen om voor 't eerst een echt spook te zien!

Me vastgrijpen was er niet meer bij, want m'n benen begaven het en ik frommelde in mekaar op de grond. Ik had mezelf weer eens over-gevoelig weten te maken.

Als je verstand je in de steek laat en jijzelf tegen de vlakte gaat, heb je geen tijd en geen benul om je hoofd met je handen te beschermen. Alles wordt zo slap en sullig als gestoofde okra. En omdat je hoofd het zwaarst is aan je lijf gaat het meestal voorop bij een val en raakt als eerstes de grond. Maar deze keer dacht ik er wél aan m'n mond dicht te houen.

Er moesten op een deel van de vloer planken liggen, want de

klap waarmee m'n hoofd neerkwam klonk zo hard als van een hakbijl in een dikke eik. Van die ene, keiharde dreun op m'n schedel zag ik sterretjes en intussen kwamen al die bundels tegen de muur in beweging en veranderden van vorm, met een machtig akelig geluid!

Dat geluid waarmee ze bewogen had de doden nog tot leven kunnen wekken! Niet vanwege de herrie, maar vanwege de engigheid. Er was niks menselijks aan, maar toch deed 't je aan mensen denken. Het was gekreun en rasperig geadem, vermengd met hetzelfde gerammel als van de kettinghond buiten. Dat gaf me het idee dat ik elk ogenblik aan flarden kon worden gescheurd door de broers en zussen van de hond die ik bewusteloos had gegooid.

Het verschil was alleen dat het geluid nu maal vijf klonk en er veel gekerm bij kwam en een soort naar adem snakken.

Wat ik zag waren helemaal geen vijf zakken, en ook niet vijf honden die 't me betaald wouen zetten dat ik hun broer had neergegooid, en ook niet vijf kwaaie spoken die tot leven kwamen. Niks van dat alles. Wat ik zag was ergerder dan al die dingen bij mekaar.

Daar tegen de wand van de stal kon niks anders zitten dan vijf in elkaar gedoken duivels die gevangengenomen en geketend waren door iemand die ze naar Satan terug wou sturen zodat ze geen zielen meer konden stelen!

Ik keek naar de predikant en hoopte dat-ie iets kon doen om te helpen, maar meteen werd m'n aandacht weer naar de gevangen duivels getrokken. De duivel met vier armen die had zitten neuriën deed sussend tegen de rest en begon te praten! In m'n eigen taal nog wel!

Die duivel fluisterde: 'Joehoe! Ben je echt of ben je 'n spook?'

Ik hief m'n hoofd en zei, zonder erbij na te denken waar ik tegen praatte: 'Wablief, mevrouw?'

Ze was de enige van het stel die eruitzag als een vrouw, en ik weet niet of je een spook 'mevrouw' hoort te noemen, maar het floepte er zomaar uit.

Toen ik haar beter zag twijfelde ik of ze eigenslijks wel een spook was. Ze ging steeds meer op een gewone vrouw lijken, maar dan een gewone vrouw die bang was en vier armen had.

Maar ze keek me strak aan op een manier waardoor ik er zo goed als zeker van was dat ze écht gewoon een vrouw was. Ik zag ook dat ze geen kleren aanhad, op een lap na die over haar ene schouder hing.

Het was zo'n schok om een groot mens zomaar naakt te zien dat ik vlug wegkeek en naar het zand voor haar voeten tuurde. Om haar enkels zaten dikke ijzeren klemmen, waaraan sloten en kettingen waren geschroefd om haar op haar plek te houen. Bij het zien van die kettingen voelde ik me al net zo opgelaten als toen ik had gezien dat ze geen kleren aanhad. Ik keek naar de anderen zodat ze zich niet hoefde te schamen.

De anderen waren mannen en zij hadden ook niks aan, zelfs geen lap om. Hun enkels zaten in net zulke dikke ijzeren klemmen als die van de vrouw. Hun ogen waren op mij gericht en ze keken net zo geschrokken, verward en verbaasd bij het zien van mij als ik bij het zien van hun.

De vrouw met de vier armen siste nog een keer: 'Is jij een echte jongen?'

Ik wist niet wat ik zeggen moest. Als ze wél een spook was en dacht dat ik er ook een was, deed ze me misschien niks. Ze moest wel een spook zijn, want een mens heeft toch geen vier armen? Maar als ze géén spook was en ik zei dat ik er wél een was, wist ze misschien een kunstje om spoken te vermoorden, en dan was ik net zo goed dood.

In plaats van haar aan te kijken, richtte ik m'n blik op de balken van de stal, wat heel makkelijk ging, want terwijl m'n hoofd duizelde van het nadenken over het goede antwoord lag ik nog steeds languit op de vloer over-gevoelig te wezen. De wachtende uil keek vanuit de hoogte terug.

Ik vond dat ik beter de waarheid kon zeggen. 'Ja, mevrouw, ik ben een echte jongen.'

Ze fluisterde: 'Ga ergens anders spoken als je een spook bent. Doe niet zo gek als je echt een jongen bent en sta op uit dat zand.'

Ik probeerde op te krabbelen. Dat lukte, maar ik bleef met gebogen hoofd staan. Er kwam een rasperig soort kuchje van de vrouw en tegen wil en dank moest ik kijken. Een groot mens kon nooit zo'n klein kuchje maken. Ik zag een zwart koppetje en twee zwarte armpjes uit de lap over haar borst komen. Het was echt een pak van m'n hart toen ik in die donkere stal doorkreeg dat ze helemaal geen vier armen had! Ze was een vrouw met een klein kindje!

Ineens wist ik het! Het waren geen vastgebonden duivels! Het waren vijf ontsnapte slaven en een kindje die weer gepakt waren! Nu ik wist hoe 't zat, duizelde m'n hoofd er niks minder om.

'Jongen!' zei ze.

'Ja, mevrouw?'

'Als je echt bent,' zei ze, 'ga dan de emmer water achter in de stal bij de paarden halen, maar doe stil! Er legt daar een dronken slavenjager.'

Ik keek waar ze wees en zag aan de rechterkant van de stal nog een bundel liggen. Behalve aan het geweer dat tegen zijn zij stond kon je nergens aan zien dat het een blanke was.

Er hing een leren emmer aan een spijker, en die ging ik halen om hem met de drinknap die ernaast hing naar de vrouw en de baby te brengen.

Ze tastte naar m'n hand alsof ze zeker wou weten dat ik echt was, en toen zei ze: 'Dank je!' Ze doopte de nap in het water en zette het kindje zo tegen zich aan dat ze het drinken kon geven.

Op een paar kuchjes na had het kleintje geen teken van leven gegeven, maar bij het zien van het water ging het spartelen en naar de nap graaien en zuigen, slurpen en gulzig water doorslikken alsof het in geen twee jaar een druppel had gehad.

Van al dat gespetter van de kleine raakten de mannen machtig opgewonden. Twee strekten hun handen naar me uit en rukten aan hun kettingen om zo dicht als maar kon bij de emmer te komen.

De vrouw legde haar vinger tegen haar lippen en zei: 'Stil met die kettingen! Mot de blanke soms wakker worden en die jongen doodmaken? Er is water genoeg, hou je rustig!'

Ze gebaarde heftig onder het praten, alsof die mannen haar anders niet goed konden verstaan.

Zachtjes haalde ze de nap bij de kleine weg en zei: 'Rustig aan, lieffie. Niet zo snel. Je heb er niks aan als je je misselijk drinkt.'

De kleine had geen boodschap aan haar waarschuwing, graaide de nap terug, beet op de rand, blies in het water en spetterde met dat kleine mondje als een mus in een regenplas.

Het kindje moest weer hoesten en de vrouw pakte de nap af. Ze doopte hem weer in de emmer en nam zelf een lange teug. Ze deed het nog twee keer, dronk de nap tot de laatste druppel leeg en haalde toen zo diep en luid adem dat 't me deed denken aan iemand die in een meer kopje-onder was gegaan en weer boven kwam met longen die op klappen stonden.

Ze zei: 'Dank je wel hoor, erg bedankt. Geef nu de mannen te drinken.'

Ik liep naar de man die het dichtst bij haar zat en zette de emmer voor hem neer. Hij keek ernaar, keek toen op naar mij. Hij hief zijn handen en ik zag dat zijn armen gebonden waren met zware kettingen die van zijn polsen bengelden.

Ik wist niet wat ik moest doen of zeggen.

Van ma en pa en de andere grote mensen in de kolonie hadden we vaak genoeg over geketende mensen gehoord, en er zijn zelfs mensen in Buxton die nog dikke, glimmende littekens op hun enkels en polsen hebben van de kettingen, maar elke voorstelling ervan haalde 't niet bij de werkelijkheid. Het was een aanblik die niet in woorden te vangen was.

Misschien hadden de groten ons niet bang willen maken met bijzonderheden over geketende slaven, want nu ik die mensen hier zag wist ik dat ons niet het hele verhaal was verteld. Ik voelde m'n benen weer helemaal slap en bibberig worden.

De vrouw zei: 'Jongen! Alleen ik heb m'n handen vrij, om voor m'n kleine te zorgen. De mannen zijn aan handen en armen geboeid en kennen niet bij hun mond. Je mot ze helpen.'

Ik doopte de nap in de emmer en hield hem voor de man z'n lippen zodat-ie drinken kon. Zijn ogen waren bloeddoorlopen en opgezwollen en zaten zo dichtgekoekt dat je zowat zou denken dat-ie een stevige huilbui had gehad. Maar iets in die ogen zei je dat-ie er de man niet naar was om te janken, wat er ook met hem gebeurde.

Er was iets uit z'n neus gelopen dat het haar boven z'n mond grijs maakte, maar van dichtbij leek-ie te jong om van zichzelf al grijs te zijn. Hij zag er te sterk uit. Hij was zo'n man van wie je elke spier goed kon zien, alsof die spieren uit z'n vel zouden barsten als-ie niet uitkeek.

Z'n lippen waren gebarsten, met lange, bloederige spleten erin. Z'n haar zat aan de ene kant van z'n hoofd vastgekoekt met bloed of modder, alsof-ie daar een klap met een kei had gehad en geen kans had gehad om het te wassen.

Hij hield z'n ene been languit voor zich, en bij de knie was een groot stuk vel losgescheurd. Het was wel gehecht, maar niet goed. Dat moest van die berenvechtershond zijn.

Hij knikte één keer naar me en dronk toen even gretig als de vrouw en het kindje hadden gedaan.

'Hij is de pa van de kleine,' zei zij. 'Hij en die andere drie zijn volbloed Afrikanen. Hij spreekt weinig Engels, maar hij heb genoeg fatsoen om "dank je" te zeggen. Of niet soms, Kamau?'

De man knikte nog een keer.

'Graag gedaan, meneer,' zei ik en toen-ie z'n dorst had gelest, ging ik verder om de andere mannen water te geven.

De laatste was geeneens een man. Het was een jongen die niet veel jonger leek dan ik. Zijn ogen waren ook rood, dik en dichtgekoekt, maar bij hem zag ik meteen waarvan 't kwam. Hij had gehuild. Al was het nog zo donker, ik zag toch de grijze sporen die de tranen over zijn wangen hadden getrokken. Zijn neus zat vol korsten en er liep nog meer uit dan bij de man. Ik kon het niet aanzien.

Toen-ie naar me opkeek wist ik niks anders te doen dan m'n mouw over mijn hand te trekken en met de boord zijn neus en mond af te vegen. Hij zag m'n hand omhooggaan en trok z'n hoofd terug alsof-ie een dreun in zijn gezicht verwachtte, maar hij merkte wat ik echt wou doen en kwam weer naar voren. Ik veegde zijn neus af en gaf hem slokken water.

Hij was nog niet klaar met drinken of hij boog zich voorover en trok aan m'n arm zodat m'n hand bij zijn lippen kwam. Hij drukte zijn mond erop. Dat sneed als een mes door m'n ziel. Hij deed alsof drinken krijgen hetzelfde was als een gouden munt van twintig dollar krijgen. Hij wou m'n hand niet meer loslaten. Hij begon in het Afrikaanse tegen m'n hand te mompelen en moest toen huilen, met stille horten en stoten, waardoor zijn tanden langs mijn vel schuurden en de kettingen aan z'n armen en benen gingen rammelen.

Ik trok m'n hand terug en ineens wist ik waarom het zo raar rook in de stal. Het was de geur van angst. Het was de geur van vier grote mensen, een jongen en een peuter die voor alles en iedereen bang waren.

En van die lucht en het zien van de geketende mensen en van de geluiden die ze maakten als ze zich maar even bewogen werd ik misselijk. Het is niet mooi van me, maar het enige wat ik wou was uit de buurt van die jongen komen, uit de buurt van die mensen, voordat ik moest overgeven. Ik liet de emmer bij de jongen z'n voeten staan en struikelde drie stappen naar achteren.

De vrouw fluisterde: 'Nee joh, hang alles percies zo terug als 't hing. Anders zien ze dat er iemand geweest is.'

Toen ik de emmer en de nap had teruggehangen, zei ze: 'Kom bij me, maar praat zacht. Wat doe je hier? Werk je hier in de stal?'

Ik was zo akelig van ze geschrokken dat ik de hele predikant glad vergeten was!

Ik dacht weer aan mijn dure belofte aan meneer Leroy en zei: 'Nee, mevrouw. Ik zoek de man die het geld van een vriend van me heeft gejat.'

Ik keek naar de andere kant van de stal en de predikant stond nog steeds te doen alsof-ie niks van dit alles merkte. Ik trok meneer Leroy z'n pistool uit mijn draagtas zodat de predikant kon zien dat het geen bluf was en zei iets harder: 'Als-ie me meneer Leroy z'n geld niet teruggeeft, schiet ik hem dood als een dolle, laffe hond!'

Een wapen lag heel anders in je hand als je wist dat je het ging gebruiken om er een mens van vlees en bloed mee dood te schieten. Toen ik met de predikant z'n oude roestige pistool op boomstronken en stenen had geschoten, voelde dat lang niet zo zwaar als dit ding. Het mysteriepistool zwabberde en zwaaide in m'n hand als een weervaan in een winterse bui.

De vier Afrikanen schrokken terug van dat springerige pistool in m'n hand. Je zag aan ze dat ze wisten wat een pistool als dit bij iemand kon aanrichten.

De vrouw zei: 'Zo zout heb ik 't nog nooit gegeten. Een kind dat iemand wil doden met een mannenpistool! Maar als 't om die man daar gaat ben je te laat. Kijk zelf. Vlak voor zonsondergang blies-ie z'n laatste asem uit. Wat had die vent een praats. Ik wist gelijk dat ze hem niet wouen verkopen. Ik wist het gelijk toen ze hem binnenbrachten en hem z'n tanden uit z'n mond sloegen en z'n tong in stukken sneden. Wie verkocht mot worden, wordt nooit zo toegetakeld. Ze speelden met 'm, gewoon voor hun lol.

Maar tegen je vriend ken je gerust zeggen dat die man gruwelijk heb geboet voor z'n diefstal. Vertel je vriend dat-ie veel langer heb geleefd dan je van een mens ken verwachten, en dat-ie nooit om genade smeekte maar die slavenjagers stijf vloekte bij elke klap die ze hem gaven, en dat-ie ze stijf bleef vloeken tot 't bittere eind.'

De Zeereerwaarde deken dr. Zepharia Connerly de Derde was dus dood. Ik schaamde me, want mooi was 't niet dat er eerst alleen maar opgeluchtheid door me heen golfde omdat het betekende dat ik van m'n belofte was verlost en hem niet hoefde te vermoorden.

Nu snapte ik wel dat het van de touwen kwam dat de predikant z'n armen zo roerloos in de lucht hield. Hij was tussen twee balken opgeknoopt. Een ander touw zat een paar keer om z'n nek geslagen en snoerde z'n keel potdicht. Ik wist dat ik voortaan nooit meer naar Emma haar ouwe pop, Birdy, kon kijken zonder aan de predikant te moeten denken.

Toen viel me een gedachte in die me zo zwaar op het hart lag dat de moed me recht in m'n schoenen zakte. Behalve een bloederige lap om z'n knieën had de predikant geen draad meer aan zijn lijf. Heel meneer Leroy z'n kapitaal was voorgoed weg!

De vrouw zei: 'Doe dat ding weg voor er ongelukken gebeuren!'

Ik stopte het pistool van de predikant terug in mijn draagtas.

'Van wie ben jij d'r een?' vroeg ze.

Ze merkte wel dat het me machtig veel moeite kostte om niet

naar de predikant te blijven staren, en ze trok aan mijn arm. Ik bleef staren, en ze draaide met haar hand m'n gezicht om zodat ik haar recht aankeek.

'Van wie ben jij d'r een?'

Ik kon niks anders stamelen dan: 'Ik ben gewoon van m'n pa en ma, mevrouw.'

'Je praat zo gek,' zei ze. 'Waar ben je geboren? Hier?'

'Nee, mevrouw,' zei ik. 'Ik ben geboren in de kolonie Buxton, in West-Canada.'

'Canada!'

'Ja, mevrouw.'

'Hoe ver is het naar Canada?' vroeg ze.

'Meneer Leroy en ik hebben er zowat een uur over gedaan, maar we reden heel snel. We hebben het paard vast te hard laten draven.'

'Een úúr?' zei ze.

'Ja, mevrouw.'

'Jongen, zeg dat het niet waar is. Zeg dat je liegt!'

'Nee, mevrouw, ik zweer op de Bijbel dat het ongelogen waar is.'

Voor het eerst sinds ik haar had ontmoet glimlachte ze. Ze hield de kleine een stukje van zich af en zei: 'Lieffie, de duvel heb ermee gespeeld. We zijn van zover gevlucht en kwamen maar één uur te kort. Eén uur, kind, zo dichtbij waren we er. We zijn er zo dichtbij dat hier vast wel vrije lucht uit Canada heen waait.'

Ik wou net zeggen dat de wind meestal de andere kant op staat, van Amerika naar Canada, maar ik bedacht dat ze dat misschien geeneens bedoelde.

‘Waar brengen ze jullie heen?’ vroeg ik.

Ze zei: ‘Ik en Kamau en de kleine zullen wel teruggaan naar mijn meesteres in Kentucky. Van de andere drie weet ik ’t niet. Ze kennen geen woord Engels en Kamau zegt dat ze niet hetzelfde Afrikaans spreken als hem.’

Ik moest denken aan alles wat we op school hadden gehoord over vrijheidsstrijders die hun eigen leven op ’t spel zetten voor net zulke mensen als deze hier. Ik moest eraan denken dat je van die verhalen zo opgewonden, kwaad en over je toeren raakte dat je Amerika wou bestormen om alle slaven te bevrijden. Ik moest eraan denken dat je je tranen zowat niet kon houen als de grote mensen vertelden hoe ze zich voelden toen ze eindelijk in Buxton kwamen, hun linkerhand tegen de Vrijheidsklok drukten en eindelijk wisten wat het was om niemand anders z’n eigendom te zijn.

Ik dacht aan al die keren dat ik en Cooter en Emma en de anderen vrijheidsstrijdertje en slaaf speelden, hoe we strootjes trokken om uit te maken wie vrijheidsstrijder mocht zijn omdat geen van ons zo’n rotzak van een slavenbaas wou spelen. Ik zag ons weer zogenaamd over plantages sluipen om alle slavenbazen te doden en er met een horde blije, lachende, vrije slaven vandoor te gaan naar Canada. We draaiden er onze hand niet voor om.

Nu zag ik met eigen ogen dat het spel niks te maken had met de werkelijkheid. Het was allemaal veel zwaarder en zorgelijker als het menens werd en je te maken kreeg met wapens en kettingen, hoestende kindjes en huilende mensen zonder kleren. Mensen die net zo waren als ik en ma en pa, alleen waren zij halfdood. Alleen hadden zij een treurige, akelige lucht om zich heen. Alleen waren zij geketend op een manier waarop ik zelfs nog nooit het wildste, wreedste beest aan een ketting had zien liggen.

Op datzelfde ogenblik wist ik dat ik nooit van m'n leven nog vrijheidsstrijdertje wou spelen als ik levend uit deze stal in Michigan kwam. Niet alleen omdat er geen lol meer aan zou zijn, maar vooral omdat ik wist dat ik geeneens dapper genoeg was om zelfs maar te doen alsof ik er een was. 't Was eigenslijks net zoiets als doen alsof je een engel was. Je zou je toch doodschamen als je op een keer een echte engel of vrijheidsstrijder tegen het lijf liep. Het was of je ermee spotte als je daar een spel van maakte.

Ik keek naar de vrouw en nam me heilig voor een manier te verzinnen om haar en de Afrikanen hier weg te krijgen, geweren en kettingen of niet!

Vrijuit!

'Met hoeveel zijn die kerels, mevrouw?' vroeg ik aan haar.

Ze zei: 'Hun zijn met die dronkenman daarginder en een die ze Prayder noemen met z'n twee zoons. En een valse hond.'

Ik telde het snel op, slikte heftig zodat ik niet terug kon krabbelen en zei: 'Mevrouw, ik kan naar die slapende man sluipen en hem de sleutels van de sloten afpakken zonder hem wakker te maken, en als-ie wél wakker wordt en ik dit pistool moet gebruiken zit er niks anders op. Dan maak ik jullie los en hebben we er een geweer bij en als die andere slavenjagers komen aanstormen, kennen we...'

Wilde plannen vielen me in en hoe wilder en sneller ze opkwamen, hoe meer ze met mekaar botsten en hoe warriger en waardelozer ze leken, zelfs in m'n eigen ogen.

Maar ik moest doorpraten. Als ik het praten opgaf was het alsof ik alles opgaf, en dus zei ik: 'En als we in Buxton komen, heet iedereen u welkom en helpt u een boerderijtje te beginnen. Er zijn zelfs blanken die meehelpen. En we zorgen altijd goed voor mensen die net vrijkomen, en als u er bent luien Cooter en ik wel honderd keer de Vrijheidsklok. Dat komt uit op twintig keer voor elk van jullie. En slavenjagers moeten 't niet wagen bij ons te komen, want dan worden ze ingesmeerd met pek en veren en op een mestkar het dorp uit gejaagd, of we laten ze spoorloos verdwijnen. En zelfs blanken die niks van ons moeten hebben worden machtig kwaad als Amerikanen in Canada de wet komen voorschrijven, en als we er zijn hoeft Emma Collins jullie niet het bos uit te lokken, want ik blijf zelf van begin tot eind bij jullie en...'

Ik keek naar de vier mensen, die hun hoofd weer tussen hun knieën hadden verborgen en ik hoorde aan hun ademhaling dat ze nergens heen zouen vluchten. Ze leken niet meer op een groepje uitgeputte, verslagen mensen. Ze leken weer op vijf bundels die tegen een stalmuur waren gekwakt.

Het was te veel. Meneer Leroy z'n dood, de vermoorde predikant, de geuren, het gerammel van de kettingen, en de naakte mensen die er zo angstig en verslagen en moe uitzagen, het werd me gewoon te veel. De stomme, warrige ideeën kwamen niet meer en maakten plaats voor geprik in mijn ogen, snotterigheid in mijn neus en een brok in mijn keel.

't Was niks anders dan een machtige aanval van over-gevoeligheid, en als die komt opzetten is er geen houen meer aan. Het is als een bal die de heuvel af rolt. En ik kon niks anders meer doen dan huilen. Net als de gevangen jongen die jonger was dan ik, zei ik geen woord meer, sloeg ik m'n handen voor m'n ogen en huilde.

De vrouw schoof het kindje naar haar linkerarm en legde haar rechterhand over m'n mond. Ze deed het heel zacht, maar die hand op m'n gezicht voelde zo ruw als een ouwe plank van een schuur.

Ze zei: 'Jongen, stil toch. Wat denk je dat die blanke je doet alsie wakker wordt? We kopen niks voor die praatjes over slapende mannen vermoorden. Als je hem daaro afmaakt krijgen we meteen elke blanke man en jongen uit het land op onze nek. En ik zie zo dat je uit 'n goed nest komt. Jij mot geen moord op je geweten hebben.'

Ik snoof de snotterigheid in mijn neus terug en zei: 'Maar hoe krijg ik u dán weg, mevrouw? Ik weet dat u moe bent, maar buiten heb ik een paard staan dat het snelste paard op één na van heel Canada is en als we 't niet overdrijven kennen we hem laten draven en als we nog een paar paarden van hier lenen hoeft niemand te lopen en...'

Ze lachte. 'Toe maar! Jij bent me de deugniet wel! Eerst 'n blanke doodschieten in z'n slaap, dan slaven bevrijden en op de koop toe paarden stelen! Kind, voor alle slechtigheid die jij in de zin heb knopen die blanken je op, snijen je los en knopen je nog een stuk of wat keer op!'

Ze woelde met haar ruwe hand door m'n haar. ''t Wordt niks met paarden stelen en vluchten, jongen. Zie je dan niet dat er geen vluchten meer aan is? En die dronken je-weet-wel daaro heb geeneens sleutels. Die houen massa Prayder en z'n zoons bij zich, en nog niet bij mekaar ook.'

Toen dacht ik ineens aan het besmeurde mes van meneer Taylor!

Ik zei: 'Ik heb dit!' Ik greep in m'n draagtas en pakte het mes.

‘Het maakt geen lawaai als ik die dronkenlap z’n keel doorsnij en zijn geweer pak, en dan…’

Ze gaf een rukje aan m’n arm en zei: ‘Stt! Als je je eigen eens kon zien, hoe zou jij een man z’n strot afsnijen? Je bent een goeierd die nog geen varken ooit de strot heb afgesneeën, of wel soms?’

‘Nee, mevrouw, maar ik heb me nog nooit zo gevoeld als nu.’

‘En toch ga je nu niet beginnen met strotten afsnijen. Hoe oud ben je?’

‘Over zowat tien maanden word ik twaalf, mevrouw.’

‘Twaalf jaar en vrij! En kijk die nette kleren en schoenen van je dan! En mot je horen hoe netjes je praat. Het klinkt wel gek uit jouw mond, maar je praat zowat even netjes als mijn mevrouw d’r kinderen. Ik hoefde je maar te zien om te weten dat jij nooit geen slaaf bent geweest. Daarom hield ik je voor een spook toen je zomaar uit het niks opdook.’

‘Maar hoe krijgen we u dán vrij?’

‘Dat lukt nooit niet.’

‘Maar ik heb dat mes! Misschien kan ik het hout lossnijen waar die kettingen aan vastzitten.’

Ik keek naar de plek waar de kettingen in de muur zaten. Het was helemaal geen hout. De kettingen kwamen uit massief steen.

Ze gaf me een por en zei: ‘En nou ophouen! Slavenjagers laten niks aan het toeval over. Het is geen spelletje voor ze. Het is hun brood. Het is hun werk. Al zijn ze te stom om voor de duvel te dansen, slaven vangen kennen ze als de beste, en ons gevangen houen kennen ze ook.’

Ik zei: ‘Maar misschien kan ik de kettingen…’ ik gaf een ruk aan de steen waar de kettingen in zaten, ‘… lostrekken. Soms moet je

iets heel vurig willen om je dromen uit te laten komen, soms word je van angstigheid vanzelf zo sterk dat je bergen ken verzetten...'
Ik zette nog meer kracht bij het trekken en vertelde haar: 'Heel Buxton weet hoe meneer Alexander en z'n vrouw met z'n tweeën op een akker keien opgroeven en op een wagen laadden, en dat-ie onder de wagen moest kruipen om iets te pakken toen het wiel afbrak, en hoe z'n been klem zat en er in geen velden of wegen hulp was, en in plaats van te wanhopen werd vrouw Alexander zo razend van angstigheid dat ze helemaal in d'r eentje de achterkant van de wagen optilde zodat-ie er onder vandaan kon kruipen! Een hele wagen vol keien! En ze is lang niet zo sterk als ik!'

Ik gaf weer een ruk, maar het was alsof de stenen me uitlachten.

De vrouw reikte naar haar enkel waar de ijzeren klem zat. Ze zei: 'Kind, je breekt eerder m'n been dan die steen. Die kettingen zouen toch allang van gruis zijn als angstigheid en iets vurig willen ons hielp? Dacht je echt dat jij vuriger als mij en de Afrikanen wou dat we ijzers konden breken? Dacht je echt dat jij sterker bent en meer wilskracht heb als ons? *Als mij*? Kind toch, hou jij eens gauw op met je zenuwengedoe als je straks niet zelf in de boeien wilt zitten. Sommige dingen ken je nu eenmaal niet veranderen.'

Ze had gelijk. Ik had dat nog niet door of m'n benen begaven het weer, en ik viel in mekaar aan haar voeten. Ze trok me naar zich toe en legde haar arm om m'n hoofd.

Ze veegde m'n tranen weg en zei: 'Hemel! Ik heb nog nooit iemand meegemaakt die zo vaak flauwvalt!' Ze hield mijn kin in haar hand. 'Hoor eens. Zit maar niet over ons in. Niet meer huilen, hartje, anders raakt dat Afrikaanse jochie nog meer van streek. Je wilt de dingen voor hem toch niet ergerder maken dan ze al zijn?'

Daar had ik niet aan gedacht. Ik was gewoonweg egoïstisch.

Ze zei: 'Jij ken dat niet weten, maar je ben 't enige lichtpunt dat we in lange, heel lange tijd hebben gezien. Ik wou Canada zien, maar 't is zowat net zo fijn om jou te zien. Door jou weet ik dat 't niet alleen maar een droom was.'

Haar kindje hoestte weer en ze gaf een kus op het voorhoofdje en gaf daarna mij ook een kus. Ze duwde me een stukje van zich af zodat ze me recht aan kon kijken en zei: 'En nu mot je goed naar me luisteren. Je mot hier vlug weg, maar eerst nog dit. Is dat pistool van je echt? Geen kinderspeelgoed?'

'Nee, mevrouw. Dat is een echt pistool van honderd dollar.'

'Doe-ie 't ook?'

'Ja, mevrouw.'

'Zitten er kogels in?'

'Ja.'

'Is 't moeilijk om ermee te schieten?'

'Nee hoor, ik heb de predikant zien schieten en er is wel 'n terugslag, maar als je die verwacht stelt 't niks voor. Maar je moet wel sterk zijn.'

'Heb jij er wel eens mee geschoten?'

'Nee, mevrouw. Maar wel met de predikant z'n andere pistool, en dat was zo'n beetje hetzelfde.'

Ze glimlachte. 'Nou, jongen, als een vrijgeboren flauwvallertje als jij met een pistool kan schieten, zal het Chloe ook wel lukken.'

Ik keek naar de armen van vrouw Chloe. Het waren net dikke, kromme, zwarte kabels.

Weer greep ze mijn kin vast zodat ik haar recht moest aankijken. Ze zei: 'Geef dat pistool eens.'

Ik haalde het mysteriepistool uit mijn tas en stopte het haar in handen.

'Hij is een stuk lichter dan-ie eruitziet,' zei ze. 'Laat eens zien hoe-ie werkt.'

Ik legde het net zo uit als de predikant het mij had uitgelegd.

'Meer niet?' vroeg ze.

'Nee, mevrouw.'

'Hoe lang na een schot kun je opnieuw schieten?'

'Het is eigenslijks een revolver, mevrouw. Dat betekent dat je de trekker maar hoeft over te halen of hij schiet weer, maar je moet zorgen dat je heel percies mikt en je moet je adem inhouen voor het volgende schot.'

'En als je één keer op iemand schiet is-ie dood?'

'Als je hem in z'n hoofd of z'n borst raakt is-ie dood. En als-ie niet op slag dood is, duurt het niet lang meer. En als-ie dan nog niet dood is, blijft-ie de rest van z'n leven wensen dat-ie het wél was.'

'En hoe vaak kun je ermee schieten voor-ie leeg is?'

'Het is een zesschotsrevolver, mevrouw.'

'Percies goed,' zei ze.

Ik rekende het uit in m'n hoofd en als ik de kleine meetelde waren zij met hun zessen!

Voor ik kon vragen wat ze van plan was, greep ze weer mijn kin en zei: 'Nou kind, denk je dat je nog met dit pistool gaat schieten voor je in Canada terug bent?'

'Nee, maar...'

'Niks te maren,' zei ze. 'Misschien ken ik dat pistool beter bij me houen.'

Het was geen vraag.

Ik zag hoe rustig het in haar hand lag en wist dat ik het niet meer kon afpakken, als ik het al zou willen. Ik zei: 'Ja, misschien wel, mevrouw.'

Ik wou dat ik nog iets kon doen. Ik snapte niet hoe ze met alleen dat pistool konden ontsnappen als ze geeneens van de muur los konden komen. En ze had gelijk, als dat pistool werd afgevuurd kwam meteen het hele dorp aanrennen. En hoe ver zouen ze helemaal komen, zonder kleren, als ze al konden ontsnappen? En stel nou dat ze het pistool niet wou gebruiken om de slavenjagers neer te schieten? Stel dat ze het pistool wou hebben om...?

Ik moest er niet aan denken.

Ze legde het pistool achter zich en knikte naar de plek waar de predikant hing. 'Voor je gaat, mot je nog vertellen wat die man gestolen heb dat de moeite loonde om ervoor uit Canada te komen en hier te belanden?'

Ik wou naar de predikant kijken, maar ze trok m'n gezicht naar zich toe. Ik vertelde haar alles wat er gebeurd was met meneer Leroy en de predikant en vrouw Holton haar goud.

Ze luisterde aandachtig en zei: 'Dus nu de dief dood is kun je regelrecht naar Canada terug, of zijn er hier soms nog meer blanke strotten die je door wil snijen?'

'Nee, mevrouw, ik ga regelrecht terug. Ik heb proefwerk Latijns, dus ik moet maandag weer naar school.'

Ze keek me strak aan. 'Naar school?'

Ze zei het nog maar eens: 'Naar schóól?'

'Ja, mevrouw.'

Ze bleef heel erg lang stil. Ze deed haar ogen dicht en drukte de kleine tegen zich aan.

Na een hele tijd glimlachte ze en zei ze: 'Hier. Hou mijn kleine vast, dan kan ik die klem verschuiven. Ik geloof dat er een korstje is opengebarsten door al dat trekken van jou.'

'Dat deed ik niet expres, mevrouw, ik wou alleen...'

'Stil toch,' zei ze. 'Genade, jij hoort je eigen wel graag praten, hè? Mond dicht en m'n kind vasthouen.'

Ik nam de kleine van haar over. Het was een meisje.

Ze zei: 'Zo te zien heb je vaker een kindje vastgehouen.'

'Ja, mevrouw. Ik pas wel eens op bij de peuters.'

De vrouw reikte met twee handen naar haar enkel, wrikte aan de ijzeren klem en keek op naar mij. Ze keek heel verbaasd en zei: 'Wel heb ik ooit! Dat heb ik van m'n levensdagen niet meegemaakt! Kijk nou hoe het kleintje zich door jou laat vasthouen! Ze is helemaal op d'r gemak in je armen! Kijk dan!'

De kleine keek naar me op. De vrouw had niet verbaasder kunnen doen als ze Mozes de Rode Zee had zien splijten.

'Wel heb ik...!' zei ze. 'Jongen, zo te zien is m'n kleintje echt weg van je! Ik heb haar zo grondig verwend dat ze zich nooit door een ander laat vasthouen zonder een keel op te zetten! Ik zou zweren dat ze van je houdt! Als je 't mij vraagt denkt ze dat je haar grote broer bent! Dit heb ik nog nooit meegemaakt. Dat kind heb het gevoel dat je een soort familie ben, want zo laat ze zich alleen door Kamau en mezelf vasthouen. Echt waar, jongen, kijk dan, ze houdt echt van je!'

De tranen stroomden de vrouw uit de ogen, maar ze bleef glimlachen.

Ik keek op het meisje neer. Het was een miezerig, ziekelijk kindje.

Ik geloofde echt niet dat ze van me hield. Ik geloofde dat ze alleen geen moord en brand schreeuwde omdat ze er net zo verslagen, uitgeput, moe en geknakt uitzag als haar ma en pa en die drie andere Afrikanen, al werd ze dan gedragen en was ze niet in de zware boeien geslagen. Maar 't was een compleet raadsel waarom die vrouw bleef beweren dat het kindje van me hield.

Ze zei: 'Zie je het ook, joh? Zie je wat ik bedoel?'

Ik kreeg het door! Ik begon iets te begrijpen van wat er aan de hand was! Dit was van die praat die grote mensen afsteken als ze hardop iets zeggen en verwachten dat je tegelijk nog veel meer hoort! Die vrouw behandelde me als 'n groot mens! Ze deed alsof ik kon begrijpen wat ze tussen haar woorden door bedoelde!

Ik deed vreselijk m'n best te begrijpen waarom ze aldoor beweerde dat ik en het kleine meisje familie waren, maar ik kwam er potdommes niet op! 't Was net als wanneer meester Travis ons op school met een onverwacht proefwerk overviel. Al weet je er nog zo veel van, als-ie zomaar pardoes met vragen komt, lopen je hoofd en hersens vast als een pomp in de winter. Al zou ik kúnnen weten wat die vrouw zei, dan kwam ik er nu toch niet op. Ik kon er niet opkomen omdat ze me overviel.

Ik voelde me er heel rot bij, maar ze verdeed haar tijd. Ik kon de taal van grote mensen nog steeds niet spreken of begrijpen. Ik kon aan niks anders denken dan aan hoe ik hun vrij moest krijgen, en het zag er naar uit dat er geen oplossing voor was.

Ze probeerde het nog een keer. 'Zie je hoeveel ze van je houdt, jongen?'

'Nee, mevrouw, ik zie het niet,' zei ik.

Ik gaf de kleine aan haar terug. Ze keek me strak aan. Haar handen trilden toen ze het meisje van me overnam.

Ze liet die praat over houen-van varen en hield haar kindje stevig vast.

Ik was kapot. Ik kon alleen nog naar de grond turen en m'n handen in m'n zakken stoppen.

Toen, alsof ik een boodschap doorkreeg, krulden m'n vingers zich om het briefje in m'n zak!

Ik trok het tevoorschijn en zag de naam van de man die meneer Highgate had geholpen en nu voor de aardse resten van meneer Leroy zorgde. Benjamin Alston! Meneer Highgate had tegen pa gezegd dat-ie een machtig fijn mens was. Ik wist wat ik doen moest!

Ik fluisterde: 'Mevrouw, ik weet wat! Ik ken iemand die kan helpen! Ik ben zo terug!'

'Jongen, kom niet terug als je weggaat,' zei ze. 'Ga zo vlug als je ken naar Canada.'

'Maar, mevrouw, dan kom ik niet alleen. Ik ken mannen die vast willen helpen om jullie te bevrijden! Ze zijn zelf ook slaven geweest. Als ze weten dat jullie hier zijn, ben je in een oogwenk weg!'

'Luister, jongen. Ga weg en kom niet terug. Niemand kan ons helpen. Je waagt je eigen leven voor niks. Ga terug naar Canada. En dat meen ik.'

Ik pakte mijn draagzak en ging naar de staldeur. Ik keek achterom naar de vrouw, stak m'n rechterhand in de lucht en zei: 'Mevrouw, ik zweer op het hoofd van m'n ma dat ik terugkom met helpers. Wees maar niet bang, voor zonsopgang zijn we allemaal in Buxton!'

Bliksemsnel naar Buxton terug

Ik deed de staldeur open en hield vier keilstenen in m'n hand voor het geval de berenvechtershond wakker was geworden. Hij zag er wel iets beter uit. Z'n tong zat weer in z'n bek en hij maakte een zacht jankgeluidje, maar hij lag nog op zijn zij met dichte ogen. Ik stapte over hem heen en rende naar Jingle Boy. Zo vlug we konden gingen we terug naar de herberg. Ik hoopte aan een stuk door dat de mannen er nog waren. Toen ik dichterbij kwam kreeg ik weer moed. Ik kon horen dat ze daarachter nog zaten te gokken!

Ik kwam de hoek om stormen en zag meneer Alston gehurkt tegen een wagenwiel zitten kijken hoe de andere mannen met de witte stipjesblokjes gooiden. Er gaat niks boven een hard galopperend paard om meteen de mensen hun aandacht te krijgen. De mannen veerden allemaal overeind alsof ze op 'n misdaad werden betrapt.

Ik sprong van Jingle Boy en schreeuwde: 'Meneer Alston! Meneer Alston! Ze hebben slaven gevangen die ze weer terugbrengen naar hun baas! Ze gaan morgen al weg! Ze hebben een vrouw en d'r kleine kind en een paar Afrikanen en een jongen die niks ouder is dan ik! We moeten vlug zijn! En ze hebben de predikant vermoord en hem opgeknoopt in de stal!'

Meneer Alston greep me beet. 'Kalm aan, joh! Wat zeg je allemaal?'

Het duurde een tel voor ik weer op adem was. Toen zei ik: 'Vier slavenjagers hebben zes mensen ontvoerd die ze naar het zuiden gaan brengen! We moeten ze bevrijden! Er houdt er maar ééntje de wacht en hij is bewusteloos van de drank! Er is zelfs een klein kindje bij! We moeten ze bevrijden!'

'Wát motten we?' zei hij.

De anderen keken strak naar mij en meneer Alston.

'We moeten ze daar weghalen, meneer. Ze zijn er slecht aan toe, maar als we ze naar Buxton krijgen kikkeren ze wel weer op!'

Een van de gokkers lachte en zei: 'Man, geef de dobbelstenen aan. Dat joch is gek.'

Meneer Alston liet me los en zei: 'Jongen, jij mot naar Canada en je mensen over die dooie man inlichten. Waarom ben je nog hier?'

'Ja, meneer, ik ga ook, maar ze brengen die gevangenen morgenvroeg meteen weg! We moeten ze nu bevrijden! Ik heb vrouw Chloe bezworen dat we haar daar weghalen!'

Opeens bedacht ik dat de mannen angstig hadden gekeken toen meneer Alston over de berenvechtershond had verteld. Ik zei: 'O! En zit maar niet over die hond in, want ik heb hem uitgeschakeld. Dat is geen punt!'

Meneer Alston zei: 'Ik doe niet mee, jongen. Stijg op en ga naar huis. Er wordt hier niemand bevrijd. We zijn hier niet in Canada, maar in Amerika. Dat is een wereld van verschil. Ik vind het rot voor die arme stakkers die gepakt zijn, maar we motten ons aan de wet van hier houen. Als we ons met die ellende bemoeien, verkopen ze ons ook nog aan de hoogste bieder. Er is niks aan te doen. Het was de sheriff zelf die de slavenjagers de stal heb aangeboden.'

Een van de mannen zei: 'Geen mens hielp mij ontsnappen toen ik in Alabama zat. En dan zou ik m'n leven wagen voor lui die stom genoeg zijn om zich te laten pakken?'

Ik wist niet wat ik zeggen moest.

Ik draaide me naar de mannen om en zei: 'Maar we zijn toch allemaal...'

De man met de dobbelstenen gaf me een klap tegen m'n kop.

'Je hoort hem toch, maak dat je wegkomt. We motten niks hebben van dat domme geklets van jou. We willen er niks van weten. Bovendien sta ik op winst, en jij verpest m'n spel!'

Ik zei: 'Maar ze zijn op sterven na dood, ze kennen amper...'

De man gaf me zo'n stomp tegen m'n borst dat ik neerviel en geen lucht meer had.

Meneer Alston greep hem vast en zei: 'Dat hoeft nou ook weer niet!'

De man schreeuwde tegen me: 'Joh! Ga uit m'n ogen of ik vermoord je! We zeggen je toch, er is niks aan te doen! Maak dat je weer in Canada komt. We zitten niet te wachten op vrijgeboren gekken uit Buxton die ons in de sores werken! Ik pas ervoor om weer als slaaf terug te motten.'

Ik stond op en rende terug naar Jingle Boy.

Ik was zo verbouwereerd dat ik geeneens kon huilen.

Jingle Boy besnuffelde me toen ik bij hem kwam. Ik klauterde op zijn rug. Ik wendde hem naar de weg en voelde m'n buik klotsen. Voor ik 't wist hing ik voorover en braakte ik het eten van ma en de melk van Cooter z'n ma uit. Ik gaf over tot er niks anders meer kwam dan bitter water, dat ik voor zover ik wist geeneens gedronken had. Ik was het nog niet kwijt of ik braakte lucht uit, en m'n binnenste bleef draaien en woelen.

Ik wist dat 't niet kwam van de berenvechtershond die me in m'n zij had geraakt of van de man die me in m'n borst had gestompt. Ik wist dat het alleen kwam van m'n geweten, dat op ging spelen nu ik m'n belofte aan vrouw Chloe moest breken. Het had geen zin om terug te gaan naar de stal en te proberen haar en de Afrikanen te bevrijden. Ik kon eigenslijks alleen nog als de bliksem op Jingle Boy naar Buxton rijden en kijken of ma en pa er iets op wisten.

Maar mijn geweten wist wel beter: als ik daar eindelijk kwam en er werd een reddingsploeg samengesteld die weer helemaal hierheen moest, waren die slavenjagers allang met vrouw Chloe vertrokken en zouen we er nooit achter komen waar ze was.

Ik moest kiezen tussen teruggaan en haar vertellen dat niemand kon helpen, of zo snel ik kon naar Buxton gaan omdat er dan misschien, heel misschien, nog iets gedaan kon worden. Maar m'n geweten bleef knagen en liet m'n maag opspelen omdat het eigenslijks tijdverspilling was. De gokker had gelijk. Er was niks aan te doen.

Eindelijk kwamen de tranen. Ik moest doen wat vrouw Chloe had gezegd. Ze had me opgedragen niet terug te komen. Ik zette m'n hakken in Jingle Boy z'n flanken en spoorde hem aan naar het zuiden, de weg af naar Buxton.

De wraak van Frederick Douglass!

Ik matte Jingle Boy meer af dan goed voor hem was, maar ik had er goeie redenen voor. Niet alleen wou ik de hulp van ma en pa bij deze warboel, maar met dat harde gedraaf van Jingle Boy kon ik misschien aan niks anders denken dan dat ik me moest vastklampen om er niet afgegooid te worden. Maar het haalde niks uit, al dat gehots en gebots op het paard kon er niet voor zorgen dat m'n gedachten stil bleven staan.

Ik bedacht dat mijn geweten en ma's koektrommelslang veel op mekaar leken. Al rende ik me de benen uit het lijf om bij ze weg te komen, het einde van het liedje was dat ik ze zonder het te weten had meegenomen. 't Enige verschil tussen die twee was eigenslijks dat het me makkelijk was gelukt de slang weg te gooien en er vanaf te komen, maar dat ik lang niet zo makkelijk van m'n geweten afkwam.

Ik en Jingle Boy waren amper een kilometer buiten het houthakkersdorp of ik trok de teugels aan en liet hem stilstaan.

Ik had niks tegen het paard zelf, maar potdommes-nog-aantoe, ik wou dat ik in plaats van op hem op Old Flapjack zat.

Als-ie Old Flap was geweest, gingen we met zo'n slakkengang dat er niks anders voor me opzat dan een goed plan te bedenken. Met al dat gehots op een galopperende Jingle Boy kon ik geen gedachte vasthouen om er verder op door te denken. Dat was ook wel weer een troost, maar ik wist dat ik hem toch stil moest laten staan voor ik de fout van m'n leven maakte.

'tMeest werd ik gekweld door de gedachte dat vrouw Chloe die grotemensenpraat had afgestoken en ik haar zo had teleurgesteld toen ze merkte dat ik haar niet begreep.

Grote mensen kunnen je op allerlei manieren mistroostig maken als je een kind bent. En als ik één zwakke plek heb waar ze me kunnen raken, is het niet dat ze tegen me tekeergaan of me een pak slaag geven of me met verwijten achter m'n vodden zitten. Als ze me diep treurig willen maken, hoeven ze eigenslijks alleen te zeggen dat ik ze teleurgesteld heb met iets wat ik gedaan heb.

'tWordt nog ergerder als ze niet ronduit zeggen dat ze teleurgesteld in me zijn, maar me in plaats daarvan fronsend aankijken en zo'n beetje hoofdschuddend wegkijken. Dan gaan ze zo potdommes ongelukkig doen. Ik weet niet waarom, maar dat doet meer pijn dan een harde tik of een flink pak rammel.

Als ik goed wou nadenken, moest ik me niet meer druk maken om die teleurstelling maar m'n volle aandacht geven aan de grotemensenpraat die vrouw Chloe had afgestoken. Het ging natuurlijk om haar leugen dat de kleine zo veel van me hield, waarvan we allebei wisten dat 't niet waar was, maar ik kon maar niet uitdokteren waarom ze het zei. Waarom zou een klein kind van iemand houen die ze helemaal niet kende? En waarom zou de ma van dat kleine kind erom liegen? Dat sloeg nergens op, dat sloeg helemaal nergens op.

Maar waaróm deed ze toch alsof ik en dat meisje een soort familie van mekaar waren, alsof er een sterke band was tussen mij en...?

't Gaat misschien klinken alsof ik opschep en overdrijf, maar wat ik nu ga zeggen is de zuivere waarheid, en als het de zuivere waarheid is, kan het geen opschepperij zijn:

M'n hersens kunnen zo machtig slim werken dat ik er soms stomverbaasd van ben!

Nu was er toch van alles gebeurd dat m'n aandacht had willen afleiden van wat er duimendik bovenop lag, maar ineens gaven m'n hersens me als bij toverslag in wat vrouw Chloe eigenslijks had gezegd! En zelfs nog waaróm ze het had gezegd!

En dat bewijst voor de zoveelste keer wat ik aldoor al beweer, dat rijden op een muilezel stukken beter is dan rijden op een paard. Als ik Jingle Boy niet stil had laten staan, was ik nu halverwege Buxton geweest zonder een schijn van kans om goed na te denken, en dan was het misschien al te laat!

Weer zette ik m'n hakken in Jingle Boy z'n flanken en spoorde ik hem aan naar het noorden, in vliegende vaart terug naar het houthakkersdorpje, terug naar de stal.

De berenvechtershond was weer opgekrabbeld. Met z'n staart tussen z'n benen wankelde hij jankend rond en hij keek alsof-ie maar wazig zag. Als ik net zo over-gevoelig was als Emma Collins had ik hem zielig gevonden, maar ik dacht aan de bijtwond in Kamau z'n been en de drie verse gaatjes in mijn zij en het deed me helemaal niks.

Ik gooide zo hard als ik kon met links en raakte hem op dezelfde plek als eerst. Zonder een kik te geven smakte-ie neer als een zak keien.

Ik stapte over de hond heen en deed zacht de staldeur weer open. Deze keer knarste er een scharnier toen ik naar binnen ging en kon de stal merken dat ik er was.

Ik keek naar de bundels links van me en m'n hart hield op met kloppen, m'n bloed hield op met stromen, en de tijd stond stil!

M'n ogen waren nog geeneens goed aan de duisternis gewend, maar toch zag ik het rondje in de loop van het mysteriepistool dat vrouw Chloe op de plek midden tussen m'n ogen gericht hield! En dat ding mocht dan zwabberend en zwaaiend in mijn hand hebben gelegen, zij hield het stil in een ijzeren greep.

Ik fluisterde: 'Vrouw Chloe, ik ben het!'

Ze liet het pistool zakken.

'Ik heb nog zo gezegd dat je niet terug most komen!' zei ze. Ze keek om naar de deur, en voor ik iets terug kon zeggen vroeg ze: 'En waar zijn die mannen nou waar je 't over had?'

'Ze konden niet helpen. Ze waren te bang.'

Ze legde het pistool achter zich en pakte haar kindje op.

De teleurstelling was nog in haar ogen te lezen toen ze naar me keek. Ik heb lang geleden al gemerkt dat je lot bezegeld is als een groot mens eenmaal in je is teleurgesteld, want je kunt hoog of laag springen, maar ze blijven bij hun mening.

Ik haalde heel diep adem zodat ik er niet onderuit kon om als een groot mens te gaan praten, wat machtig veel op liegen lijkt als je 't van de andere kant bekijkt.

Ik zei: 'Vrouw Chloe, het is niet netjes om te zeggen, maar ik mag 't heen en weer krijgen! Toen ik met Jingle Boy terugreed naar Buxton bleef er iets knagen en ik kon er maar steeds niet bij, maar ineens ging me 'n licht op! Zó!' En ik knipte met m'n vingers.

Zwijgend keek ze me strak aan.

'Toen ik uw kindje voor 't eerst zag was ik zo verbaasd en geschrokken dat m'n hersens heel vals een loopje met me namen, maar eenmaal op dat paard wist ik ineens wat me dwarszat, wat er mis was! 't Viel me in dat die kleine daar sprekend op m'n babyzusje lijkt, m'n zusje dat twee jaar terug doodgegaan is aan de koorts!'

Vrouw Chloe bleef kijken.

Ik loog: 'Ja echt, m'n kleine zusje dat twee jaar terug doodging leek als twee druppels water op uw kleine.'

'Wat vind ik dat erg voor jullie. Jij en je ma zallen er wel kapot van zijn,' zei ze.

'Zegt u dat wel, mevrouw,' zei ik. 'Ma is er zo kapot van dat ze in de rouw blijft en alle kleren met kleur erin heeft weggegooid, en ze weigert iets anders dan zwart te dragen, want de dokter heeft gezegd dat de Heer haar niet met nog meer kinderen zal zegenen.'

Vrouw Chloe zei niks. Ze keek naar me en knikte één keer met haar hoofd.

Ik zei: 'En nu zegt ma steeds dat ze er alles voor over heeft om nog een keer mijn kleine zusje te mogen zien.'

Zij zei: 'Die arme moeder van je. Dat arme, arme mens.'

Ik vatte dit op als een aanmoediging om door te liegen en me verder te oefenen in die geheimtaal.

Ik zei: 'Ze is altijd somber en jaagt de mensen de stuipen op 't lijf door 's avonds in de bossen rond te dwalen en aldoor te zeggen dat ze er alles voor over heeft om m'n zusje nog eens te kennen zien, dat ze veel te vlug dood is gegaan, dat ma de kans niet heeft gehad om echt afscheid van haar te nemen.'

'Wat een narigheid,' zei vrouw Chloe. 'Ik zie zo aan jou dat je ma 'n best mens is. Ze heeft een goeie jongen van je gemaakt, een heel goeie jongen. In wat voor wereld leven we toch dat een best mens als je ma zo'n kruis mot dragen en geen baby's meer ken krijgen?'

Het is geeneens moeilijk om door te gaan met liegen als je eenmaal begonnen bent. Het is net een bal die de heuvel af rolt. Maar ik wist dat ik 't verhaal nog mooier moest maken. Ik zei: 'Ja, en ze blijft maar zeggen dat ze pas tevreden dood kan gaan als ze nog één keer m'n zusje mag zien. En dan zegt ze ook nog: als God echt goed en rechtvaardig is, en ze weet heus wel dat-ie dat is, zou ze misschien niet alleen de kans krijgen om haar nog een keer te zien, maar misschien als door een wonder toch nog een kindje krijgen.'

Ik keek goed naar vrouw Chloe haar ogen, zoals ik naar die van meester Travis kijk. Als hij je overhoort kun je aan z'n ogen zien of je het goed doet en zo door moet gaan. Met de ogen van vrouw Chloe was het net zo.

Ik zei: 'Ma zegt altijd dat het niks uitmaakt of het d'r bloedeigen kindje is of niet, zolang ze maar weer een klein meisje heeft om voor te zorgen en groot te brengen. Ze is zo somber en doet zo raar dat ik en pa er zowat gek van worden, mevrouw.'

'Jij en je pa motten heel lief voor je ma zijn, jongen,' zei vrouw Chloe. 'Niks op de wereld is zo erg als een kleintje baren en dan verliezen. Niks. Ik heb er zelf drie verloren, twee die verkocht zijn en eentje die in z'n slaap is doodgegaan. Dit meisje van me is m'n laatste kindje.'

Ik kon niet meer. Ik schaamde me zo om al m'n leugens dat ik niet meer verder kon met die grotemensentaal.

Het scheelde maar 'n heel dun haartje of ik was er weer over-gevoelig van geworden, maar vrouw Chloe bekeek me van top tot teen en vroeg toen: 'En wat zouen we daar aan kennen doen, joh?'

'Waaraan?'

'Wat kennen jij en ik doen om je arme ma een beetje te troosten?'

Ik wist wel wat ze eigenslijks vroeg, maar ik wist niet goed wat ik terug moest zeggen.

Ik kon alleen uitbrengen: 'Mevrouw, mag ik misschien uw kindje lenen en meenemen naar Buxton om ma te laten zien hoe ze op mijn zusje lijkt?'

Vrouw Chloe haar ogen stonden net zo als die van meester Travis als je zonder brokken door de vervoeging van al je Latijnse werkwoorden heen was gekomen.

'Ma is zo in de war dat ze misschien wel denkt dat het m'n zusje is dat ze nog één keer mag zien,' zei ik.

Vrouw Chloe haalde heel diep en moeizaam adem. Voor de tweede keer klonk ze alsof ze kopje-onder was geweest en net op tijd bovenkwam voor haar longen zouen klappen.

Ik stak mijn rechterhand op en zei: 'Ik zweer op het hoofd van m'n ma dat ik heel goed voor haar zal zorgen, mevrouw. U zag zelf hoe goed ik haar vasthield. Ik zweer dat ik haar zal beschermen, en als ik zweer, moet ik me wel aan m'n woord houen. Ik zwoer toch ook dat ik terug zou komen? Ik zweer dat ik haar zal beschermen als ik haar mag lenen.'

Ik dacht dat ik 't te bont had gemaakt met de grotemensenpraat en iets verkeerds had gezegd, want vrouw Chloe maakte een geluid alsof ze een stomp in haar buik kreeg. Maar ze fluisterde: 'Jongen, jongen toch. Dat is percies wat we kennen doen... dat is 't percies.'

Ze kuste het kleintje op d'r ogen en zei: 'Zie je nou, lieffie? Ik heb het beloofd. Ik heb je beloofd dat je niet terugging naar Kentucky. Ik heb je beloofd dat ik dat niet liet gebeuren, alleen had ik nooit gedacht dat 't op zó manier zou gaan! Je weet toch dat ik je nooit van m'n leven pijn zou doen, behalve als het jou een levenlang vol pijn bespaart? Nooit, kleintje. Angst en zwakheid zijn me vreemd, dus dat was 't niet, maar iets gaf me in dat ik most wachten. En kijk nou eens. Kijk nou wat 't wachten heb gebracht. Kijk die jongen nou toch. Hij is écht teruggekomen. Hij is teruggekomen! En ik ben nog nooit van m'n leven zo trots op een jonge jongen geweest.'

Ze keek naar me op.

'Nu heb ik alleen jou nog,' zei ze.

Ik wist niet of ze mij of de kleine bedoelde.

Weer kuste ze de ogen van haar dochtertje, en ze zei: 'In plaats van dat dit je laatste nacht werd, is het je eerste geworden.' Tegen mij zei ze: 'Niet huilen, jongen. Waag 't niet. Ik heb nog nooit van m'n leven zo veel liefde gevoeld als nu voor jou. Jij heb niks om te huilen. Een van ons twee mag alleen huilen als morgen blijkt dat je maar een droom was, niks anders dan een hersenschim die me ervan heb weerhouen te doen wat me te doen stond. Maar je bent echt, hè?'

Ik wou 'ja, mevrouw' zeggen, maar ik kon alleen knikken en steeds weer slikken om de snotterigheid in m'n neus binnen te houen.

'Ik wist 't wel,' zei ze. 'Een spook of een droom zou nooit zo vaak flauwvallen en janken als jij. Trouwens, ik heb heel wat afgedroomd en er was nooit een droom bij die zo mooi was als jij. Nooit niet.' Ze zei: 'Voor je weggaat mot je haar naar d'r pa brengen en hem helpen haar nog één keer vast te houen.'

Ze reikte me het kleintje aan. Haar handen trilden weer.

Ik droeg het kind naar de grote Afrikaan en hield haar hem voor. Zijn handen konden niet ver omhoog, maar net genoeg om ze om haar bips te kunnen leggen en zijn gezicht tegen het hare te houen.

Ze graaide naar z'n haar en hij drukte zijn ruwe, gebarsten lippen tegen haar wangetje. Zo hield-ie zijn gezicht even, en hij sloot zijn ogen en haalde vier, vijf keer diep adem alsof hij haar geur diep in z'n eigen wou bewaren. Hij hield haar zo ver van zich af als de kettingen toelieten en zei iets in het Afrikaans tegen haar.

Zijn stem was zo diep als de donder. Hij stak haar me weer toe en zei: 'Jongen. Ga! Ga nu! *Oe-san-tee. Oe-san-tee-sah-nah*. Heel grote dank.'

Ik had het mis toen ik eerder dacht dat er vast niks was wat die man aan het huilen kon brengen.

Ik nam de kleine van hem over en draaide me om naar de vrouw om te kijken of zij haar dochtertje misschien nog in haar armen wou houen. Ze hing weer als een bundel tegen de muur en had haar handen voor haar ogen geslagen. Maar ze glimlachte.

Er viel eigenslijks niks meer te zeggen.

Ik hield de kleine op m'n rechterarm en had in mijn linkerhand een keiler klaar voor de hond buiten. Ik loerde door een kier van de staldeur en zag dat de hond nog plat lag aan het eind van z'n ketting, met modder die opdroogde om z'n tong, en dat-ie geen spier verroerde. Zijn nachtmerrie was zo te zien voorbij.

Voor ik de deur uit liep, zei vrouw Chloe nog: 'Jongen. Hoe heet je?'

'Elia, mevrouw.'

En toen, zodat ze als ze nog vrij kon komen en Canada wist te bereiken niet mis zou kleunen door naar de andere Elia te vragen, die blanke van Chatham, voegde ik eraan toe: 'Ik ben Elia. Elia van Buxton, mevrouw.'

Ze zei: 'Nou, joh, je heb bewezen wat je eerder zei. Je heb bewezen dat je iets heel erg vurig mot willen om een droom de kans te geven uit te komen. Het pak dat jij van m'n hart heb gehaald woog zwaarder dan een wagen vol keien, Elia van Buxton. Dank je wel.'

'Graag gedaan, mevrouw.'

Ik keek nog eens de stal in. Alles was weer duister en mistig.

Ik vroeg: 'Mevrouw? Hoe heet uw kindje?'

De Afrikaanse man gaf antwoord: 'Toe-mah-i-ni!'

'Hij noemt haar Toemahini, maar ik noem haar Hope,' zei de vrouw. 'Denk erom dat je je ma bedankt. Denk erom dat je ma aan Hope mot vertellen, als ze groter is...' Vrouw Chloe zweeg en sloeg even haar hand voor haar mond. Ze haalde hem weer weg en zei: 'Zorg dat je ma aan Hope vertelt dat haar pa volbloed Afrikaan is. Hij zegt dat-ie vroeger een koning was. En ik geloof hem.'

'Ik zal het doen. En ik zal haar vertellen dat haar pa z'n naam Kamau is en haar ma d'r naam Chloe en dat ze twee namen heeft, Hope en Toe-mah...'

‘Toe-mah-i-ni, onze Toe-mah-i-ni,’ zei meneer Kamau.

‘Toe-mah-i-ni,’ zei ik.

‘Hoe wou je al die namen onthouen, Elia?’ vroeg vrouw Chloe.

Ik zei: ‘Ik ben niet goed in rekenen, mevrouw, maar ik kan wel goed dingen onthouen. Plus dat ik potlood en papier in m’n tas heb en ze allemaal op ga schrijven.’

‘Wat! Ken je lezen? En schrijven?’ vroeg ze.

‘Ja hoor.’

‘Je bent warempel een wonder. Maar laten we de goden niet verzoeken, je mot maken dat jullie hier wegkomen.’

Ik ging de stal uit en hoorde meneer Kamau zeggen: ‘Chloe, geef *mij* pistool.’

Ze zei: ‘Man, stil toch. Waar wou je ’t verstoppen als ik ’t aan jou geef? Ik ken ’t onder die lap van me houen tot Prayder en die niksnutten van jongens in de morgen met onze kleren komen. In mijn ogen is die ouwe Satan me veel schuldig, want hij ken ervan op aan dat ik hem morgen in alle vroegte vier van z’n wreedste zielen en een van z’n gemeenste honden terugbezorg. En zeg, meneer Kamau...’ Ze liet een zacht soort lachje horen: ‘... als jij de machtige Afrikaanse koning ben die je beweert te zijn, en je wil dit pistool zo graag hebben, dan ken je ’t toch komen halen?’

Even bleef het stil en daarna vulde de stal zich met een andere zachte lach, diep en rollend deze keer.

‘Ik hou van je, Chloe,’ zei hij.

Ze zei: ‘Aah, stt, Kamau, ik ook van jou.’

Hun zachte gelach, het gejank van die jongen, en de kettingen die ratelden en schuurden zijn geluiden die ik m’n hele verdere leven blijf horen. Al word ik vijftig.

Ik legde de armpjes van de kleine om mijn nek en rende naar de plek waar ik Jingle Boy had vastgezet. Ik haalde twee keilers uit m'n tas en deed ze in mijn zak. De andere stenen en meneer Taylor z'n besmeurde mes gooide ik op de grond. Ik zette Hope Toe-mah-i-ni in de lege tas en bond haar op m'n rug zoals de vrouwen op het veld dat doen. En zo gingen we op weg naar Buxton.

We reden langzaam, want Jingle Boy had al veel te hard moeten rennen en ik moest zuinig zijn op Hope Toe-mah-i-ni, en we waren pas tegen de dageraad bij de veerboot in Detroit. Ze had zich onderweg als een lief kleintje gedragen en helemaal niet gehuild of zo. Ze had vooral aan het haar op m'n achterhoofd zitten trekken.

Wachtend op de veerboot die ons naar Windsor moest varen begon ik me af te vragen wat er met Hope zou gebeuren als we in Buxton kwamen. Maar ik wist 't zowat meteen. Ik wist dat vrouw Brown vast kleurige stof kon krijgen bij McMahon z'n warenhuis.

Toen de zon boven de bomen op Belle Island uit kwam kijken voelde ik dat ik Hoop welkom moest heten in Canada zoals het hoorde, zoals grote mensen dat doen.

Ik wees naar Canada en zei: 'Kijk nou toch! Kijk die hemel toch! Is dat niet de mooiste lucht die je ooit heb gezien?'

In plaats van te kijken wat ik aanwees, keek ze naar het topje van mijn vinger.

Ik zette Hope Toe-mah-i-ni op mijn schouder, wees naar Windsor en zei: 'En kijk daar, kijk naar dat land! Kijk naar die bomen! Heb je ooit zoiets kostbaars gezien? Het is het land van de vrije mensen!'

Ze bleef naar mijn vingertop kijken.

'En kijk jezelf dan, heb je wel eens zo'n mooi meisje gezien? Vandaag ben je echt vrij, en je hebt er de allermooiste en volmaaktste dag voor gekozen!'

Ik hield haar boven m'n hoofd en zei: 'Ik heb nog maar één vraag – waar bleef je zo lang?'

Ze lachte naar me, greep met haar handjes naar m'n gezicht, en spuugde toen 'n hele lading water over me heen.

't Is meestal geen grapje als je wordt ondergekotst, maar ik lachte toch.

Ik veegde m'n gezicht af, trok aan Jingle Boy z'n teugels en leidde hem de loopplank naar de veerboot op.

Ik moest aan meneer Frederick Douglass denken, en het mag klinken of ik weer opschepperig doe, maar als ik dit kindje veilig en wel in Buxton wist te krijgen, kon ik er potdommes zeker van zijn dat geen mens me nog ooit zou nadragen wat er tussen hem en mij was gebeurd. Het was net of-ie eindelijk z'n wraak had gekregen en me niet langer 't leven zuur hoefde te maken!

We hadden nog geen voet op Canadese bodem gezet of ik deed Hope Toe-mah-i-ni terug in de draagtas. Ik vond dat ik geen risico mocht nemen door Jingle Boy te hard te laten rijden. Ik liet hem in muilezeltempo in plaats van paardentempo gaan. Zo duurde de rit wel veel langer, zodat we pas rond het middaguur bij de westelijke grens van Buxton kwamen.

En Hope sliep de hele reis door.

Dankwoord

Mijn dank gaat uit naar Andrea Davis Pinkney en iedereen bij Scholastic die het me zo gemakkelijk hebben gemaakt met hun hulp. Bijzondere dank aan mijn redacteur Anamika Bhatnagar, die dit boek vier miljoen keer heeft gelezen en op de goede plekken steeds weer moest lachen.

Ik bof met mijn kring geweldige lezers, die me helpen mijn werk bij te schaven. Als altijd bedank ik Joan en George (Congressional Gold Medal Award winnaar!) Taylor, Mickial Wilson, Kaysandra Curtis, Harrison Chumley Patrick, Kay Benjamin, Lynn Guest, Eugene Miller, Teri Lesesne, Terry Fisher, Janet Brown, Lauren Pankin, Debbie Stratton, en vooral aan mijn drie eerste lezers: Pauletta Bracy, Richie Partington en Steven Curtis.

Dank ook aan de *Buxton National Historic Site and Museum*, Shannon Prince en Spencer Alexander, voor hun hulp bij mijn research.

En zoals eeuwig en altijd bedank ik mijn ouders, Herman en Leslie Curtis.

Noot van de auteur

Wat een fascinerende, prachtige, van hoop vervulde plaats is en was *The Elgin Settlement and Buxton Mission of Raleigh*. De kolonie werd in 1849 gesticht door de blanke presbyteriaanse dominee William King en werd oorspronkelijk door dominee King gedeeld met vijftien slaven, die hij via zijn vrouw had geërfd, en zes ontsnapte slaven die hen opwachtten. Dominee King vond dat deze Afrikaans-Amerikaanse slaven nergens in de Verenigde Staten werkelijk vrij konden zijn, zodat hij een gebied van 4,5 bij 9 km in het zuiden van Ontario kocht waar hij en de ex-slaven konden wonen. Op het hoogtepunt wordt de bevolking van Buxton geschat op 1500 tot 2000 ontsnapte en bevrijde mensen. Er waren in die tijd in Canada nog enkele andere vrije vestigingsplaatsen voor wie de slavernij was ontvlucht, maar Buxton bleek het grootste succes. Zelfs in de eenentwintigste eeuw wonen er in de streek nog enkele honderden afstammelingen van de oorspronkelijke bevolking, die het land bewerken dat hun voorouders ontgonnen en wonnen op het eens zo dichte Canadese woud.

Het succes van Buxton kan worden toegeschreven aan twee aspecten. Eerst en vooral de wilskracht, vastberadenheid, moed en pure waardering van hun vrijheid, als ruggensteun van de pas bevrijde bewoners van grotendeels Afrikaans-Amerikaanse afkomst. Ze werden geconfronteerd met grote tegenstand van sommige Canadezen, maar vochten en ploeterden om de belofte van de Noordster waar te maken. Ze wisten vanuit de verschrikkingen van de slavernij in het zuiden van de Verenigde Staten naar het land van de vrijheid te komen, naar Canada. Elke dag dat ze wakker werden was gevuld met ontbering, elke dag dat ze wakker werden was gevuld met vreugdevolle vrijheid. In *Legacy to Buxton*, een gedetailleerde geschiedenis van de kolonie, citeert schrijver A.C. Robbins een gedicht van Paul Laurence Dunbar om die moedige mensen te beschrijven, en ik kan me geen juister eerbetoon denken:

Niet de hovaardigen, maar de nederigen
die stil zwoegend hun robuuste weg gaan, zijn voor God
de ware helden...
Niet de hovaardigen

De tweede reden waarom het zo goed ging in *The Buxton Settlement*, was het door dominee King ingestelde reglement. Wie zich binnen de grenzen van de kolonie wilde vestigen, moest met hulp van zeer lage renteleningen minimaal twintig hectare grond kopen om te ontginnen, te bebouwen en af te wateren. De huizen, met een voorgeschreven omvang van minstens vier kamers, moesten tien meter van de weg staan. Aan de voorkant van elk huis werd een bloementuin aangelegd en aan de achterkant moest groente worden gekweekt in de moestuin.

Economisch gezien was Buxton hardnekkig en doelbewust onafhankelijk, met een eigen houtzagerij, apotheek, dorpswinkel, steenbakkerij, postkantoor, hotel, en school. Er liep zelfs een tramlijn om hout uit Buxton over tien kilometer te vervoeren naar Lake Erie, waar het hout op schepen werd geladen om door heel Noord-Amerika verkocht te worden. De school in Buxton verwierf zo'n uitmuntende reputatie dat veel blanke gezinnen in de streek hun kinderen van de rijksscholen haalden en naar de Academie van Buxton stuurden. Ook kinderen van de oorspronkelijke Canadese bevolkingsgroepen genoten daar onderwijs.

Het verhaal van Elia is deels fictie, maar ook heb ik veel in het boek op feiten gebaseerd. Een ongelukkig incident komt niet voor in de archieven, maar Frederick Douglass bracht wel degelijk een bezoek aan Buxton, evenals de abolitionist John Brown, al was het niet gelijktijdig. Een van Buxtons eerste bewoners, een jong meisje, maakte op dezelfde manier als Elia's ma haar reis naar de vrijheid door bij een tweede reis naar Detroit aan haar bazin te ontsnappen. De *Liberty Bell* werd inderdaad geluid als nieuwe ex-slaven de kolonie bereikten. De 250 kilo wegende koperen klok was in 1850 in Pittsburgh gegoten, en werd betaald met gespaarde dubbeltjes, stuivers en dollars van voormalige slaven als eerbetoon aan de bevolking van Buxton.

Jammer genoeg werd de kerk waarin deze Vrijheidsklok huisde verkocht in de jaren twintig van de vorige eeuw, en nu verblijft de klok in een hermetisch afgesloten toren, voor niemand te bezichtigen. De Canadese regering heeft niet zo lang geleden een gulle $ 10.000 gedoneerd om een replica van de klok te kunnen maken en die te plaatsen op het terrein van *The Buxton National Historic Site and Museum*, maar de juiste afmetingen voor het gietwerk was een kwestie van schattingen. Ik hoop van harte dat in heel Buxton op een goede dag het gelui van de vrijheidsklanken te horen zal zijn. Om meer te weten te komen over de klok kun je mijn website bezoeken, www.nobodybutcurtis.com.

Ik kan iedereen aanraden een reis naar North Buxton te maken. Het is vrijwel onmogelijk om niet diep bewogen te raken wanneer je uitkijkt over landerijen die ontgonnen en bewerkt zijn door mensen die hun leven waagden voor de droom van de vrijheid. Het is vrijwel onmogelijk om geen vreugde te voelen, die maar een fractie is van wat de voormalige slaven moeten hebben gevoeld toen zij voor het eerst de school van Buxton zagen. Een oord waar hun kinderen goed onderwijs konden krijgen, van eenvoudige sommen tot hogere wiskunde, van Engels tot Grieks. Het is vrijwel onmogelijk om naar de hemel boven Buxton te kijken, of het nu regent of zonnig is, en niet te denken: Is dat niet de mooiste lucht die je ooit hebt gezien?

Bezoek het museum in Buxton en onderga het gevoel van hoe het leven in Buxton anderhalve eeuw geleden moet zijn geweest. De museumuitgave *Something to hope for* is een boeiend overzicht van de geschiedenis van Buxton. Op het museumterrein bevinden zich nog een authentieke hut en de oorspronkelijke school die ik als locaties in *Elia* heb gebruikt, en ook is de begraafplaats uit die tijd er nog. Ieder jaar op de Dag van de Arbeid wordt in Buxton een grootse viering gehouden, waarbij meer dan drieduizend nakomelingen van voormalige slaven bijeenkomen uit heel Canada en de Verenigde Staten om te feesten en hun voorouders te eren.

Buxton is een bron van inspiratie, en het belang van Buxton in de Amerikaanse en Canadese geschiedenis verdient veel meer erkenning. Ik ervaar het als een grote eer dat ik mijn boek in zo'n uniek oord kon situeren.

Christopher Paul Curtis,
Windsor, Ontario
Maart 2007